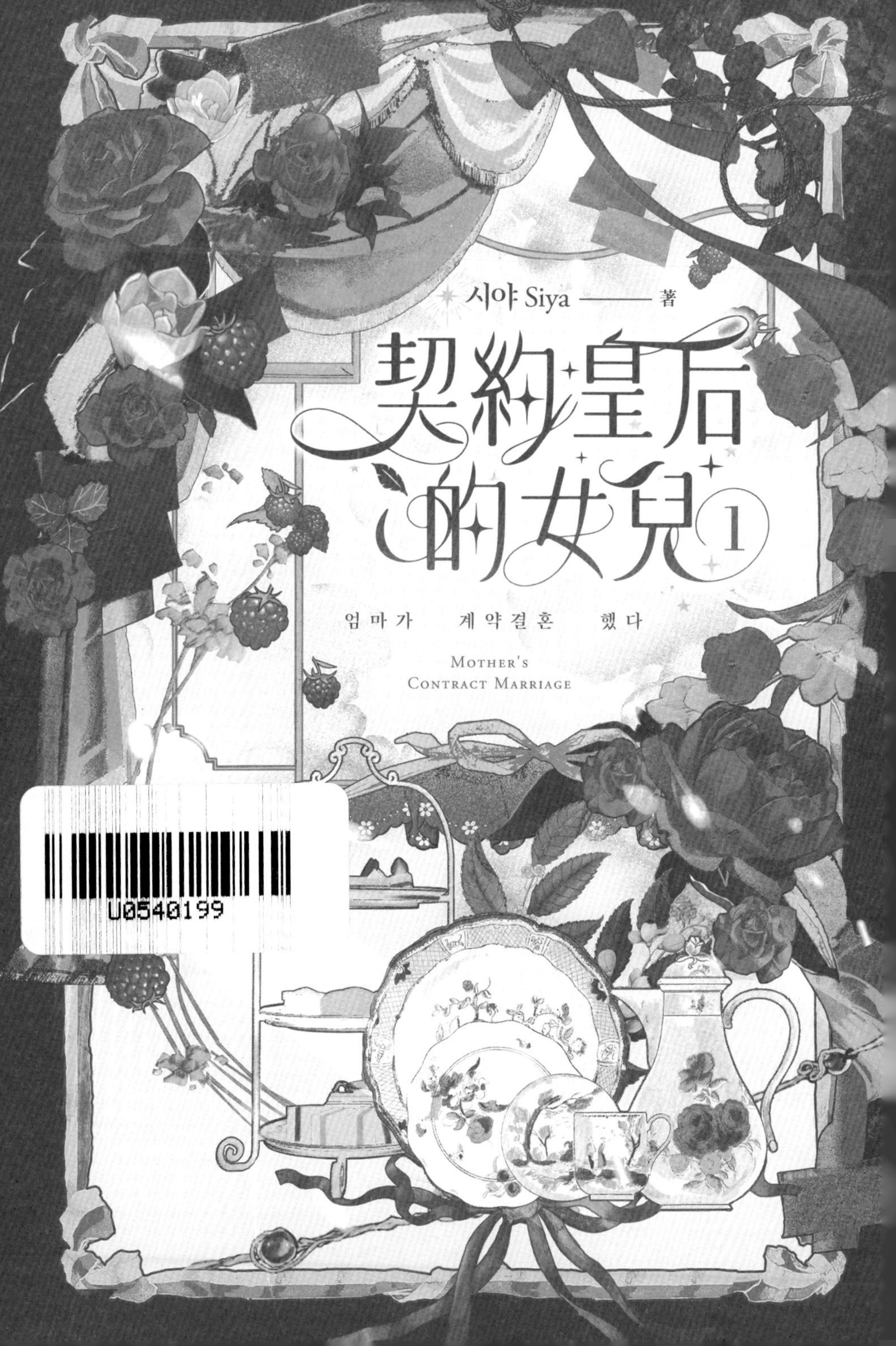
시야 Siya —— 著
契約皇后的女兒 1
엄마가 계약결혼 했다
MOTHER'S
CONTRACT MARRIAGE

目錄

CONTENTS

CHAPTER. 1
向星星許願

「莉莉卡．凡斯」這個名字在首都的貧民區裡非常有名，因為無論是哪一戶人家的父母，在責罵孩子時都會說上一句「如果你有莉莉卡的一半就好了」。

莉莉卡今年八歲，以做事能幹著稱。然而在莉莉卡的人生中，卻有一個負擔，那就是她的媽媽。

她已經扶著喝到醉醺醺的媽媽回家不下數次。薄薄的木板牆根本無法阻隔聲音，所以從外面就可以聽到她媽媽酒醉後對她大聲斥責的聲音。

有時候媽媽鬧得太過火，莉莉卡就會雙眼紅腫地外出工作。

不過，莉莉卡仍然為她的媽媽感到自豪。她從未見過比她媽媽更美的人，而且在貧民區中，能識字的人也只有她媽媽。

她一直認為原本是貴族的媽媽是因為過於辛苦，才變得這麼撒潑無理。

據說是因為莉莉卡的爸爸說要坐船去做生意，欠下巨款就一去不返了，所以她的媽媽才會被逐出城外。

媽媽總說，如果不是因為有莉莉卡，她早就嫁去其他地方了，而莉莉卡也同意這個說法。

莉莉卡媽媽的一頭金髮就猶如陽光般閃耀，眼睛則比矢車菊湛藍，因此即便身處貧民區，也依舊亮麗動人。

她那牛奶般的白皙皮膚和精緻五官，讓她無論在什麼地方、穿什麼衣服，都顯得格外亮眼。

照理說應該會有很多男人為之著迷，但也許是因為她太美了，所以沒有人敢接近。

對莉莉卡來說，這是一件好事。因為就算她拿著掃把衝過去趕人，一個成年男人要是打她一拳，她一定會當場昏倒。

莉莉卡因為營養不良，所以即使八歲了，身體也依然嬌小柔弱。如果有男人打她一巴掌，她可能會被打飛並重摔在地。

莉莉卡以前曾經因為欠房租而被挨打，痛到難以恢復知覺。當時她一陣暈眩，耳朵嗡嗡作響，口中還嘗到一股血腥味。後來甚至眼冒金星，眼前一片漆黑。

因為這件事，莉莉卡總是會擔心那些壞人接近她美麗的媽媽。

每晚，她都會雙手合十，向夜空中最亮的星星許願。

『希望那些壞人不要接近媽媽，保佑媽媽永遠平安。』

也許是星星聽到了她的心聲，媽媽總是能夠平平安安地穿梭在酒吧之間。

今天是個安靜的日子。莉莉卡媽媽喝得比平時更多，所以倒頭就睡。

莉莉卡將她的棕色頭髮綁成馬尾，出門工作。貧民區的孩子能做的工作並不多，即使如此，莉莉卡也非常勤奮。

她工作時很細心，不會偷東西或偷吃食物，所以大家對她讚譽有佳。

自從莉莉卡在擦鞋大叔那裡聽到「工作講求的就是信用」這句話之後，她總是很努力地去實踐這一點。

今天她要打掃酒館的廚房。

她不停地用刷子刷去地上的塵沙和油汙，再用水沖洗。

即使莉莉卡刷到手臂發抖，汗沿著手臂滴落，她還是繼續努力地刷著地板。

做這種簡單的工作時，她總會開始想像。

第一個是想像爸爸回來。她希望爸爸是為了做生意而長時間不在家，他會帶著滿船的金銀財寶歸來，回到她和媽媽身邊，再次過著幸福的生活。

第二個是她心中的幻想。

當她走在首都的街上時，一位紳士也許是看她可憐，所以丟一枚銀幣給她。

那個紳士要她把圍裙攤開，她就慌張地攤開圍裙，一枚銀幣掉到圍裙上時，莉莉卡驚訝極了。

「去買些好吃的吧。」

那位紳士這麼說，但莉莉卡怎麼捨得拿銀幣去買好吃的呢？絕對不行。莉莉卡決定把這枚銀幣當作護身符，隨身攜帶。

這枚銀幣可以買兩隻雞，然後孵出小雞，飼養更多雞。賣掉那些雞之後，可以買山羊、牛，之後甚至可以買馬，成為有錢人——這類的幻想。

這都是莉莉卡常想像的事。只要想像這兩件事，直到工作結束，她都感覺不到疲憊。

最後，她用水將地板沖洗乾淨，獲得了一枚大銅幣。

五枚小銅幣等於一枚大銅幣，而一枚大銅幣可以買一個麵包，賺到十枚大銅幣則可以換一枚白銅幣。莉莉卡偶爾會看到白銅幣，但銀幣非常罕見。

莉莉卡買了半塊麵包走回家，小心翼翼地踏進家門時，媽媽還在睡覺。

「太好了。」

莉莉卡悄悄掀起地毯，然後拉起腳下的木板地，裡面是莉莉卡的祕密倉庫，有一個裝滿銀幣和小銅幣的袋子。她摸了摸裡頭的銀幣，再放回袋子裡。

下個月的房租就在這裡頭。要是被媽媽發現這筆錢會拿去買酒，或浪費在不必要的事情上，所以她必須像這樣偷偷地存起來。

袋子非常沉重，所以付完房租後應該還會有剩。只是想想，莉莉卡就感到幸福，笑著蓋上地板並鋪上地毯。

這時——

「啊啊啊啊！」

躺在床上的媽媽突然開始掙扎，還尖叫起來。

莉莉卡被嚇得頓時僵在原地。

「不要！好燙！不，不是我！啊啊啊！」媽媽即使從床上滾了下來，仍渾然不知地不停掙扎。

直到這時，莉莉卡才急忙跑過去問道：「媽媽？媽媽，您還好嗎？是哪裡不舒服嗎？」

「救救我！救救……」

莉莉卡緊緊握住她的手，媽媽才停止了掙扎。她抬起不停顫抖的眼皮，環顧四周，卻毫無焦點。

莉莉卡頓時覺得非常害怕。

她曾聽說喝太多酒會導致腦部受損，所以很擔心媽媽是不是也是如此。

「這、這裡是哪裡……妳、妳……該不會是莉莉卡吧？」媽媽慌張地抬起身，莉莉卡就握住她的手，幫助她坐起來。之後媽媽緊緊靠著莉莉卡問。

「是的，媽媽，我是莉莉卡。」

媽媽目光迷茫地看著她，莉莉卡則著急地直盯著媽媽看。

「您還好嗎？這裡是我們家。昨天，呃……」

莉莉卡支吾其詞。每次提到喝酒，媽媽總是會大發雷霆，所以她不知道該不該開口。

「您可能是作惡夢了。」

「莉莉，妳變小了。」

「什麼？」

莉莉卡頓時無話可說。她心想自己才八歲，若是變得更小，那會是幾歲？

她困惑地目光四處遊移時，媽媽倒抽了一口氣。

「莉莉，妳還活著嗎？」

「什麼？是！我當然還活著啊！」

莉莉卡猜媽媽可能是夢到自己死去了，所以拍了拍自己的胸膛說道。但媽媽迷茫地看著她說：

「妳還活著，還活著。喔，妳沒有變小。天啊，莉莉卡，妳多大了？」

「我八歲了。」

「不可能。這是怎麼一回事？」

媽媽突然站起來，在屋子裡到處走動。

「天啊，這裡不是貧民區嗎？不可能，我的天啊……」

她望向窗外，打量屋內並四處走動後，撿起一小片鏡子的碎片仔細地看了看，然後倒抽一口氣。

「我回來了……」

「媽媽？」

莉莉卡開始感到害怕。她覺得媽媽真的腦袋不正常了。

該怎麼辦呢？這裡別說醫生了，連藥也買不到，說不定請醫生來還得花掉銀幣。

莉莉卡下定決心，站起身來。

「天啊！我回來了！怎麼可能！這種事怎麼可能發生？我的天啊！」

媽媽的驚呼聲讓莉莉卡微微僵在原地。在這時候靠過去，可能會被激動的媽媽打到。

就像在酒吧裡必須避開那些激動大叫的人一樣，莉莉卡默默地看著媽媽，等她冷靜下來。

媽媽摸了摸自己的手臂和腿，再摸了摸頭髮和臉，不停重複著「我回來了」這句話。

接著她轉向莉莉卡，讓莉莉卡嚇得身體一顫。媽媽朝莉莉卡衝過來，並伸出手。

要被打了。

莉莉卡緊緊閉上雙眼，卻感受到一雙柔軟的手碰到雙頰。她輕輕睜開眼，看到媽媽湛藍的雙眼就在眼前，眼中含著淚水。

「莉莉卡，妳還活著。我的寶貝莉莉卡，媽媽對不起妳，都是我的錯。媽媽太愚蠢了，是媽媽太笨了……」

莉莉卡驚訝得猛眨眼，而媽媽緊緊抱住她。媽媽一邊啜泣，一邊低聲重複著「我的寶藏、我的寶貝、我的莉莉卡，我愛妳」這種猶如夢境的話。

從暖意觸及的地方開始，緊張感逐漸緩解。媽媽的話開始慢慢滲透至莉莉卡的心底，搔動著她的心。

不知不覺中，莉莉卡的淚水溢出眼眶。

雖然她不知道這是什麼夢，也許是她自己在作夢，但媽媽的懷抱太溫暖了。

原來被抱入懷裡是這麼美好的事啊。莉莉卡深深地體會到這一點。

媽媽撫摸著她的頭，親上她滿是淚水的臉頰。

過了一會，媽媽似乎冷靜下來了，吐出一大口氣，最後緊緊抱了莉莉卡一下後放開她。

莉莉卡對這一切感到既突然又奇妙，同時也十分不安。她擔心如果媽媽又突然改變怎麼辦。

「莉莉，今天是幾年幾月幾日？」

「今天是……嗯……四百八十五年春芽月（四月）十五日。」

媽媽聽到莉莉卡的話，沉思了一會後彈了一聲響指。

「皇宮舞會！」媽媽突然如此大喊。

莉莉卡被嚇了一跳，但還是點了點頭。首都的居民都知道春季會舉辦舞會。

每到這個時候，首都會充滿活力，連貧民區也會被這股活力感染。所有貴族會接連來到首都，參加在皇宮舉辦的華麗舞會。

聽說皇帝也會出席今年的舞會，與此同時，關於皇帝是個極其可怕的人的謠言也隨之傳開。

人們會對孩子說：「如果你一直這樣，我就把你送到皇帝陛下那裡去！」訓斥他們。

傳聞皇帝會吃掉小孩的心臟，或是把自己不喜歡的人全部凍死。這些謠言不曉得是否為真，但據說王族擁有特殊的能力。他們能隨意操控水，隨心所欲地凍結所有事物，或者不用觸碰就能移動物品。不僅如此，他們還擁有許多神奇的魔法道具。

據說，皇帝就是用這些能力隨意殺人，才坐上皇位的。也有傳言說，是現任皇帝殺害了前任皇帝，而現在的皇太子是前任皇帝的兒子，所以現任皇帝必須在皇太子成年前留在皇位上，但誰會相信這一套說辭呢？

總之，大部分的謠言都是說現任皇帝既怪異又可怕。

不過，媽媽怎麼會突然提到皇宮舞會？莉莉卡疑惑地眨了眨眼。

媽媽緊緊抓住莉莉卡的肩膀。

「莉莉，媽媽必須去參加那個舞會。」

「……」

莉莉卡無法回答這句過於荒謬的話，但媽媽的藍眼睛閃過猶如閃電的光芒。

「無論如何，我都得參加那個舞會並見到陛下，只有這次機會了。今天準備好，明天進去的話……」

莉莉卡瞬間嘗到絕望的滋味。她還以為媽媽變了，但即使這個想法只出現了一瞬間，她也錯了。

「這根本不可能。」

什麼皇宮舞會？什麼皇帝陛下？

聽到這種荒謬至極的話，莉莉卡無言以對。連八歲孩子都知道的事，為什麼媽媽不知道呢？

「我們要怎麼進入皇宮舞會？」

「會有辦法的。當然，我們不能穿這種衣服，我們得去當鋪借合適的衣服。只要借到衣服，其他事情媽媽可以自己搞定，所以，莉莉……」

莉莉卡彷彿知道接下來會聽到什麼話，顫著雙唇說：「我們沒、沒有錢，媽媽……」

「莉莉，拜託妳，就相信媽媽這一次好嗎？嗯？」

莉莉卡搖了搖頭。繳房租的日子馬上就要到了，她不想再挨打了。更何況那可是皇宮舞會，萬一媽媽被士兵抓起來怎麼辦？不，一定會被抓的。

媽媽不斷說服莉莉卡，她還是毫不鬆口。不能小看在貧民區長大的女孩的倔強。

最終媽媽嘆了口氣，舉起雙手投降。

「好吧，莉莉。既然妳這麼想，那也沒辦法了。」

莉莉卡抬起頭來，媽媽似乎沒有生氣。在經過一番思考後，媽媽再次緊握住她的雙肩說：

「莉莉，但有一件事妳要知道，為了莉莉，媽媽會用盡全力的，媽媽知道即使沒有這些，妳也會很快樂，但這是媽媽的私心。媽媽會基於私心，盡全力為妳做到最好。妳明白了嗎？」

莉莉卡點了點頭，媽媽則笑著抱住她。

「那今天我們早點睡吧。」

聽到媽媽的話，莉莉趕緊拿出半塊麵包。

「我已經吃過了，所以不要緊。」

聞言，媽媽看了看那半塊麵包，然後說：「就算妳已經吃了，我們還是一起分著吃吧。」

硬邦邦的麵包需要很用力才能掰開。分食完麵包後，莉莉卡和媽媽一起睡在狹窄的床上。

莉莉卡十分幸福，所以沒有作任何關於銀幣的夢，睡得很沉。

第二天醒來時，媽媽不見了，取而代之的是凌亂的毯子和被掀開的地板。

不用多說，錢幣和錢袋也都不見了。

茫然無措的莉莉卡一下子癱坐到地板上。她會雙腳發軟也無可厚非，事到如今，她連必須去追媽媽的念頭都放棄了。

「嗚哇哇……」

莉莉卡不自覺地放聲大哭，這是她第一次憎恨媽媽。

莉莉卡哭了又哭，因為哭得太久而開始耳鳴，頭暈腦脹。她多希望自己因為太悲傷和痛苦，就這樣倒地不起，但她連這種事都做不到，因為手邊一分錢也沒有。

「別哭，別再哭了，莉莉卡・凡斯。妳不是小孩子了，八歲的人哭什麼，不覺得丟臉嗎？」

莉莉卡安慰著自己，同時喘著氣從地上站起來。要在貧民區生存下去，就必須堅韌不拔。

而且「工作講究的是信用」，就算今天既悲傷又心痛，也不能因此不工作。如果像這樣不告知一聲就不去工作，至今累積起來的信譽就會破滅。

不說別的，這是莉莉卡唯一的驕傲。她猛拍自己的臉頰，站起來。

莉莉卡用冷水洗了把臉就離開家。

今天她不是在貧民區，而是要去首都邊緣一家體面的酒吧工作。

酒吧裡有許多昂貴的玻璃杯，大人的手無法伸進那些高窄的酒杯裡，但小孩的手能輕鬆伸進去清洗，所以莉莉卡負責洗杯子和擦拭，不讓杯子留下任何髒汙。這份工作不會輕易交給貧民區的孩子做，但莉莉卡因為良好的名聲而得到了這個機會。而且老闆會支付兩枚大銅幣，她不能錯過這個機會。

如果不小心打碎玻璃杯，可能一輩子在這裡工作都無法償還，所以莉莉卡非常小心認真地工作。

雖然這是一份極其專注的工作，讓人感到疲倦，但也多虧於此，讓她忘記了媽媽的事。

下班時，她筋疲力盡，因為工作的時候太過緊張了。接下老闆遞來的兩枚大銅幣，莉莉卡道了聲謝就踏上歸途。

不，雖然必須回去，但今天她不想回家。莉莉卡拿著那兩枚大銅幣，漫無目的地在街上晃。但街上的人們都避開骯髒的莉莉卡，很快就讓她感到羞愧，回到貧民區的小巷，等到太陽下山時才朝家走去。

也許媽媽已經回來了，媽媽可能會跟她說「對不起」，並且把錢一分不差地帶回來。

又也許，爸爸會……

莉莉卡露出苦笑，是一個不像孩子的笑。

一開門走進家裡，她立刻感覺到有些異狀，這是只有屋主才能感受到的氣息。雖然家裡沒有什麼值得偷的東西，但在這個街區任何事情都有可能發生，莉莉卡緊張起來。

她像隻炸毛的小貓緩慢移動，同時環顧四周。

「莉莉卡．凡斯小姐。」

聽到從黑暗中傳來的聲音，莉莉卡跳了起來。她迅速看向聲音來源，有個戴著兜帽的男人。雖然兜帽看起來破舊，但莉莉卡看得出來。

這是一位地位很高的人。

不，至少是位富人。破舊兜帽下所穿的衣服乍看之下不便宜，最重要的是看他的鞋子就知道了。他挺拔站立的姿態既不卑微又充滿自信，肯定是個不常低頭的人。

「您回來得滿晚的呢。」

「您是誰？」

莉莉卡察覺到這個人無意傷害她，並且想展開對話時，她主動發問。

「我是來接您的。」

「什麼？」

莉莉卡驚訝地睜大了眼，馬上又因為懷疑而瞇起眼睛。

「是因為房租嗎？還是……」

「不，凡斯小姐，是您媽媽讓我來接您回去的。」

聽到這個出乎意料的回答，莉莉卡驚訝地反問道：「我的媽媽？派人來接我？」

「是的。」

「發生了什麼事？她是不是被抓了？如果不是，那……」

「具體的情況，請到了那邊再詢問他們，我只是個跑腿的。我們最好從後面悄悄地離開。」

聽到男人的話，莉莉卡抱起雙臂，堅定地說：「我媽媽說過，不可以跟陌生人走。」

男人一瞬間略顯困惑。他沉思片刻後，做了自我介紹。

「我是拉烏布．沃爾夫。」

莉莉卡用寫著「那又怎樣？」的表情看向他，他就用嚴肅的語氣說：「其實凡斯小姐的媽媽病得很重。」

「什麼？」

「發生了一場意外，所以她拜託我來接您。她非常急切地在找您。」

「怎麼會這樣……」

莉莉卡不知所措。媽媽竟然出了意外，該怎麼辦才好？難道是在試圖強行進入皇宮舞會時受傷了？想到媽媽昨夜大聲哭泣的模樣，她的心跳劇烈跳動。

「我、我們走吧，快走！」

「這邊請。」

拉烏布急忙打開後面的牆板。本來完好的牆板被拆除了，但莉莉卡沒有發現到這一點。

拉烏布帶著她迅速穿過暗巷，來到稍大一點的巷子後吹了聲口哨，一輛藏起來的馬車就行駛到他們前面停下。

「天啊……」

這是她第一次如此近距離地看到這麼大的馬車，也是第一次坐上馬車。

拉烏布打開車門，幫助莉莉卡搭上馬車。因為輪子太高，她自己無法上去。

他對坐立不安的莉莉卡提出忠告。

「凡斯小姐，您不能這麼容易就信任他人。」

「？」

慌張的莉莉卡還來不及說話，馬車門就關上了。

馬車停下來時，莉莉卡像隻生氣的貓一樣，緊貼在馬車的角落。

她覺得自己太過相信自己的直覺了。也許是因為無時無刻都生活在危險中，莉莉卡對危險的感覺十分敏銳。多虧於此，她不知道躲過了多少危險，連擦鞋的大叔都認同這點。

因為沒有感覺到危險，她就放鬆了警惕。莉莉卡緊握著馬車的把手，眼神中透露出堅持不下車的意思。

拉開門的拉烏布思考了一下該如何是好。強行拉她出來可能會她抓傷，但也不能就這樣放著她不管。

「凡斯小姐。」

「走開！」

莉莉卡拚命地叫喊並瞪著他，但拉烏布似乎一點也沒感受到威脅。

他不介意自己被她抓傷，但他擔心在這個過程中，或許會傷到莉莉卡。她看起來是如此脆弱，似乎就算拉烏布什麼都不做，只是她主動撞向拉烏布就會因此骨折。

「我媽媽受傷的事是真的嗎？」即使在這種情況下，她仍滿是擔憂地問道。

拉烏布回答道：「不，您媽媽很健康。」

馬車內傳出一連串貴族小姐一輩子都不可能聽過的貧民區粗話。

最終，他決定環抱著雙臂，靜靜等她冷靜下來。

莉莉卡本來打算若是拉烏布硬拉她出去，她就要用力踹飛他，但當他安靜下來，她的身體也逐漸放鬆下來。敞開的馬車門外的景色奪走了她的注意力，她出生以來第一次看到這麼美麗的花園和華麗的建築。

甚至還有一座美麗的噴水池，水流發出清脆的聲響，不斷湧出。這裡既不喧鬧，也不像人口販賣現場。

莉莉卡悄悄挪動屁股，移動到門邊，想仔細地觀察周遭。

她在門口看向拉烏布時，他已經退到了伸手無法觸及的距離。莉莉卡探出頭來，四處張望。

不管看向哪裡都是花園。精心維護的草坪和整齊的樹木，甚至帶有一絲神祕。

「這裡是哪裡？」

莉莉卡膽怯地問道，拉烏布則簡單地回答：「別宮。」

「別宮？」

「別宮是附屬於皇宮的一座小宮殿。您準備好下車了嗎？」

聽到這句話，莉莉卡緊緊抓住馬車門。拉烏布注視著她，莉莉卡又開始慢慢回到馬車內。

感覺就像錯過了從洞口探出頭的小貓一樣，拉烏布低聲嘆了一口氣，這時，有人從宮殿裡跑出來。

「莉莉卡？莉莉卡來了嗎？」

「媽、媽媽？」

雖然這個熟悉的聲音是媽媽的，但她的打扮太耀眼了，莉莉卡不得不一再確認那位女士是她的媽媽。

看到抓著飄逸的裙襬跑過來的露迪婭，莉莉卡從馬車裡跳了下來。

「媽媽！」

「莉莉卡！太好了。對不起，媽媽讓妳擔心了吧？嗯？媽媽很抱歉，都是我的錯。」

媽媽的衣服很柔軟，摩擦時會發出舒服的聲音。媽媽的懷抱也依然溫暖，和莉莉卡相貼的臉頰柔嫩，讓莉莉卡不禁脫口說道：「我真的很生氣。」

她非常小聲地表達自己的不滿。儘管如此，媽媽也沒有生氣或推開她，反而將她抱得更緊。

「我知道，是媽媽不對。我真的做了很壞的事，但我想不到其他辦法了。我真的很抱歉，好嗎？」

媽媽語帶哽咽地一再道歉，使莉莉卡心軟了。

「我知道了。但這一切是怎麼回事？這裡是哪裡？發生了什麼事？」

「好，進去再說吧。」

媽媽笑著站起來，緊緊握住她的手，然後轉頭看向拉烏布。

「謝謝。」

「不客氣，露迪婭女士。」

拉烏布恭敬地敬了一禮，莉莉卡也猶豫地向他揮了揮手。拉烏布也對她微微低頭致意後，莉莉卡嚇得緊緊抱住媽媽。她第一次見到成年男性對她低頭鞠躬。

「來，我們進去吧。」

媽媽好像覺得這很正常，沒有任何特別的反應，若無其事地帶著她走。莉莉卡走進宮殿時回頭看了一眼，拉烏布還筆直地站在那裡，但很快就被樹木遮住，看不到了。

別宮的華麗景象立刻俘虜了這位年幼女孩的心。在眾多別宮中，「晨星宮」就如其名，以混合著粉紅色調的大理石建成，周遭充滿了金色裝飾。雖然這在別宮中算簡樸的，但仍讓莉莉卡感受到無可抵抗的壓迫感。

她屏息觀察著宮殿內部。

莉莉卡的媽媽露迪婭決定先讓女兒洗澡。莉莉卡的褐色頭髮油膩膩的，指甲和耳根也烏漆抹黑的。

雖然沒有侍女，但滿滿一桶熱水已經準備好了，所以並不困難。

莉莉驚訝地問：「這是浴缸嗎？」

她對如此巨大的浴缸裡裝滿了熱水感到驚奇，看到水變得這麼髒又大吃一驚，發現肥皂很香但味道很苦，碰到眼睛會刺痛也十分驚訝。

一切都是新奇的體驗。

用刷子仔細刷洗掉指甲下的汙垢時，莉莉卡懷疑自己是不是被刷掉了一層皮。

塗上溫暖又香甜的體香油後，她穿上了新衣服。她穿上柔軟厚實到令人驚訝的內衣，在外頭披上裝飾著大量蕾絲的裙子。這是她第一次穿上這麼華麗的衣服，讓她幾乎感到窒息。

莉莉卡穿上絲質襪子和柔軟的小羊皮靴子，開始懷疑自己是不是在作夢。

她不停撫摸柔軟的衣物，享受著觸感，這時媽媽端了一些簡單的點心進來。

像珠寶一樣閃閃發光的果醬，和蓬鬆柔軟、入口即化的麵包是她從未嘗過的食物。

她說這道果醬非常漂亮後，媽媽告訴她那是「覆盆子果醬」。她因為噎到而咳了起來，媽媽隨即遞來一杯黃色的飲料，那也美味得驚人，媽媽說那是柳橙汁。雖然莉莉卡不知道柳橙是什麼，但她意識到世界是如此廣闊，也有很多美味的食物。當她正忙著吃麵包時，媽媽問道：

「莉莉卡，妳嚇壞了吧？現在感覺好一點了嗎？」

莉莉卡點點頭。她驚訝過頭，幾乎沒有力氣再追問了，感覺再也沒有事情能嚇倒她了。

「這是怎麼回事？」

莉莉卡小聲地問道，媽媽微微一笑，更壓低聲音說：「媽媽說過要參加皇宮舞會吧。」

「是的。」

「媽媽參加了皇宮舞會。」

「真的嗎？」

「對，真的，所以我在那裡遇見了皇帝陛下。」

「陛下嗎？」她驚訝地大喊出聲，然後又小聲地說：「我聽說陛下是很可怕的人。」

莉莉卡擔憂地低聲說完後，露迪婭輕聲笑了。

「妳放心，陛下是個通情達理的人。」

通情達理和可怕之間有什麼關聯嗎？莉莉卡如此心想後又問：「然後呢？」

「所以，媽媽後天要和皇帝陛下結婚了。」

莉莉卡驚訝到連手中的麵包掉了也沒注意到，因為鬆軟的麵包掉到地上也沒有發出半點聲音。

她呆愣地看著媽媽。

美麗的媽媽擁有一頭金色捲髮和在黑暗中會發光的藍色眼睛，一直都是莉莉卡的驕傲。

今天的媽媽變得更加美麗，以至於她一時間幾乎認不出來。

與媽媽相比，莉莉卡則是一頭普通的褐色捲髮，一直希望自己的頭髮能像雲一樣盤起來。不過，和媽媽相似的藍綠色眼瞳是她最引以為傲的。

『啊，不行，莉莉卡，別逃避現實。』

莉莉卡搖了搖頭，撿起掉在地上的麵包。當她想再將麵包放入嘴裡時，媽媽卻說麵包很髒就搶走了。這裡看起來明明比家裡還要乾淨……

莉莉卡看著可惜的麵包，接著問道：「皇帝陛下？」

「對，很驚訝吧？」

露迪婭嘻嘻笑著，露出孩子氣的調皮表情，讓莉莉卡搞不清楚這究竟是真是假。

「真的嗎？和陛下？媽媽？而且還是後天？」

「對，這當然不是一場普通的婚姻。我只和莉莉卡分享一個祕密喔。」

媽媽環視四周後俯下身，莉莉卡也跟著彎下身體。

「其實這是一場契約婚姻。」

莉莉卡很驚訝，但很快就冷靜下來了。這個解釋比起媽媽與皇帝墜入愛河、結婚的故事更有可信度。

莉莉卡一臉認真地問道：「也就是說，媽媽接下了一份工作嗎？」

露迪婭一邊幫女兒擦掉黏在嘴角的麵包屑，一邊歪著頭心想：『算是接下了一份工作嗎？』

若要說得這麼簡單，是有些複雜，但也沒有理由否認。

不管條件如何、方法如何，交易就是交易，契約就是契約。

「沒錯。」

媽媽的回答反而讓莉莉卡放下心來。如果是工作或契約，就很容易接受了。

莉莉卡．凡斯是誰？

她是貧民區最能幹的人，也是以「工作即為信譽」的心態工作的女孩，不是嗎？很快就冷靜下來的莉莉卡重振起精神，伸手拿起新的麵包。

『但媽媽和皇帝結婚後，會成為皇后嗎？』

面帶笑容的媽媽真的太美了，若成為皇后也絕不遜色。

『媽媽會變成皇后？』

莉莉卡將麵包塞進嘴裡，把臉頰撐得鼓鼓的，之後混著柳橙汁把麵包吞下肚。

她下定了決心，她要幫媽媽完成工作。

「那我會怎樣呢？」

莉莉卡如此問道後，露迪婭莫名鼓起雙頰。

「我本來以為莉莉卡會更驚訝呢。」

「我已經夠驚訝了。」

「皇帝決定要把莉莉卡收為養女。所以從後天開始，妳將會成為皇女殿下。」

「皇女……」

一提到自己的事，莉莉卡頓時感到茫然，但很快就振作了起來。

那麼，她就是契約皇女了，這是無論如何都必須認真完成的工作。自己知道「工作」這個複雜的詞彙讓莉莉卡有些得意，之後開始思考。

但皇女究竟要做些什麼呢？

莉莉卡帶著疑惑問道：「既然是契約，那期限是到什麼時候呢？」

莉莉卡環顧四周，用低沉的聲音小聲詢問。媽媽回答：

「直到皇太子殿下成年並成為皇帝為止，所以大概還要八年吧。」

「八年。」

這是一段非常非常長的時間，八年對她來說簡直難以想像。

媽媽接著說：「在那之後，我們兩個在首都郊區買一棟房子，一起幸福地過生活吧，還有個小花園，怎麼樣？」

「真的嗎？」

相較於皇宮和皇女的身分，附有小花園的房子更讓她心動。

「對，我們也可以舒服地四處旅遊，因為我們會得到一大筆錢，不過……」露迪婭嚴肅地說：「絕對不能對任何人說起這件事。這必須嚴格保密，絕對不能被發現。」

「是，我絕對不會說的，死也不會說。」

這時，媽媽的嘴唇顫了一下，她緊緊抱住莉莉卡。

「我知道，莉莉，我知道妳會幫媽媽的。」

露迪婭的聲音正微微發抖。莉莉卡輕拍著媽媽的背，表示安慰。

看來媽媽面對重大的工作也會感到害怕。

莉莉卡的腹部用力，發出充滿信心的聲音。

「別擔心，媽媽。我會努力幫您的。」

聽到莉莉卡的話，媽媽微微一笑，然後退開身子。

「那麼，妳得先從第一件事開始幫忙。」

「是什麼呢？」

「當婚禮的花童。」

媽媽勾起笑容。

接下來的兩天十分匆忙混亂。莉莉卡想努力打起精神卻根本無法做到，因為一切都進展得太快了。

當然，不是只有莉莉卡有這種感覺。皇室，不——整個帝國都陷入了震驚。

皇帝突如其來的婚訊，以及新娘是一位一無所有，還帶著一個小女兒的女性，這一切都成為了轟動的話題。

「我後天要結婚。」

皇帝只需要說這麼一句話就好，但下面的人不能。幸好現在正值春季舞會期間，貴族們都在首都，不然他們可能會在空蕩蕩的神殿中舉行婚禮。

匆忙準備好的婚紗也是現成的。看到潔白的禮服，露迪婭說：「請把裙襬都收攏，讓臀部蓬起來。」

時間緊迫，大家都無法反駁，只能按照新娘的要求拚命修改禮服，仔細地抓出皺褶。

這是從克里諾林裙襯[1]轉換到巴斯爾裙襯[2]風格的現場，但當時沒有人能注意到這一點。

皇帝的婚禮通常需要至少一年的時間來依序進行，但這次僅用了短短兩天，簡直是一團混亂。關於露迪婭的傳聞都還沒有傳開，儀式就結束了。

婚禮的隔天，就進行了將莉莉卡正式收為養女的儀式。但這幾乎被當成附帶的儀式，快速處理掉了。

莉莉卡在那天見到了媽媽，但她看起來好像沒有睡好，十分疲憊，讓莉莉卡很擔心。

從那天起，莉莉卡不再是莉莉卡·凡斯，變成了「莉莉卡·納拉·塔卡爾」。

1 克里諾林裙襯：一種用馬尾、棉布或亞麻布漿硬後做的硬質裙撐，類似於此前的鯨骨裙襯。

2 巴斯爾裙襯：一種流行於十九世紀後期的西方女子裙撐樣式。由克里諾林裙襯發展而來，其穿著在裙內腰部以下，使後臀凸起，外套的裙子也在臀部添加大量布料織物作裝飾，使整個臀部位置形成上翹的高挺視覺效果，如同假臀部。

「莉莉卡皇女殿下只需要對三人鞠躬：皇帝陛下、皇后殿下以及皇太子殿下。」

莉莉卡認真地聽著，她瘦削的臉蛋不像孩子般的圓潤，但大大的眼睛閃閃發亮。

為她上課的格倫德琳夫人用新奇的眼光看著莉莉卡。當初聽到要教導莉莉卡時，夫人猶豫了。她擔心自己是否能夠教好出身於貧民區的孩子，但是皇宮出入權抓住了她的心。

帝國的貴族分為兩種，有太陽宮出入權和沒有出入權的。雖然任何貴族都可以進出天空宮，但皇帝居住的太陽宮不一樣，這是皇帝賦予的一種權利，大多數高等貴族都有。

當然，如果不受皇帝喜歡，也會被剝奪資格。大家都知道這是強化皇權的一種手段，但也只能裝作不知道，因此，擁有宮廷出入權的貴族也被半開玩笑地稱為權族。

對於沒有領地的宮廷貴族格倫德琳夫人來說，這是千載難逢的機會。因此她下定決心，不管教導的對象是誰都必須忍受，但實際上遇到的女孩與想像中完全不同。

她既不雜亂無章也不喧鬧，也不會到處跑跳或說髒話，她的態度反倒比一些沒有教養的貴族孩子好得多。

對教師來說，沒有比一個願意學習的學生更好的教導對象了。

格倫德琳夫人覺得，教導莉莉卡比預期中還輕鬆愉快。當然，她還有點生硬，但這會隨著時間逐漸改善。

「那麼，我們再來練習一次問候。」

莉莉卡從座位上跳起來。莉莉卡的目標是優雅地完成屈膝禮，但她的鞠躬還是很僵硬，更像是深深蹲下後迅速站起身。

經過幾次練習後，格倫德琳夫人決定進入下一個課題。要教的內容太多，時間卻很少。

莉莉卡大部分的時間都會在上課中度過，所以她開始感到擔憂，因為格倫德琳夫人下午會進宮，她只能在上午見到媽媽。但她上午去見媽媽時，經常被告知媽媽因為疲倦正在休息。
儘管侍女的態度明顯不耐煩，莉莉卡還是很擔心媽媽。
『晚上到底發生了什麼事，讓媽媽累到一直在睡覺？』
多次來訪後，莉莉卡終於見到了媽媽。穿著睡袍在床上迎接她的媽媽看起來非常疲憊。
「媽媽，您還好嗎？」
莉莉卡問道，露迪婭點了點頭。
「我當然沒事。」
「但您看起來非常累，晚上有睡好嗎？」
「晚上……」
露迪婭喃喃說到一半，咬緊了牙關。
「睡不好。」
「您必須好好休息才行啊。」
擔心的話語讓露迪婭笑著回答：「別擔心，我沒事的。」
之後她提出了許多問題，問莉莉卡在宮裡的生活過得好不好。但其實莉莉卡一整天都要接受禮儀教育，根本沒有時間感到疲倦。
莉莉卡不想打擾疲憊的媽媽太久，所以早早就離開了。她很擔心侍女們是否有好好照顧媽媽。
小女孩嘆了一口氣，低聲嘀咕：「媽媽為什麼會那麼累呢？」
聽到這句話，為莉莉卡開門的侍女忍不住輕聲笑了。
「那是因為陛下每晚都在折磨她啊。」
雖然話語中帶著嘲諷，莉莉卡卻受到了嚴重的衝擊。

「陛下嗎？」

莉莉卡驚訝地轉頭看著侍女，侍女就帶著明顯的笑意說：「是啊，當然。我說的這件事是祕密喔。」

莉莉卡震驚地點了點頭。

『陛下竟然每晚都在折磨媽媽。』

她光是想到那會是什麼樣的情形，就渾身冒冷汗。關於皇帝的可怕傳聞，莉莉卡也有所耳聞。

難道皇帝每晚都會毆打、對媽媽大吼，甚至虐待媽媽？想到今天面容疲憊的媽媽，她的擔憂變成了確信。

『不行，我得想點辦法。但我能做什麼呢？莉莉卡·納拉·塔卡爾。』

她不斷重複想著自己不熟悉的名字，試圖適應，又搖了搖頭。

但是，擔心更占據了她的心頭。

走過長廊，回到自己房間的莉莉卡嚥下一口口水，對侍女說：「妳能幫我向陛下要求謁見嗎？」

侍女驚訝地看著莉莉卡，「您要謁見陛下？」

「是的，不對……嗯。」

「我明白了。」

侍女叫來侍從，轉達了莉莉卡的話。侍從雖然看起來也很驚訝，但很快就離開了，不久後回來。

「陛下說如果只是片刻，他現在有時間。」

「我、我現在過去。」

莉莉卡從座位上跳起來。知道謁見請求獲准後，侍女們露出困惑又期待的表情。

其中一人說是否需要換衣服，但其他侍女都沒有動作，最重要的是侍從先開口反駁這個建議，說：「陛下真的只有片刻時間，沒有時間整理衣裳了。」

莉莉卡點頭同意，而侍從禮貌地鞠躬。

「那麼，請走這邊，我為您帶路。」

「走吧。」

對莉莉卡來說，用命令語氣對他人說話讓她感到不自在，但如果這也是皇女的職責，她就得這麼做。跟隨著侍從走時，莉莉卡感覺到緊握著的手在顫抖。

『沒關係。莉莉卡，沒事的。』

她不斷安慰自己，很快就到了辦公室門前。那漫長的走廊此刻怎麼感覺這麼短，甚至讓人埋怨。這是她第一次來到這裡，因此非常緊張。莉莉卡深吸了一口氣。

侍從開口：「莉莉卡皇女殿下來了。」

裡面沒有傳出聲音，辦公室的門靜靜地打開了。侍從彷彿在說「我就送您到這裡」，彎腰鞠了躬，莉莉卡獨自走了進去。她因為緊張，不由得忘了不該直視皇帝。

辦公室裡沒有人站著。皇帝坐在巨大的書桌後方，目不轉睛地看著文件，莉莉卡則直勾勾地看著皇帝，慌張地行禮。

「有什麼事？」

低沉的聲音響起，莉莉卡感覺到背上流下一絲冷汗，說道：

「我來找您，是有個請求。」

「說吧。」

「請、請不要……」她頓了一下，然後腹部使勁：「請不要再每晚都折磨媽媽了！」

她盡力大喊出聲，但發出來的聲音卻不夠大。

突然間，辦公室變得一片寂靜，彷彿時間凝滯了。隨後，幾聲「噗！」、「呵！」的輕笑聲從周圍傳來。

驚慌的莉莉卡不由自主地補充道，像在找藉口。

「因為、因為媽媽晚上似乎無法好好休息，所以早上起不來……她很辛苦……請不要再折磨她了……」

皇帝看著莉莉卡愣了一會，有些困惑地開口：

「等一下，妳媽媽明明也喜歡……」

「咳咳！」

「咳咳、咳咳！！」

突然此起彼落的咳嗽聲讓莉莉卡吃了一驚。皇帝皺起眉頭，閉上了嘴。

雖然沒有學過，但莉莉卡猜想，當皇帝說話時咳嗽，可能是一種禮節？

她試探性地微微張開嘴：「咳咳、咳咳？」

「噗哈哈哈！」

大笑聲傳來，驚訝的莉莉卡抬起頭。在巨大的辦公桌前，一位身形魁梧的男子手持文件，彎著身體試圖抑制住笑聲，但似乎忍不住，背影一直在顫抖。

皇帝的臉上閃過一抹煩躁。

這時莉莉卡才發現辦公室裡還有其他人站著。不，她之前就有所察覺，但現在才真正注意到。

笑著的壯碩男子看起來像是一位騎士，另一位則是協助處理文件的人？

看到困惑不已的莉莉卡驚慌地站在原地，站在皇帝身後的男子走了過來。

他有著柔和的五官、褐色頭髮和棕色眼瞳，戴著單邊眼鏡，眼角的淚痣讓人留下深刻的印象。

他為了配合莉莉卡的視線，單膝跪下說：

「請不要擔心，那個笨蛋不是在取笑您，我們勇敢的皇女殿下。」然後微笑著補充道：「陛下今後不會再每晚折磨皇后殿下了。」

「喂。」

皇帝出聲打斷他，但男子令人吃驚地毫不畏懼，回望著皇帝問道：「對吧？」

皇帝的臉色像吃到了發苦的蚌殼，看向莉莉卡。他的臉色蒼白難看，之後嘆了口氣。

「好吧。」

「謝、謝謝您！」莉莉卡露出燦爛的笑容向皇帝表示感謝。

她馬上低下頭，乖巧地把雙手合攏，「那我先告退了。」

「為什麼？」

皇帝歪著頭反問，使莉莉卡驚訝地再次抬起頭：「什麼？」

「過來。」

皇帝招了招手，莉莉卡躊躇地向前走了一兩步。

「我讓妳過來。」

「您為什麼要騷擾可愛的皇女殿下呢？」

那位棕髮男人這麼說後，皇帝皺起眉頭，「我什麼時候騷擾她了？我只是叫她過來。過來這邊看看。」

莉莉卡鼓起勇氣，繞過書桌站在皇帝的前面。令人驚訝的是，陛下將她一把抱起，讓她面對面坐在腿上。

「感覺就像抱起一張糖果包裝紙呢，只聽到衣服的聲音。她看起來非常疼愛自己的女兒，但怎麼感覺讓她餓著肚子？」

聽到這句話，莉莉卡十分氣憤。罵她就算了，但她無法忍受任何人貶低媽媽。

「我沒有餓過肚子！」

「那為什麼這麼輕？感覺用手指一推就會倒下耶。」

「我的身體很健康。」

莉莉卡不禁這麼回答。如果不健康，就無法接下工作，所以這是她常用的說法。

「但是妳看，像這樣。」

皇帝用大拇指按住中指，然後一彈。隨著一聲「啪！」的聲音，她的視線突然一閃。

「？」

與皇帝面對面坐著的莉莉卡突然向後倒下，掉到地板上。

「！」

莉莉卡漲紅了臉。

雖然額頭和頭都很痛，但比起這些，她感到既尷尬又羞恥，想匆忙站起來。幸運的是下面鋪著柔軟的地毯，所以她沒有受到重傷。

但是其他兩個人驚訝地大叫：

「陛下！」

「阿爾泰爾斯！」

一名不禁喊出皇帝名字的騎士走過來，一把抱起莉莉卡，讓她站起來。

「喔，皇女殿下，您真的像糖果一樣輕呢。」

「陛下，您這是在做什麼……皇女殿下，您還好嗎？您的額頭紅了。後腦勺怎麼樣？摸這裡會痛嗎？」

他溫柔地說著，擔憂地看著她，而莉莉卡差點哭出來但咬牙忍著。

「我沒、沒事。」
但是，任何人都能看到她的眼淚在眼眶裡打轉。男子的聲音變得冷冰冰。
「陛下。」
「她說她很健康。」
「陛下。」
「換作阿提爾就完全沒事。」
「皇太子殿下是男孩，而且是塔卡爾人啊。」
聽到這番話，陛下深深地嘆了口氣，然後說：「抱歉，這是我第一次有女兒。」
「我們請御醫過來看看。來，請您隨意坐，皇女殿下。」
他讓莉莉卡坐到辦公室一側的沙發上，然後說：
「這麼說來，我還沒自我介紹呢。我叫拉特·桑達爾，那位魁梧的男士是坦恩·沃爾夫，您就叫他坦恩吧。雖然對帝國來說是個不幸，但驚人的是，他是親衛騎士團團長。」
聽到這段話，坦恩哼了一聲，大吼道：「你成為宰相才是帝國的不幸。」
「只能用別人說的話來回應的話，智商有點可悲。」
「什麼——」
坦恩正要說些什麼，拉特不理會地繼續說：「哎呀，皇女殿下，您的額頭會腫起來的。」
拉特嘆了口氣，而阿爾泰爾斯叫來一名侍從，吩咐侍從請御醫來後補充道：「拿些點心來，要皇女會喜歡的那種。」
聽到阿爾泰爾斯的話，侍從的眼中閃過亮光。看著他迅速離開，拉特帶著玩味的表情對阿爾泰爾斯說：
「我認為用美食來化解局面是很低級的嘗試，但在這個情況下，似乎也不無道理。」

不管對剛結婚的皇后有何評價，大家應該都在苦惱該怎麼對待養女莉莉卡。

皇帝在這時將莉莉卡召到辦公室，又提供御醫與點心，每個人自然只能改變態度。

畢竟在皇宮中，最大的靠山還是皇帝。

阿爾泰爾斯凝視著新認的女兒。事實上，他完全忘了女兒的存在，但現在，她已經變成了他無法忘記的存在。

『還有比那更令人震撼的出場方式嗎？』

棕色的半捲髮和帶點堅毅的印象與她媽媽完全不同，唯獨眼睛的顏色十分相似。

莉莉卡直接與凝視自己的陛下對上目光。她的額頭仍然隱隱作痛。

皇帝的形象和第一次見面時一樣。身材高大，非常英俊，但有些不像人類的面貌。

她聽說皇帝是個非常可怕的人，但現在看來，不知為何感覺他是個好人。

不久後，御醫進來了。拿著出診包進來的御醫看到辦公室裡的眾人，稍微一怔。皇帝陛下、宰相以及親衛騎士團團長，帝國的核心勢力都聚集在這裡。

御醫問道：「您在哪裡撞到頭了嗎？」接著查看莉莉卡的傷勢，說擦上藥膏後很快就會消腫了。

不久後，御醫在她的額頭擦上藥膏，並蓋上紗布。他離開的同時，一名侍從拿著點心進來。

小杯子裡裝著巧克力，盤子裡則放著條狀的炸麵包。看得出來必須在短時間內準備點心的廚師費了一番心思。

「請用麵包條沾杯子裡的巧克力享用。」侍從和善地解釋完就離開了。

莉莉卡看著美麗的銀托盤，問道：「您們不一起吃嗎？」

「算了，妳自己吃吧。」

「這是為了皇女殿下特別準備的，請您隨意享用。」

阿爾泰爾斯和坦恩輪流說道。莉莉卡小心翼翼地用銀叉子扠起炸麵包，沾了巧克力後放入口中。

「！」

莉莉卡瞪圓雙眼，表情亮了起來。三個成年男性不由自主地露出了溫暖的笑。

莉莉卡想著「世上竟然有這樣的東西」，努力地用麵包條沾巧克力來吃。

「再來杯飲料吧。」

「喝點牛奶怎麼樣？」

吃完甜甜的炸麵包後，用牛奶清清嘴巴的莉莉卡「呼」地吐出一口氣，「我吃飽了。」

她雙手緊握著玻璃杯，以防杯子摔落，並表示感謝。抬起頭時，她發現三個人都目不轉睛地看著她，嚇了一跳。

「請問，我的臉上沾到了什麼嗎？」

她擔心是自己吃得不夠優雅，沾到了嘴邊。拉特搖了搖頭。

「不，只是皇女殿下您太可愛了。」

聽到拉特的話，莉莉卡的臉頰泛紅。這是她第一次被人說可愛。

媽媽雖然非常美麗，但她根本比不上，莉莉卡因此十分羞愧。然而聽到這樣的話，她不禁忸怩起來。

「那個，謝謝您。」

「我只是說了實話。話說回來，皇女殿下，那件事是皇后殿下跟您說的嗎？」

「什麼？」

「皇后殿下每晚被欺負的事。」

「不、不是的！」莉莉卡驚慌地輕輕搖了搖頭，害怕別人誤以為是媽媽利用她做了什麼。

「我是自己要來的。」

「那是誰告訴您這些事的？」

面對拉特的問題，莉莉卡不知所措，視線落到手中的杯子上，「那個，就是……」

「我明白了。」拉特點了點頭，接著問道：「那麼我換個問題，您對現在的生活滿意嗎？」

聞言，莉莉卡抬起頭回答：「我正在努力。」

儘管回答有些出乎意料，拉特還是勾起微笑。

「好的。陛下，安排布琳作為皇女殿下的侍女怎麼樣？」

坦恩輕輕挑起一邊眉毛，阿爾泰爾斯則看著拉特一會兒，然後點了點頭。

「就這麼辦吧。」

「是，畢竟年輕人比較好。」

拉特帶著和煦的笑容說著，轉頭看向莉莉卡。

莉莉卡認為，拉特看起來雖然和藹溫和，但未必是個好人。

『高位者往往不是好人。』

雖然「好人」並不等同於心軟，但在莉莉卡看來，這兩者是相近的意思。

身處高位的人需要堅定，有時甚至冷酷無情。因此，她認為作為宰相的拉特也可能是這樣的人。

「好，那我就不打擾兩位談工作了，我送皇女殿下回去。」

坦恩揮了揮手，打破局面。莉莉卡迅速從沙發上跳下來，說道：「沒關係的，我可以自己回去。」

「那可不行，不能讓皇女殿下獨自一人。雖然可以指派侍從，但今天讓我來吧。」

坦恩眨了一下眼睛，說：「這樣我也可以稍微逃避一下工作。」

莉莉卡不知該如何是好，有些困惑，但坦恩把她輕輕抱起，讓她坐在肩上。

「啊呀！」

坦恩緊緊抓住吃驚的莉莉卡的腿。多虧了穿在裡面的短褲和幾層襯裙，尷尬的場面並沒有發生，但這姿勢仍然讓人驚慌失措。

「坦、坦恩先生。」

「您叫我坦恩就行了。塔卡爾族人之間若不是自家人，就絕不會這樣稱呼。」

坦恩咧嘴一笑，讓莉莉卡坐在肩上，離開了辦公室。在外等候的侍從目光中帶著驚訝。

當然，莉莉卡因為太難為情，沒有注意到這一切。她可不是害怕高處或是怕摔下來……

坦恩的手牢牢抓住她，他的肩膀寬闊而舒適。而且，從這樣的高度俯瞰周圍，其實也是一件相當愉快的事。

『好，就拋棄羞恥心吧。也許皇女就是這樣，而妳是皇女啊，莉莉卡，要表現得像皇女一樣。』

她努力在這種情況下找回尊嚴。

「帶我到皇女殿下的居所。」

聽到坦恩的話，侍從開始帶路。莉莉卡環顧四周，突然想到了一件事，便問道：「那個，坦恩。」

要直呼一個年紀比自己大很多、地位也高的人名字，讓她有點不自在。

「是，皇女殿下。」

但坦恩似乎不介意這些，爽快地回答。

「你和沃爾夫，我是說拉烏布騎士也認識嗎……？」

她會拉長尾音，是因為要從尊敬語氣轉為隨意的語氣。

坦恩點了點頭，「那傢伙也是我們族人。大概是遠房六親吧。」

「果然是這樣。請替我轉達我對他說了粗魯的話，感到很抱歉。」

莉莉卡小聲嘀咕時，坦恩用興味盎然的表情問道：「粗魯的話？」

「因為我誤以為拉烏布要綁架我……」

坦恩聽到她如此補道，再次爽朗地笑了起來。

「即使皇女殿下說了粗魯的話，也不會粗魯到哪裡去吧。我會替您轉達的。」

「嗯。」

莉莉卡的心情終於輕鬆不少，將視線轉向前方。當他們抵達房門前時，坦恩將她放下並說道：

「我周圍全是粗魯的傢伙，所以遇到您相當開心。那我先告辭了。」

他彬彬有禮地致意後轉身離開。在莉莉卡看來，坦恩不知為何有點像騎士，她長吐了一口氣。

今天從早上開始就消耗太多體力了。在格倫德琳夫人來之前得好好休息一下。

『不過，炸麵包真的很好吃，巧克力也是。』

那種奇妙的味道應該怎麼形容呢？沒想到那個黑色的液體那麼美味。

莉莉卡一邊想著，一邊跳上放在窗邊的高椅上。從這裡可以看到花園的一部分，所以她不得不這樣靠在窗邊坐著。

她呆愣地望著花園，隨手翻開拼字書時，外面吵鬧起來。

這時，門打開來，一位看起來大約十五歲的女孩走進來。她整齊的短髮和閃亮的髮帶引人注目。

她大步走向坐著的莉莉卡，熟練地行了一禮，說道：

「我叫布琳・索爾。皇女陛下，從今天起我將成為您的侍女，請多多指教。」

「啊！對了，拉特剛才有說過。」莉莉卡點了點頭，「我也請妳多多指教。」

布琳站起來，緊握著她的雙手說：

「那麼皇女殿下，陛下下令讓您搬到另一個房間，我們過去吧。」

「哦？」

「來，別擔心，請跟我來。您的行李會由侍從們原封不動地搬過去的。」
莉莉卡雖然感到困惑，但既然是皇帝的命令，她也只能遵循。
踏入新搬來的房間後，莉莉卡忍不住驚呼出聲。原本的房間也華麗漂亮到讓人害怕，卻比不上現在的這間房間。一進房間就有一個可愛的接待室，透過大窗戶還可以一覽無遺地看到花園。臥室的窗戶也同樣很大，窗框細長且美觀。
感覺這個房間至少比原本的房間寬敞三倍，只在房裡走動就是運動。
布琳問道：「皇女殿下，如何呢？新房間還合您心意嗎？距離皇后殿下的住處也很近。」
「真的嗎？嗯，我很喜歡。從窗戶能完全看到花園……我可以出去看看嗎？」
之前的房間沒有陽臺，但這次的房間附有一個相當大的陽臺。
「當然可以。」
布琳打開窗戶，莉莉卡小心翼翼地走到陽臺上。
「哇！」
她開心地發出驚呼。站在這麼高的地方，心臟也不由得怦怦跳，但是很愉快，就跟剛才騎士團團長讓她坐在肩上的感覺。
陽臺相當寬敞，甚至能在此喝茶。布琳和藹地笑了。
「皇女殿下喜歡真是太好了。這間房間的名字叫做『白龍室』。」
「白龍？」
「是的，您知道塔卡爾的開國皇帝陛下是龍吧？太陽宮中為皇族成員準備的房間，名稱中都有龍。皇太子殿下居住在黑龍室，皇后殿下的房間則一直都是銀龍室。」
「原來如此。」

莉莉卡完全不曉得。

她想問「那之前的房間叫什麼名字呢？」，但布琳感覺會因此露出為難的表情，所以莉莉卡沒有問出口。總之，那個房間的名字裡似乎沒有龍。

今天因為莉莉卡的額頭受了傷，布琳告訴莉莉卡，她已經通知格倫德琳夫人別進宮了。

「要告知皇后殿下一聲，去看看殿下嗎？正好是喝茶的時間。」

「可以嗎？」

莉莉卡一露出喜色，布琳就露出了微笑。

「可以，當然可以。」

布琳命令另一名侍女：「去通知皇后殿下。」

侍女也換了一批人，但看起來與布琳默契十足，好像原本就跟隨著布琳。

不久後，侍女回來恭敬地說：「皇后殿下請您過去。」

莉莉卡笑得燦爛，忍下想跑過去的衝動，走到走廊上。

真的離媽媽的房間不遠，爬上一層樓梯就到了。

「莉莉，這個可愛的小東西！」

一進入會客室，媽媽就緊緊抱住她。莉莉卡發出夾雜著幸福的笑聲。

現在什麼擔憂都沒有了。既然陛下承諾不會讓媽媽受苦，那應該每天早上都能見到媽媽了。

露迪婭緊緊擁抱著莉莉卡，看向布琳。

「妳是？」

「我叫布琳．索爾，皇后殿下。我被新任命為莉莉卡皇女殿下的侍女。」

「妳是索爾家族的人嗎？」媽媽用奇妙的語氣說道。

莉莉卡抬起頭來。媽媽微笑著仰望布琳，而布琳也微笑著，輕輕垂下視線。

「那就好。」媽媽這麼說著，看著懷中疑惑地歪著頭的女兒，「真是的。」

露迪婭忍不住笑了，同時感到擔憂和自豪。

在她作為皇后站穩腳步之前，莉莉卡不得不住在客房。皇帝對這些事一點都不關心，而她認為，在她完全掌控內宮並撤換掉宮中的管家之前，她是沒辦法干涉莉莉卡周圍的侍女或老師的。畢竟她在一夜之間成為皇后，有很多無法認同她的人會在暗中阻礙她。

然而，莉莉卡直接去找皇帝，用自己的雙手爭取到了自己的位置。

『畢竟妳這麼可愛。』

皇帝也無法抗拒吧。她心裡暗自嗤笑，看誰敢動到我們莉莉一根手指。

「媽媽？」

看到媽媽只是默默地微笑看著自己，莉莉卡疑惑地歪了歪頭。

那個樣子相當可愛。怎麼會這麼可愛呢？我之前怎麼都沒有發現？

對自己過去的愚蠢感到後悔之際，露迪婭加倍用力抱緊了莉莉。

沉浸在無法抑制的喜悅中，莉莉卡輕笑出聲。媽媽摟著她的肩膀，讓她坐到內側的位置。

隨著一個手勢，茶點迅速被端在桌上。

「妳去找皇帝了是嗎？」

莉莉卡聽到這句話，驚訝地看著媽媽。她沒想到媽媽已經知道了。

露迪婭直望著女兒說：「陛下來過了。」

「陛下來過了？」

「對。」露迪婭嘆了口氣，摟住女兒的肩膀，「莉莉，妳的心意我很感激，但妳沒有必要冒險。妳知道媽媽聽到消息後有多驚訝嗎？」

「但是……」

莉莉卡低下頭。

媽媽緊緊抱住她，輕柔地撫摸著她的頭髮說：「我知道，莉莉是因為擔心媽媽才這麼做的，但媽媽也是因為擔心莉莉才會這樣說。以後不能隨便去找陛下，知道了嗎？」

「知道了……」

露迪婭微笑著，親了一下女兒的額頭。

莉莉卡小聲地說：「但陛下看起來不像是壞人。」

「那才危險。」露迪婭嚴肅地說，「不能因為對方對妳親切一點就完全相信，明白了嗎？那位，不，那個人可能會笑著取走妳的性命。」

莉莉卡吞了吞口水，點了點頭。露迪婭嚴肅的表情放鬆了一些。

「我不是要嚇妳，但還是小心為妙。不過還是謝謝妳，多虧妳，我的身體應該會好轉。今天妳要跟媽媽一起睡嗎？」

「真的可以嗎？」

「嗯，久違地一起睡吧。」

聽到媽媽的話，莉莉卡燦爛地笑了。茶和點心都很美味，但最讓人高興的還是能和媽媽在一起。

在那期間，有裁縫師來訪，帶來了新設計好的禮服。衣服都很美，但莉莉卡覺得有些可惜。

所謂「巴斯爾風格」的禮服固然美麗，媽媽也說過「這件禮服將會征服社交界」，裁縫師則笑著回應說「已經征服了」，但莉莉卡心想，不管怎麼說，皇女的禮服不應該是克里諾林風格的禮服嗎？

她無法告訴媽媽這個想法。

看媽媽試穿新禮服、一起聊天、討論新的派對邀請函設計，時間就這樣飛逝而過。

晚上穿著睡衣，躺在柔軟舒適的床上被媽媽抱在懷裡，聞著她身上的香氣入睡，莉莉卡感到無與倫比的幸福。

她久違地睡了個懶覺。

『媽媽明明說過不要去找皇帝……』

不知為何，從那天之後，她每天都被召到皇帝的辦公室。去了也沒做什麼事情，點心端上來，她就吃著點心，聽皇帝、拉特和偶爾出現的坦恩談話而已。

媽媽對此很是無奈，似乎和皇帝爭執過了，但最後看起來是皇帝贏了。

每天都不同的點心很美味，莉莉卡也漸漸習慣了辦公室裡的氛圍，有些放鬆下來。每當這時，她都會想起媽媽的話，重新繃緊神經。

皇帝偶爾會拋來提問，莉莉卡都會盡量認真地回答。這時，坦恩不知為何會爽朗地笑著，拉特則會轉過頭，輕輕咳嗽。

阿爾泰爾斯看著莉莉卡細嚼慢嚥地吃著廚師烤製的費南雪，不由得嘆息，「怎麼沒長大呢？」

拉特一臉疑惑地抬頭問道：「您怎麼突然這麼說？」

「這小傢伙啊。明明都餵她吃了那麼多東西，為什麼還沒長大呢？」

「陛下，才過了不到十天而已。」

「阿提爾每天都看得出來在長大，難道她生了什麼病？」

「陛下，皇女殿下不是塔卡爾，也不是巴拉特、桑達爾或是沃爾夫，總之不屬於任何權族。」

莉莉卡瞪圓雙眼。當她舉起手時，阿爾泰爾斯問：「怎麼了？」

「我沒有任何疾病，很健康，而且我也有好好地長大。布琳說我可以穿大一點的衣服了。」莉莉卡小心翼翼地補道，「而且我也是塔卡爾。」

雖是養女，但畢竟是塔卡爾。

莉莉卡・塔卡爾不是她的新名字嗎？作為契約皇女，她堅稱自己是「塔卡爾」。如果在重要時刻退讓，那訂下契約有何意義呢？

拉特聽到莉莉卡的話，微微一笑。

「沒錯，皇女殿下也是塔卡爾人。」

「妳有好好長大？不是應該每週至少長高一節手指頭嗎？」

阿爾泰爾斯這樣說著，直盯著莉莉卡。這麼一看，臉蛋確實比第一次見面時光滑柔潤多了。

「沒有人會那樣長大吧，那樣才像生病了。」

莉莉卡的話讓阿爾泰爾斯挑了挑眉，然後咧嘴一笑，「我就是那樣長大的啊。」

「因為陛下您不是人嘛。」

這番話雖然像在開玩笑，但微妙的氣氛像漣漪一樣擴散開來。

不得不成長的孩子對負面情緒特別敏感。她是不是說錯了什麼話？說對方不是人聽起來可能非常無禮。

「是誰跟妳說的？」

阿爾泰爾斯輕輕地問道，但莉莉卡理解到事情不像她想的那樣，她需要給出正確的回答。

莉莉卡小聲說：「是布琳說的。她說皇族是龍的後代……所以陛下就像是龍……」

阿爾泰爾斯頓時鬆了一口氣，而拉特說：

「皇女殿下所言正確。不過，說不是人可能會造成誤解，最好不要這麼說。」

「那又怎樣，大家不都是這麼想的嗎？」

阿爾泰爾斯哼笑了一聲，這麼說後，莉莉卡急忙說道：「我覺得這非常帥氣！真的很帥氣。」

當布琳解釋房間名稱時，莉莉卡曾問過『那陛下的房間叫什麼？』，布琳笑著回答：『陛下的房間不掛龍的名字，因為陛下本身就是龍。』

那時候莉莉卡驚嘆不已，覺得就像聽到了一個古老的故事。她努力地想把這份感動傳達給皇帝。

聽到莉莉卡的話，阿爾泰爾斯招招手。現在她知道那個手勢意味著讓她過去，莉莉卡便小跑著湊過去。

阿爾泰爾斯覺得這很有趣。

他只需揮一下手，就能取人性命，她卻毫無畏懼地走過來。

不，她也不是完全不怕，而是知道他是個具有威脅的存在，卻相信他不會傷害自己。看到她這樣無畏地跑過來，不知為何，他不想破壞這份信任。

他把莉莉卡抱起來放在腿上。現在她已經習慣了，坐姿比之前好多了。

小孩的心跳更快，聲音更輕，體溫更高，身體也出奇地輕。

很少有人會正面直視自己，但莉莉卡就是會直視著他。

『露迪婭也一樣呢。』

向他提出契約婚姻的露迪婭，也曾這樣直視著他。

在阿提爾成為皇帝前，他將成為她堅強的後盾，使她能作為帝國的皇后做任何事。但皇帝能做的事情有限，社交界是完全不同的戰場，露迪婭能夠應付社交界的狐狸、花朵、蛇和狼嗎？

到目前為止，她做得超乎預期的好。但是跟那樣的媽媽相比……她的女兒該怎麼形容呢？

『是我從未見過的類型。』

在宮廷中難得一見的人類類型，讓他感到好奇。

「陛下？」莉莉卡歪著頭，小心翼翼地喚了一聲。

阿爾泰爾斯笑了笑，「為什麼要叫我陛下？」

「嗯？」

「不是應該叫父皇嗎？」

「什麼？」

「對吧。」

「這個，是的……沒錯？」

「那妳該怎麼做？」

來，現在試著叫叫看。

聽到阿爾泰爾斯這麼說，莉莉卡四處張望。拉特正興致勃勃地看著他們。

「那、那個……」

腦袋開始不停運轉。皇帝是個可怕的好人，但這樣就可以叫他父皇陛下嗎？

這明明只是份工作？就因為是工作，所以她應該這樣稱呼他嗎？會不會被說太放肆了呢？

莉莉卡反覆思考著這些詞句。

父親、父皇陛下。

對她來說，父親像是夢裡的人物，但眼前這個人至少會成為她的父親八年。真實存在的父親。

一想到這裡，不知為何，淚水先撲簌簌地落下，莉莉卡驚訝地拍拍自己的臉頰。

『沒有人會喜歡愛哭的孩子。』

「對、對不起，我很抱歉。」

「別這樣。」

阿爾泰爾斯抓住她的雙手。為什麼要打自己呢？

「對不起、對不……」

「不，雖然我跟妳媽媽結婚了，但我也不能隨便成為妳爸爸，是我逼迫了妳，錯在於我。」

阿爾泰爾斯這樣說完，向拉特伸出手，「給我手帕。」

拉特默默地遞來一條乾淨的手帕。

阿爾泰爾斯擦著莉莉卡的臉，說道：「沒事的，妳沒有做錯任何事。如果知道我惹哭妳了，妳媽媽又要大鬧一場了。」

他嘆了口氣時，莉莉卡不自覺地笑了。不管怎麼樣，媽媽和皇帝的關係看起來很不錯，真是太好了。

「來，擤一下。」

被要求擤鼻子時，莉莉卡的臉變得通紅。

拉特說：「皇女殿下覺得很難為情，您快停下來。」

「我、我自己來。」

莉莉卡從阿爾泰爾斯手中接過手帕，擦掉眼淚和鼻涕，阿爾泰爾斯則粗魯地摸了摸她的頭。

莉莉卡知道這粗魯的動作中帶著關心，因此露出了笑容。阿爾泰爾斯從莉莉卡手中搶過手帕，扔給拉特後說：「那我們開始工作吧。」

他依舊讓莉莉卡坐在腿上，將椅子轉向書桌。

看來他不再堅持讓她叫他「父皇」了。莉莉卡莫名感到失落，嘴裡默默地念著「父皇」這個詞，身體稍微動了動。

那個令人恐懼的皇帝陛下突然變得親近許多。

『父皇陛下、父皇陛下……』

他等一下會不會又讓她這麼稱呼他呢？

莉莉卡躍躍欲試，又覺得莫名難為情，自己忸忸怩怩時，突然嚇了一跳。

——好髒！

因為被文件遮著，她沒有注意到墨水瓶口上沾滿了墨水。筆尖也隨處亂滾，紙也皺巴巴的。

她無法忍受父皇……不，陛下的書桌這麼髒亂，她想為皇帝做些什麼。

莉莉卡小心翼翼地說：「那個，陛下。」

「怎麼了？」

「我可以擦墨水瓶嗎？」

「墨水瓶？」

「墨水瓶口的墨水已經乾掉了，用溫水擦拭會更乾淨。」莉莉卡指著墨水瓶說道。

拉特皺著眉頭想要說些什麼，但阿爾泰爾斯坦率地同意了，「好啊。」

「陛下！」

「怎麼？雖然我不喜歡人來人往，但莉莉卡，妳想怎麼使喚從僕都行，儘管整理辦公室吧。」

阿爾泰爾斯的話讓拉特用手拍上前額。雖然說得很大方，但實際上無異於要利用她。

光是想到小孩子要整理辦公室並四處走動，就讓人頭暈，工作可能會變得更多。

阿爾泰爾斯本就不喜歡人多，因此除了身邊的宰相拉特和偶爾來訪的坦恩之外，不允許其他人常駐在辦公室，因此宰相拉特要負責處理應該由侍從完成的文件整理工作。一想到工作會再增加，他就感到頭暈。

莉莉卡迅速叫來從僕，要他們拿來溫水、布、袋子和踏板。看起來已經相當習慣指揮人了。

她將墨水瓶擦拭乾淨，並到處走動，開始整理辦公室。垃圾被裝進袋子裡，一次性拿到外面丟棄，並將處理完的文件與未處理的文件分開。

令人驚訝的是，莉莉卡似乎看得懂字。

當拉特問起時，她小臉一紅，小聲說道：「我不是都看得懂。」

此外，她還補充了新紙張，比拉特想像得勤快。

在這期間進來的坦恩，很快就發現辦公室不再亂糟糟的。

「多虧了皇女殿下，辦公室變得乾淨多了。」

他大力讚賞，然後送給她一瓶玻璃瓶，裡頭裝滿了五顏六色的糖果。

莉莉卡高興地將糖果分給阿爾泰爾斯和拉特，後來還分了一些給布琳。

「天啊，是沃爾夫閣下給的嗎？」布琳看著玻璃瓶中的糖果回問道。

莉莉卡點了點頭，珍惜地用雙手捧起玻璃瓶。無論是玻璃瓶還是裝在裡面的彩色糖果都美麗無比，而且甜美可口。

「但是，稱他為沃爾夫閣下是不是太冗長了？我以為是名字後面才會加上『閣下』，不是嗎？」

面對莉莉卡的提問，布琳輕笑著說：

「是的，但沃爾夫閣下的名字就是坦恩·沃爾夫，所以這樣沒問題。」

她一邊說，一邊在嘴裡滾動莉莉卡給的糖果，品嘗著甜味。

索爾家族是世代服侍皇室的家族，對於服侍塔卡爾皇室有著無限的自豪。所以，將索爾家族的直系後裔「布琳·索爾」安排為皇女的侍女，無異於將養女視為真正的皇族。

當然，在索爾家族內部，也有人對指派布琳去服侍一個「不是真正塔卡爾血脈的孩子」感到憤怒，但布琳認為這種說法很可笑。

這是皇帝的命令。既然是塔卡爾的命令，不管對方是不是塔卡爾，都應該像服侍塔卡爾一樣。況且考慮到皇帝的性格，一旦不滿意，可能會拋棄整個索爾家族，難道他們不知道嗎？

比起真正的塔卡爾，布琳更喜歡這位皇女。她同父異母的兄弟布蘭是皇太子的侍從，卻已經不得不依靠胃藥過活了。

在這個滿是怪物的宮廷裡，因為平凡而更引人注目的她，讓布琳十分喜歡。

那時，皇女殿下正認真地看著糖果瓶，問道：「那個，布琳。」

「是，皇女殿下。」

「我看起來沒有長大嗎？」

莉莉卡隱約很在意阿爾泰爾斯的話。

對此，布琳好奇地問道：「不，您有好好地長大喔。有人跟您說什麼了嗎？」

「其實……」

聽莉莉卡講述了阿爾泰爾斯和拉特的對話後，布琳輕笑著說：「皇女殿下，我跟您講一個有趣的故事好嗎？」

「布琳的故事我都喜歡聽。」

莉莉卡這麼說後，布琳滿臉笑容地開始講述：「皇帝陛下，也就是塔卡爾家族是龍的後裔，這個我之前有提過對吧？」

「嗯。」

「那我們來說說建國的故事吧？據說古時候的人們是非常偉大的魔法師，能夠隨心所欲地做到任何事。神告訴他們要將『意志』用於善良之處，但人們沒有聽從這句話，最後引發紛爭，人類居住的大陸破碎並沉沒了。」

莉莉卡聚精會神地聽著，這是她第一次聽到的故事。在貧民區時，耳邊總是充斥著罵聲和錢的話題，從沒有機會聽到這樣的古老傳說。

「但是，有些人聽從神的命令，在山頂上造了船。當大陸碎裂並沉沒的那一刻，一隻龍飛來，抓住船並飛上了天空。就這樣，那些在船上的人們倖存了下來。之後，這些人來到我們現在所在的這片土地。」

布琳壓低聲音，且有些陰森。

「當時，這片土地被黑暗的森林和沼澤覆蓋，有各種怪物棲息於此。龍和人類為了尋找棲息地，與怪物們戰鬥並開拓了國家。」

「那隻龍是塔卡爾嗎？」

莉莉卡突然問道，布琳點了點頭。

「沒錯。龍變成了人類的形態，領導著人們。當國家逐漸擴大時，一些有智慧的怪物也來請求龍，希望能共同生活。」布琳舉起手，「其中包括這樣大隻的狼，牠們的後代就是沃爾夫家族。還有粗壯如雙手無法環抱的古樹的蛇，牠們的後代稱為桑達爾家族。」

莉莉卡的眼睛睜得圓圓的。也就是說，拉特的祖先是蛇，坦恩的祖先是狼？

布琳說到故事結尾。

「龍將牠們變成了人類的形態，牠們則向龍宣誓忠誠。如果背叛龍，就會變回原來的模樣。所以，您會看到很多高貴的貴族家徽是動物的圖案。」然後，她帶著一絲嫌棄的表情小聲說：「而且就像在證明這一點，他們每一位真的都很強壯……嗯，非常強壯。」

「原來如此。」

莉莉卡長長地吁了一口氣。如果是在黑夜的篝火旁聽到這故事，可能會更加引人入勝，但現在聽也非常有趣。

「原來如此。拉特是蛇，坦恩是狼，很匹配呢。彼此不和也就合理了。」

「所以皇女殿下您有好好地長大，只是他們長得太快了。」

「嗯。」莉莉卡用力點點頭，接著問道：「那布琳的家族也有這樣的故事嗎？」

「有的，我們是烏鴉，聰明機智，所以被留在龍族身邊做侍從。」

布琳的話讓莉莉卡有所領會地笑了。她終於明白為什麼布琳的頭帶總是閃閃發光了。

『布琳遠比我了解皇宮呢。』

她本以為這是理所當然的，但每當聽到這種故事，她都會重新意識到這一點。

『但是如果不了解，我就無法完成工作。』

契約皇女、契約女兒。

這是媽媽成為「契約皇后」時附加的條款，雖然契約書上沒有寫明，但這關係到莉莉卡的自尊。

她無論如何都想完美結束這份契約。這樣當契約結束，和媽媽一起搬到有花園的房子時，她才會感到自豪。因此，她需要資訊，能成為一名出色皇女的資訊。

「布琳。」

「是的，皇女殿下。」

「妳過來坐。」莉莉卡拍了拍身旁的座位。

布琳說：「這是我的榮幸。」然後輕輕坐在沙發上。

「我想成為一名出色的皇女。」

既然要成為皇女，就要成為一名比普通皇女更優秀的皇女，不是嗎？

聽到莉莉卡如此說道，布琳認真地點頭說：「是。」

莉莉卡開口：「但是我對皇宮一無所知，對貴族也是，尤其對皇族更是一無所知。布琳，妳服侍皇族很久了，肯定比我更了解。」

她緊握住布琳的手，盡可能露出開朗的表情說：「所以布琳，妳願意幫助我嗎？」

「天啊……」布琳的臉頰發燙，輕輕嘆了口氣。

長久以來服侍塔卡爾家族的索爾家族，從未想過會聽到塔卡爾人說出這種話。

索爾家族的血液在她骨子裡沸騰起來。

「當然沒問題，皇女殿下。我，布琳．索爾，將全心全意協助您。請交給我吧。」

「謝謝妳，布琳！」

看著莉莉卡閃亮的眼睛，布琳問道：「那麼，您想先了解什麼呢？」

「皇宮。」

「皇宮嗎？」

見到布琳意外地歪過頭，莉莉卡解釋道：「從現在開始，這裡就是我的家了。但我必須了解這裡的結構才行，也得知道有誰住在這裡。」

不管到哪個家中做什麼事，首先都要了解家的結構。莉莉卡必須了解動線和居住的人們，之後才能在裡頭自由行動並完成工作。

布琳露出滿臉笑容，「我明白了。請相信我。」

第二天，布琳帶來了被謹慎放在長筒中的皇宮平面圖，上面甚至詳細地標註了祕密通道。如果被別人知道她擁有這個，可能會有生命危險，但莉莉卡只覺得非常新奇。

「有這麼多房間嗎？太了不起了。這個通道是什麼？」

「那是從僕用的通道，和這些從僕用的門連接在一起。」

「原來還有專門的從僕通道啊？我都不知道。那這個是？」

「那是祕密逃生路徑。」

「明明是祕密逃生路徑，這樣畫出來也沒關係嗎？」

「通常是不行的。」布琳平靜地回答，「但是，因為索爾家族與皇室關係深厚。」

「果然找布琳幫忙是對的。」

「呵呵。」

布琳輕輕一笑，又將平面圖捲起來說：「如果您已經大致記住了結構，那現在就親自去走一走吧。雖然有點麻煩，但親自走一遍是最好的。」

「嗯，我一點也不覺得麻煩。」

她已經厭倦待在房間裡了，莉莉卡立刻從椅子上跳下來。

莉莉卡與布琳一同走遍城堡的每一個角落。她們偶爾會遇到被士兵們封鎖的區域，每當那時，布琳就會瞇起眼，眼神變銳利，但她們只能帶著遺憾轉身離開。

由於光是太陽宮就占據了驚人的廣闊面積，所以無法輕鬆走遍。而且她們活躍地四處走動，遇到的每一個人都退到走道旁，向莉莉卡鞠躬致敬，她不得不適應這種情況。

「皇女殿下。」

「拉特！」

看到熟悉的臉孔，莉莉卡開心地打招呼。

拉特敬禮後抬頭問道：「您看起來很忙碌呢。」

「我正在到處走走，熟悉皇宮的構造。」

「構造？」

「嗯，這裡是我的家，我覺得我應該要了解它。」

「您說得對。」拉特這麼說著，臉上露出了微笑，「您有遇到不能進入的地方嗎？」

「啊！有，有些地方被士兵們擋住了。」

「這樣啊。」拉特淡淡地笑了笑，然後溫柔地對莉莉卡說：「如果您去親衛騎士團的辦公室，應該能見到坦恩。跟他說說，讓他派一個騎士陪同吧。」

「好的。」

「皇女殿下的姓氏是什麼？」

「塔卡爾。」

「是的，請不要忘記這一點。」拉特挺直腰桿，看了一眼布琳後說：「能得到索爾家族的協助，您做得很好。」

布琳微微一笑。

拉特向莉莉卡問候告辭後，莉莉卡點頭同意，他便快步穿過迴廊消失了。

莉莉卡回頭看向布琳問：「妳知道親衛騎士團的辦公室在哪裡嗎？」

「那當然。」

布琳開始輕快地走著，莉莉卡也跟著她。

太陽宮和天空宮之間的距離相當遠，而在這兩地之間有一些小建築，親衛騎士團辦公室就是其中之一。騎士團的房屋後方有一個寬廣的練武場，屋子前則有騎士們站崗守衛。

他們大多三五成群地閒聊，但只有一人孤獨地認真守在門前。那個人看起來很眼熟，莉莉卡瞪圓了眼。

「拉烏布閣下。」

拉烏布回禮道：「能見到皇女殿下是我的榮幸。請問您來這裡有何事呢？」

「我來找坦恩。」

「沃爾夫騎士團長在裡面。」

莉莉卡走進屋裡時，聽到說著「拜見皇女殿下！」的響亮聲音。

莉莉卡驚訝地僵了一下，然後勉強回答：「我也很高興見到你們。」

不知為何，每個人都用閃閃發亮的眼神看著她。莉莉卡挺直腰桿。

每個人都非常高，她想盡量讓自己看起來更高一些。雖然想踮起腳尖，但是裙子很短，踮腳尖會被看得一清二楚，所以她微微抬起腳跟，不讓人注意到。

「咦？皇女殿下？您來這裡有什麼事嗎？」

聽到外面吵鬧起來，坦恩從裡面匆匆跑出來，房裡同時傳來「團長，求您處理文件——！」的悲痛呼喊。

「我有事想找你。我剛剛見到了拉特，但是——」

莉莉卡突然止住話。她不曉得這件事是否適合在這麼多人面前討論。

坦恩看到莉莉卡猶豫的樣子，似乎明白了什麼，點了點頭。

「恕我失禮。」

他一把將她抱起。

莉莉卡驚訝地輕聲尖叫，坦恩則轉過頭對她說：「這樣就可以說悄悄話了吧？所以那位侍女，妳可以把武器收起來了，在狼群中拿出那種東西可是會死的。」

驚訝地回頭一看，布琳不知何時拿出了一把匕首站著。周圍的騎士們都用緊張的目光盯著她。其中幾位騎士的瞳孔縮小了，莉莉卡心想著「就像真正的狼一樣」，迅速說道：

「布琳，沒事的。」

「他們不能輕易對皇女殿下的貴體動手。」

布琳厲聲說完，將匕首收了回去。莉莉卡甚至沒看清楚她是怎麼收起來的，又收到了哪裡。

坦恩聳了聳肩，「所以我才說了恕我失禮。而且，我和皇女殿下的友誼不能包容這點小事嗎？」

「友誼？」

莉莉卡驚訝地瞪大了眼睛，坦恩則一臉難為情，「不是嗎？」

「不，我很高興，非常高興。」莉莉卡面帶燦爛的笑容說。

坦恩露出說著「皇女好可愛」的表情，再次湊近她的耳朵：「所以怎麼了？」

「就是——」

莉莉卡四處張望後，小聲在他耳邊耳語。對於聽力優秀的狼族來說，這些話他們都能聽到，但形式很重要。

「我是想來借位騎士。」

聽到莉莉卡的話，坦恩輕輕摸著下巴笑了：「那就由我親自去吧。」

莉莉卡發出詫異的聲音，「咦？」

「我親自去。」

「但是……」

「有什麼問題嗎？」

莉莉卡看向站在團長辦公室門口，臉色沉重的文官。循著莉莉卡的視線看去，坦恩嚴厲地說：

「你應該知道要以皇室的事情優先吧。」

文官深深地嘆了口氣，低下頭，「您去吧，團長。」

「嗯。」

坦恩嚴肅地點了點頭，輕鬆地用一隻手抱起莉莉卡，離開了親衛騎士團的辦公室。

莉莉卡小聲地說：「我還以為他會說不行。」

「哈哈。」坦恩笑出聲，對莉莉卡說：「皇女殿下，您有學過要向幾個人鞠躬嗎？」

「三個人。」

莉莉卡伸出了三根手指，坦恩認真地點了點頭。

「正確無誤，皇女殿下。皇帝陛下的命令被稱為龍言，在這個帝國內是絕對。即使皇帝陛下立了一個稻草人，稱其為塔卡爾，帝國的貴族們也必須在其面前俯首稱臣。」

莉莉卡將眼睛睜得大大的。雖然這段時間來，她一直在心裡念著「我是皇女、我是皇女」的咒語，但她從不認為自己有那麼重要。

當然，皇帝陛下很偉大，媽媽也很了不起，但她沒想過自己也是如此。莉莉卡突然感覺自己開竅了。

「皇帝陛下正式將莉莉卡殿下收為女兒，就意味著莉莉卡殿下在塔卡爾帝國是獨一無二的皇女。」

布琳在後面點點頭。

莉莉卡的心中湧現各種否認的話語。坦恩不知道，但我是契約皇女，只是暫時的養女……

坦恩柔和地抬起看著地面的視線，調皮地眨起一隻眼。

「您可是能用下巴指使帝國親衛騎士團團長的皇女殿下啊。」

「哦？」

她因為慌張而發出了奇怪的聲音，但坦恩只大聲笑著。坦恩大步走著，那麼遙遠的距離瞬間縮短了。

他輕聲說道：「帝國現存的塔卡爾只有四位。皇帝陛下、皇后殿下、皇太子殿下和皇女殿下。簡而言之，皇女殿下現在是繼承皇位的第二順位。」

這些話對莉莉卡來說超出了她的認知，所以不太有實感。

莉莉卡說道：「嗯，不過，反正有皇太子殿下在，所以和我沒關係吧？」

坦恩點了點頭：「是的，我的意思是說，皇女殿下您也是如此高貴的存在。」

抵達太陽宮入口時，坦恩問：「那麼，是哪裡的路被擋住了呢？」

「能由我為兩位帶路嗎？」

布琳微笑著說完，坦恩點頭同意。

布琳提議：「要不要去現場確認看看呢？」

坦恩聽到後停下腳步，隨即咧嘴笑了笑。他放下莉莉卡，說：「那我們去看看吧？」

我會躲在那邊的，您快走吧——坦恩揮了揮雙手示意，莉莉卡就明白了坦恩的意思。

她清了清喉嚨，踩著堂堂正正的步伐向前走。不過由旁人看來，動作有點僵硬。

士兵再次攔住她的去路後，她問：「我不能走這裡嗎？」

無論誰聽了，這句話都極為尖銳，士兵皺眉回答：「您不能通過。」

雖然有點害怕，但想到背後有布琳和坦恩在，她沒有退縮。

要對一個手持武器的壯漢大聲說話，需要極大的勇氣。

「為什麼我不能過去？」

「是陛下的命令。」

「啊……」

如果是陛下的命令，那也沒辦法。莉莉卡轉頭用這種眼神看向布琳，布琳的微笑就更加深沉。

她開口問道：「陛下的具體命令內容是禁止皇女殿下通過這裡嗎？」

士兵用長槍底部猛地敲了一下地面，「總之就是不行！」

「什麼不行？」

背後傳來低沉而令人戰慄的聲音。莉莉卡驚訝地回頭，布琳則依然直視著前方。

坦恩臉上的調皮神情消失無蹤，換上肉食動物特有的冷淡表情。

士兵驚恐地倒抽了一口氣。

「說說看，什麼不行？」

坦恩慢慢走近，仍能感受到壓迫感。士兵的臉色逐漸變得蒼白。

不知何時來到面前的坦恩從士兵手中搶過長槍，問道：「報上名字與兵階。」

他審視著槍桿，開始毫不費力地彎折長槍。

士兵急忙回答，「第一親衛兵團一級士兵，約翰・恩德斯。」

「好吧，恩德斯，所以是什麼不行呢？」

「那、那個是……」

「我知道，太陽宮內部即使是權族，也要根據通行證的等級來決定能否進入，但是皇族需要確認等級嗎？」

「不需要。」

「你認不出貼身侍女的標誌嗎？」

「不是的。」

「不知道帶著貼身侍女的是皇族的基本常識嗎？」

「知道。」

士兵冒著冷汗快速回答，坦恩在這期間將槍桿扭成了麻花捲。

「去叫你的上級過來。」坦恩將扭曲的長槍還給士兵後說道。

士兵用顫抖的手接過變成麻花捲的長槍邁步走動，步伐蹣跚，令人擔心他會不會倒下。

坦恩斜眼看著他。擋住皇族的路就夠令人傻眼了，還對皇女殿下皺眉、用長槍敲地威脅，這在重視後代的沃爾夫家族中是絕不允許的事情。

坦恩感到失望。

即使是養女，莉莉卡也是合法的皇女，區區一介士兵竟然敢攔住她的去路？

『雖然有預料到會有人反對，但竟然在這種地方對一個小孩這樣，還只是一個一級士兵。』

坦恩微笑著對莉莉卡說：「皇女殿下，您可以安心前往了。接下來交給我來處理就好。」

沒有必要讓她看到處理的過程。

莉莉卡聽到他的話隱約有些擔心。如果打起來，比起單打獨鬥，越多人陪伴不是越安心嗎？

「你一個人沒問題嗎？我可以陪你。」

坦恩聽到這句話，眨了眨眼。他許久沒聽到這句話了，其中的關心讓他十分愉悅。

莉莉卡又補充說道：「當然，我知道坦恩一個人也能處理好，但還是……」

「如果您害怕，我會去告知陛下的，所以您不用擔心。」坦恩對她眨了一下眼。

「不需要來告知我。」

莉莉卡驚訝地轉過頭，不知何時，皇帝就站在那裡。而拉特在他身後對莉莉卡輕輕地眨了一下眼。

「拜見陛下。」

莉莉卡趕緊行禮，坦恩也敷衍地敬禮致意後嘆息道：「我是來訓斥那個士兵的，不是來為他悼念的。」

「真有趣，一介士兵怎麼有勇氣做這種事，是不是有什麼強大的後臺呢？」

阿爾泰爾斯這麼說著，看了莉莉卡一眼，用手指用力推了一下她的額頭。

「！」

雖然又有些踉蹌，但莉莉卡這次站穩了。她得意地挺直身子時，阿爾泰爾斯輕聲笑了笑。

「妳是塔卡爾。這與妳以前是什麼人、擁有什麼、缺少什麼、是否有價值無關。我認妳為女兒，那麼所有人都應該在妳面前跪下。否則，就是對我不敬。」

拉特問坦恩：「這位士兵是誰？」

「第一親衛兵團一級士兵，約翰．恩德斯。」

聽到坦恩的回答，拉特愉快地笑了。

「就如我所想，真是令人高興呢，陛下。那麼皇女殿下，請您盡情遊覽太陽宮，這邊就交給我們處理。」

莉莉卡凝視著拉特。看來不是善良的人就能勝任宰相。

「好的，我知道了。那我先告辭了。」

莉莉卡行了一禮，與布琳一同走進宮內。此後，一路順暢無阻。

當莉莉卡和布琳一起來到之前被士兵攔住的地方，另一名士兵以極為尊敬的態度對待莉莉卡。

『他對我敬禮了。』

經過士兵時，莉莉卡小聲地對布琳說：「看來消息傳得很快。」

布琳輕輕地笑了，

「那當然。畢竟事關皇女殿下，沒有人會對皇室的事情不敏感。」布琳調皮地補充道：「皇女殿下，請問權力的滋味如何？」

權力的滋味。

聽到這個從未想過的詞語，莉莉卡瞪大了眼。在遊覽太陽宮的過程中，這個詞一直在她的腦海中盤旋。

『權力的滋味。』

回到房間後，莉莉卡凝視著端來的點心蘋果派。如果她沒有成為皇女，也許就無法品嘗到它了吧？

『權力的滋味。』

躺在柔軟的床上，她仍在思考這件事。如果她沒有成為皇女，也不能體會到這張柔軟的床了吧？

「這就是權力的滋味嗎！」

莉莉卡向拉特講述這件事時，正忙於查看文件的拉特笑了笑。

「皇女殿下，那與其說是權力的滋味，不如說是金錢的滋味。」

莉莉卡疑惑地歪了歪頭。聽了拉特的話，她覺得這種說法也有道理。

「權力是指妳能多隨心所欲地行動。」

阿爾泰爾斯這麼說著，隨手將文件扔到地上。當莉莉卡趕忙跑去撿起文件，阿爾泰爾斯又扔下桌上的其他文件，因此莉莉卡就像收集掉落的橡實的松鼠一樣，忙著撿起文件。

「陛下。」

拉特皺著眉頭喊了阿爾泰爾斯一聲，他就撐著下巴，輕輕扔下最後一份文件。在文件落地前，莉莉卡「嘿！」地一聲接住文件，然後帶著滿意的表情將文件整理好，堆放在拉特的桌上。

拉特對莉莉卡彎腰撿起文件，並按照種類整理好的能力感到讚賞。

「那我算是擁有足夠的權力了。」

像最近這樣自在舒適地生活，對她來說是頭一遭。不用工作讓她感到有些不安，幸好在辦公室還有點事情做。

莉莉卡露出微笑，行屈膝禮後說：「那我先告辭了。今天布琳說要為我介紹侍女呢。」

「那樣啊，祝您度過愉快的時光。」

拉特站起來目送莉莉卡離開。

關上辦公室門的拉特摘下象徵宰相的單眼眼鏡，輕輕用衣襬擦拭著並說：

「多虧皇女殿下，我們不僅更換了親衛兵團，太陽宮內也完全由親衛騎士團接管了。雖然外部因為面子問題，還是使用親衛兵，但就這樣讓親衛騎士團把他們吸收掉吧。然後，聽說皇后殿下前陣子更換了管家和他的親信們。」

「露迪婭問我能不能更換管家，我就告訴她那是皇后的管轄範圍。」

露迪婭找到了舊管家挪用公款的證據，將管家和侍女們全部更換掉了。這也清除了內宮中的貴族勢力。

拉特露出滿意的表情。新的人選也十分適切，彷彿看過了他長時間調查的資料。

阿爾泰爾斯沒想到露迪婭會這麼大膽，這不像是沒有外戚勢力的皇后會做的事。

不是棋盤上的西洋棋子，而是在下棋的人。

他對她超乎想像的行動十分讚嘆。

拉特說：「變化一帶來動盪，水底的魚就會紛紛跳出水面，只要等著收網就行了。現在倒是輕鬆。」

宰相凝視著皇帝，問道：「不需要安排護衛騎士嗎？」

「還不需要吧？」

「我明白了。」

拉特低下了頭。如果坦恩在這裡，他可能會說冷血動物就是冷血。身為蛇族的拉特在心裡這麼想著，露出淡淡的笑。

莉莉卡最近對圖書館很感興趣，從書中尋找在辦公室文件裡看過的難懂詞彙，是樂趣之一。

塔卡爾圖書館內的百科全書以全帝國僅此一本聞名。儘管全被鐵鏈鎖住了，莉莉卡也能不用辦任何手續就盡情自由翻閱。

「水車、水車……原來這就是水車。」

莉莉卡看著圖畫驚嘆。貧民區的生活一直是她人生的全部，她從未想過住在農村或漁村的人們是如何生活的，當然，對於貴族的生活方式也同樣一無所知。

因此，光是發現有一個全新的世界、一種完全不同的生活方式，就令她感到愉悅。

「皇女殿下，現在該停下來了，到我們約好要去廚房的時間了。」

「對喔。」

莉莉卡立刻從座位上站起來，布琳將沉重的百科全書放回原處。

皇宮很廣闊，食物送來時不可避免會冷掉，所以今天布琳建議莉莉卡去廚房品嘗剛出爐的熱騰騰麵包。

莉莉卡沒有理由拒絕。

為了避暑，廚房面朝北方建成，規模非常大，足以應付皇室宴會的規模，儘管人員眾多，卻寂靜無聲。

自從阿爾泰爾斯成為皇帝以來，舞會僅在天空宮舉辦，因此太陽宮的廚房長年以來都只準備皇帝和皇太子的餐點。

然而，新皇后的到來帶來了新的廚師，廚房也充滿了生氣。

很快就有傳聞說皇后將舉辦一個小型派對。在此期間，受到皇后寵愛的皇女來到這裡，無人感到厭煩，看到高貴的人親自蒞臨，大家反倒都很歡迎。如果是皇帝或皇后親自來訪，人們可能會想「竟然親自到廚房……」，但年幼的皇女就另當別論了。

因此，莉莉卡在熱情和友善的招待中，品嘗到了剛出爐、既雪白又鬆軟的麵包。

當然，為了巧妙地討好皇后，新想出來的餅乾和奶油也悄悄地端到了皇女面前。

莉莉卡檢查過柳橙原本的模樣後，帶著裝了柳橙汁和點心的籃子，離開廚房。

「我要去找媽媽。我想快點分享給她。」

聽到莉莉卡的話，布琳拿起籃子點了點頭。

莉莉卡輕快地穿過走廊時，突然停下腳步。

她站在門前看著那扇繪有黑龍圖案的門，問出一直以來心中的疑問：

「話說回來，我還沒有見過皇太子殿下呢？」

「殿下現在前往領地了。」

「領地？」
「是的，皇太子殿下有受到贈予的基礎領地。若聽到羅文公爵，那就是指皇太子殿下。」
「原來如此。那他什麼時候回來呢？」
「這麼嘛，應該快要回來了。」
聽到布琳的話，莉莉卡又凝視了一會兒黑龍圖，然後繼續前進。
到了銀龍室，她看到媽媽坐在書桌前閱讀信件。莉莉卡進來時，露迪婭立刻站了起來。
「莉莉，妳聞起來很甜呢。」
她抱著女兒，不斷在她臉頰上落下親吻，莉莉卡則笑著抱住她。
「今天我和布琳一起去了廚房，在那裡吃了很多好吃的，還帶來了點心。」
「廚房？」
露迪婭停下腳步，但很快就想到自己最近也對廚房人員做了調整，這才放心。至少目前為止，沒有人敢給女兒吃奇怪的東西。
「那裡有很多好吃的。」
「是嗎？」
露迪婭對管家揮揮手，示意管家接過籃子。布琳和管家準備點心時，她和莉莉卡並排坐在沙發上。
「妳今天也去了辦公室嗎？」
「是的，陛下把文件扔來扔去的。」
聽到莉莉卡笑著這麼說，露迪婭勉強抑制住自己，不讓臉色變冷。
她對皇帝讓自己的女兒幹活感到不悅，但是之前親衛兵因為對莉莉卡不禮貌而受到整頓，莉莉卡的地位因此更加穩固也是事實，她只能嘆氣。

「莉莉，辛苦妳了。」

「一點也不辛苦，我反而很開心。」

莉莉卡緊握著媽媽的手，搖了搖頭。

莉莉卡問：「話說回來，為什麼會收到這麼多信？」

「是對派對邀請的回覆。我打算開放沙龍，還有……」媽媽輕聲說道：「我打算開始動用收到的訂金。」

「訂金？」

「開始這項工作時，我收到了訂金。」

露迪婭對準備好點心的侍女們揮揮手，示意讓她們退下，接著說：「現在使用的錢、首飾、衣服，工作結束後都得留下不是嗎？得趁還在這個位置上時，好好賺一筆。」

她計劃用訂金投資，讓它迅速增長。她的投資項目可謂各式各樣。

聽到媽媽自信滿滿的話，莉莉卡很是擔心。

「媽媽，千萬別買什麼萬能聖水或幸福罐之類的東西，一定要小心騙子。」

「哎呀，莉莉也別擔心，不會有那種事的。媽媽只會投資在一定能賺到錢的地方。」

露迪婭讓莉莉卡不用擔心的話，反而讓她更擔心了。

世上哪有百分之百安全的投資呢？

莉莉卡說：「媽媽，您要投資時也一定要告訴我喔。」

「那當然了。」

露迪婭這麼說著，緊緊握住女兒的手，「還有，媽媽有東西要給妳。」

「給我嗎？」

「拿來。」

露迪婭一聲令下，管家立刻拿著托盤過來。托盤上的絲絨墊中放著一枚銀幣。

莉莉卡驚訝地叫出聲：「我的銀幣！」

「要找到一模一樣的銀幣很困難，所以花了些時間。那老頭子明明答應要分開保管的，結果……」

露迪婭微微皺起眉，隨即又笑了，「這是妳的銀幣對吧？」

「是、是，是我的銀幣。」

莉莉卡著魔似的拿起銀幣。上面的汙漬、刮痕，她全都記得。

那就是她的銀幣。

她心底雖有一絲失落，但早已放棄了，甚至沒有想過還能拿回銀幣。

即使收到新的銀幣，不是那枚銀幣，她也不需要。但她沒有表達出這種想法，因為那就像在撒嬌或無理取鬧。然而，現在……

莉莉卡反覆撫摸著那枚銀幣。那是每晚總能帶給她幸福念頭的銀幣。

就是那枚銀幣。

視野變得模糊不清。最近也許是淚腺壞了，一有事情就會流淚。

但當媽媽緊緊抱住她，撫摸她的頭時，她覺得自己可以盡情地哭。

在歡欣和安心中，莉莉卡哭了。她因為心中的傷痕正在癒合而哭泣。

「謝謝您，媽媽。」

「不，我反倒感謝妳，和妳說聲抱歉，但我沒辦法找到其他硬幣……」

「沒關係！重要的是這枚銀幣！」

即使拿其他硬幣來給她，她也無法區分才對。露迪婭鬆了一口氣，遞出一個小錢包。這個以按釦開合的錢包上繡有可愛的覆盆子圖案。

「這裡面有些硬幣。」

打開一看，裡面有幾枚白銅幣。

「這就足夠了。」

其實錢對莉莉卡來說並不重要。銀幣不是因為值很多錢才重要，而是它的意義。她因為這個可愛的錢包而感到高興，並將銀幣小心翼翼地放進去。

看著幸福的莉莉卡，露迪婭也露出了燦爛的笑容。雖然為了找到這枚銀幣花了不少功夫，但看到女兒的笑容，所有辛苦都變得微不足道。她要繼續守護這張笑容。

她不會像過去一樣，做出愚蠢的行為。

她很幸運，能體會到每天像這樣與女兒共度時光，是多麼快樂的事。

現在的莉莉卡體態豐滿，頭髮也光澤亮麗，連指甲都閃耀著光芒，很難相信她曾是貧民區的孩子，她似乎也和布琳相處得很好。

『畢竟布琳．索爾在前世也是個出色的侍女。』

索爾家的忠誠是有目共睹的，只要知道這份忠誠是指向哪一方，就沒有什麼好擔心的。

莉莉卡緊抓著錢包，抿起雙唇。

露迪婭問道：「怎麼了？錢不夠嗎？」

「不是的！不是那樣的。那個，媽媽……」

「發生了什麼事？」

「是關於皇太子殿下的事。」

「怎麼了？妳聽到什麼傳言了嗎？」

「不是的，我聽說他就快要回來了，所以想問能不能為他辦一個歡迎派對？」
「嗯，我覺得還是別這麼做比較好。」
「是嗎……」
看到女兒失落的樣子，露迪婭趕快解釋道：「皇太子殿下對食物非常挑剔。除非是他親信帶來的食物，否則他不會碰的，所以即使有派對，他也不會覺得有趣。」
「但他好久沒回來了吧？而且突然有了我和媽媽，如果他誤會了怎麼辦？」
現在想想，連婚禮上都沒見到他。
不曉得他會怎麼看待突然住進隔壁房間的繼妹，而且想到許多關於繼母的可怕故事，莉莉卡就擔心得心臟怦通直跳。
他會不會誤以為自己和媽媽冷落他？
看著莉莉卡熱切地談起這件事，露迪婭心想「不，阿提爾不會那樣」，但她沒有必要消弭女兒的擔憂。
畢竟未來的皇帝是阿提爾，她打算和他好好相處。
阿提爾從小就經歷過許多次暗殺，現在幾乎不信任任何人。而且不久後，一名長年服侍他的護衛騎士將企圖暗殺他，他會變得完全不相信他人。
——我本來打算阻止那件事發生，並保持適當的距離，不過……
「那我們就別辦歡迎派對，想想其他辦法，只要讓他知道我們是來歡迎他的就好了吧？」
「好的！」
聽到露迪婭的話，莉莉卡的表情立刻明亮起來。她折下手指說：「我覺得，可以在他的房間裡擺放花朵和一些美味的東西，這樣怎麼樣？」

露迪婭點了點頭。

「等他休息夠了，我們可以舉辦一個小型茶會，一起喝茶。」

「好。」

露迪婭雖然有許多想法，但看到女兒閃閃發亮的雙眼，她就不想再反對了。

露迪婭認真地問道：「但是莉莉，妳真的想和皇太子殿下好好相處嗎？」

「我想要和皇太子殿下好好相處，但不知道他的想法，所以我想先表達我想好好相處的意願。」

「好，既然如此，我也會積極幫助妳的。」

「謝謝您。」

莉莉卡露出燦爛的笑容，抱住露迪婭，露迪婭則想著要送給女兒許多的茶會用品。

莉莉卡的計畫自然也傳到了宰相拉特和皇帝陛下的耳裡，拉特笑著問：「我可以送禮物嗎？」

莉莉卡優雅地允許了。

這一個月來，莉莉卡不斷努力，禮儀開始成了日常習慣。

不久後，她看到侍女們帶來的禮物盒，開心地尖叫出聲。

那些又大又美麗的盒子用光滑的緞帶綁著蝴蝶結，布琳說要把那些閃亮的緞帶拿回去好好利用。

每打開一個五彩十色的盒子，莉莉卡都會不由自主地發出歡呼聲。透明美麗的玻璃器皿、繪有精緻金邊的茶杯，尺寸都很小，十分適合莉莉卡。

這些禮物用來玩家家酒太過奢侈了。

繪有粉紅色和藍色圖案的盤子，以及可愛的銀製餐具正好適合她的手。不論是刺繡桌布還是陶瓷茶壺，上面都畫著可愛的動物，小松鼠、兔子、小熊、貂獾都被畫得生動可愛，怎麼看都不會膩。

打開鑲金的盒子，裡面還有各種形狀的方糖。

令人眼花撩亂的美麗物品依照種類整齊地擺著，裝在許多盒子裡。

來自桑達爾家族的茶葉有十種之多，布琳解釋說每一種都非常珍貴。

「茶是桑達爾領地的特產。桑達爾領地位於南方，所以那個家族的人都很怕冷。」

「原來如此。」

學到新知識的莉莉卡點了點頭。

莉莉卡花費了好幾張紙，認真地寫了邀請函。她還無法流暢地寫字，對鋼筆的掌握也不夠熟練，導致墨水有時會暈開。儘管費了不少力氣，但她選擇了最滿意的一份。

雖然浪費了昂貴的紙張讓她很心痛，但也無可奈何。

封蠟章是龍的圖案，並撒上了白色的粉末，表示是從白龍室寄出的。奇妙的是，這白色粉末會閃閃發光，就像雪花一樣。

莉莉卡詢問布琳，得到「那是加工過的雪寶石」的回答。

聽到這句話，莉莉卡嘆了一口氣。雪寶石是隨雪降下的寶石，雖然形狀像雪花結晶，但不會融化。

「我也想撿到它，但我從來沒有撿到過。」

「今年冬天我們再試試看吧。」

「嗯。」莉莉卡點點頭。

同時，準備工作也正式開始了。

雖然皇帝陛下允許她進出黑龍室，但莉莉卡還是有所顧慮。

「如果他知道我隨意進他的房間，會不會不高興？」

布琳聽到莉莉卡的問題，露出感到有趣的表情，「我從來沒有想過這個問題，因為那是不可能發生的。」

「啊……」

在皇宮中，所有房間都隨時會有侍從和侍女進出、處理雜務，所以不可能沒有人進入。

「如果真的很在意，我們只裝飾起居室就好了。」

莉莉卡點頭同意這個建議。白龍室和黑龍室的結構幾乎相同。

一進門就是兼作門廳的等候室，再走進一扇門就可以進入起居室。起居室的兩側是會客室，旁邊則連接著更多房間。

「那我們就只裝飾起居室好了。」

莉莉卡問及皇太子殿下何時回來時，布琳搖了搖頭。

「殿下都不會事先通知，會與親信悄悄地回來，所以我們無法得知確切時間。不過，要我透過布蘭了解一下嗎？」

「布蘭？」

「他是我的哥哥，現在正隨身服侍皇太子殿下。」

「真的嗎？那妳可以幫我問問他喜歡什麼嗎？」

「好，我會問的。」布琳點了點頭。

經由布蘭傳來的消息，得知皇太子將在一週內到達，莉莉卡的心變得更慌張了。

她換了新床單，讓房間通風，換掉陳舊的空氣，並且在牆上掛上緞帶裝飾和彩色紙圈。

她還請園丁帶來一捧盛開的花朵，放在任何人看了都覺得冷清的黑龍室，使氛圍變得極其溫馨。

而且根據布蘭調查到的喜好，皇太子殿下喜歡甜食。莉莉卡有所共鳴，精心挑選了茶類和甜點。

媽媽建議「要根據食物的顏色和種類選擇茶具」，於是莉莉卡與布琳一起在桌上擺放各種茶杯和碟子，尋找最佳搭配。

廚師也每天都會做新的糕點。這位廚師是媽媽聘請的，據說擅長製作新奇和獨特的糕點。

五月的花園變得十分繽紛，於是莉莉卡詢問能否在花園中擺放茶桌。布琳認為這是個好主意，媽媽也表示同意，於是莉莉卡更改了茶會的地點，重新寫了邀請函並放在桌子上。

考慮到可能會被忽略，她還放了一個玩偶，讓玩偶手持邀請函。

所有準備工作都已完成，莉莉卡很在意皇太子殿下何時會來，不時往窗外張望。

『希望他會喜歡。』

黎明時分，皇太子一行人如雷霆般闖入皇宮。阿提爾粗魯地推開黑龍室的門後，僵在原地不動。

「……這是什麼？」

站在他身後，擁有淡米色頭髮的同齡少年說道：「哇，這難道是殿下喜歡的風格嗎？好可愛啊。」

「派伊，閉嘴。」

阿提爾粗暴地推開他，打開起居室的門，定在原地不動。

起居室裡不暗。由於莉莉卡堅持晚上也必須點燈，各處的蠟燭都被點亮，壁爐中的熊熊火焰驅散了清晨的寒意，牆上的裝飾在壁爐火焰的照耀下閃閃發亮。

『歡迎回來。』

阿提爾靜靜看著用彩紙剪貼的文字。

「味道真好聞，還放了很多花呢。從北方下來，都沒發現春天已經來了。」

跟在他後面進來的淺米色頭髮少年——派伊不停出聲驚嘆。

「是誰做的？」

「哇，這真的好可愛。」

起居室的桌上放著穿著管家服的熊玩偶，派伊抓住玩偶的側臉拿起來，搖了搖玩偶的手。

「歡迎您回家，皇太子殿下。從信中的字跡來看，這似乎是最近傳聞中的新繼妹做的。」

「給我。」

阿提爾從他手中搶過邀請函。讀完之後，冷冷一笑。

「告訴她我會去。」

派伊驚訝地抬起頭，隨後進來的布蘭環顧四周。

「這是第一次受到這樣歡迎呢。需要準備飯菜嗎？還是您要洗澡？」

「都不用。」

阿提爾揮了揮手。

「您真的要接受那個邀請嗎？」派伊再次問道。

「對。」阿提爾將邀請函扔回給派伊，「回覆她我會去。讓她自己盡情地玩小孩的遊戲吧！站在烈日下三四個小時後，她會清醒的。」

「哇，壞蛋。」

派伊皺起了眉頭。還不了解對方就擺出敵對的態度，作為親信，他覺得這麼做不好。儘管他知道阿提爾為何這麼做，但還是……

在派伊開口之前，阿提爾揮了揮手，「我現在要睡了。在我醒來之前別打擾我。」

他走進房裡後，派伊望著邀請函，嘆了口氣。
布蘭疑惑地看著他，「您可能餓了。」
「說得也是，我餓得都快前胸貼後背了。對了，布蘭。」
「是。」
派伊咧嘴一笑，看向布蘭。派伊是桑達爾侯爵家的直系後代，也是阿提爾的談心朋友和親信。
他指著裝飾和歡迎的字樣問：「這個，布蘭你知道嗎？」
「我只是傳達了殿下可能會在這時候到達的消息，還有陛下喜歡吃甜食，僅此而已。」
「嗯。」
派伊拿起放在桌上的餅乾，咬了一口，酥脆的口感非常美味，長時間騎馬奔波的疲勞感似乎也隨之消散。
「這餅乾沒有受潮，做得很好。」
布蘭也不知道確切的到達時間，因為那是阿提爾決定的事。然而，花朵仍然鮮活，餅乾依然酥脆，隨手摸了摸茶壺，還熱呼呼的。
肯定有人不停隨時更換花朵、餅乾和茶水，顯示出相當用心。
『皇女殿下的想法真讓人好奇。不，這應該是皇后的影響。我們也該收集一些傳聞消息了，我們離開皇宮太久了。』
多虧於此，他們還錯過了史無前例的事件……皇帝的婚禮。
派伊將盤子上所有的餅乾都嘗了一個，沒有發現任何有毒或味道異常的。
他看了看熊玩偶，然後把邀請函放回玩偶的腿上。
『我也累了。』

他們整夜騎馬奔波到黎明。雖然他知道阿提爾的偏執不安，但還是希望他不要過度操使親信。

『我不像狼那麼堅強啊。』

派伊一邊抱怨，一邊朝自己的房間走去。

莉莉卡一大早就醒來了。她從床上爬起來，睡眼惺忪。

『嗯~殿下來了嗎？茶冷了嗎？要不要換些新餅乾？』

最近她很關注皇太子殿下的事，所以第一個想到的就是擔心餅乾的狀況。

莉莉卡從床上下來，穿上掛在一旁的睡袍。

『我去看看餅乾或茶有沒有涼了。』

雖然已經吩咐了侍女，但她還是需要這樣親自檢查。如果主人不關心，下人怎麼會用心呢？

莉莉卡穿上拖鞋，稍作停頓後，打開一扇隱祕的門。她不想無故打擾布琳。

走過從僕通道來到外頭後，莉莉卡也一樣從從僕通道走進黑龍室。

「！」

輕輕推門進入起居室的莉莉卡僵在原地，因為有人正坐在起居室的桌前，專心地享用餅乾和茶。

兩人目光相對。

莉莉卡一眼就認出了對方。因為她已經問過布琳好幾次皇太子殿下長什麼樣子。

竟然以這身模樣，在這樣的情況下遇到皇太子殿下。

『不行！』

她在心裡尖叫並低下了頭。她必須想出一個藉口。

莉莉卡小聲說道：「我來看看您是否還需要茶或餅乾。」

我是個侍女，我只是個侍女。

拜託，希望他沒有認出來。

莉莉卡拚命的祈禱並未如願，阿提爾也立刻認出了她。

若穿成這樣在皇宮中走動的人不是皇女，那他剛才吃下肚的餅乾都可以吐出來了。

阿提爾看著低著頭的淺棕色頭頂，努力壓抑住差點脫口而出的粗口。

『她怎麼會出現在這裡？』

竟然被她看到了自己大口吃著準備好的餅乾的模樣。他只是整夜騎馬奔波所以餓了，想到起居室有食物就被吸引過來了。

吃下一塊餅乾，味道很棒，雖然茶有點涼了，但也不錯。一塊餅乾下肚，接下來的也就順理成章了。

在敵人準備好的餐桌前大快朵頤的樣子被發現，讓阿提爾的心情更糟了。

『是不是悄悄來看好戲的？』

他拿起餅乾盤，從座位上猛地站起來，走近莉莉卡。他想要把餅乾倒在她頭上，好好訓斥她一番。

他站在她面前，舉起餅乾盤，卻突然停下了動作。

他注意到莉莉卡正在發抖，耳朵也紅透了。

她比他嬌小纖細許多。

他咬了咬嘴脣。

『哈，真是的。』

不知是在嘆氣還是在笑的聲音傳來後消失。

看到這麼細微的反應也讓她顫了一下身子，阿提爾失去了欺負她的心，反而更想看看她的臉。耳朵都變得這麼紅了，臉會有多紅呢？

也很好奇她為何會穿著睡衣、披著外袍，從從僕通道走出來。

他向她遞出了盤子，「吃吧。」

「什麼？不、不用了，我沒關係。」

莉莉卡的聲音升高了一階。

「吃。」

他又說了一次，她就戰戰兢兢地拿起餅乾，放進嘴裡，但依然沒有露出長相。只能看到鼓起的臉頰。

「哇，皇太子殿下在欺負一個可憐的女孩。」

被嚇到的莉莉卡轉過頭，看到一位有著柔和米色頭髮的男孩站在那裡。

「我沒有欺負她。」

阿提爾厲聲回答。派伊則溫和地笑著走過來，遞給她一張紙。

「來，這是對皇女殿下的邀請函的回答。皇太子殿下說會參加。」

「！」

莉莉卡跳了起來，接過回信，然後猛地抬頭看向阿提爾，嚇了一跳又低下了頭。

派伊輕輕笑著看著阿提爾。阿提爾看到莉莉卡一瞬間露出滿是歡喜而閃閃發亮的表情後，想要發怒的心就此消失。

他嘆了口氣說：「妳現在可以走了。」

「好、好的！」

莉莉卡馬上回到祕密通道，猛地關上了門。
派伊努力壓抑著笑意，阿提爾則傻眼地說：「她為什麼要從那邊走？」
「按照設定，她是可愛的侍女，不是嗎？」
「她不會以為順利騙過我了吧？」
「天曉得，但她好大膽喔，沒帶著侍女就自己走從僕通道潛入進來。」
「如果那算潛入，那我這輩子就不知道什麼叫生命威脅了。」
阿提爾冷淡地回答後轉頭看向派伊。
「還有，什麼回答？」
「我不是殿下勤勉的親信嗎？所以勤勉地寫好了回信。啊，皇女殿下那麼可愛，希望她不是我們的敵人。」
這還不是因為皇后殿下。
聽到派伊的話，阿提爾向他遞出餅乾盤，說：「一點也不可愛。」

『真、真的嚇死我了。』
莉莉卡緊緊按著心臟怦怦跳的胸口。難不成被發現了？
『如果他認為我是個沒用的孩子怎麼辦？不，我可能沒被發現。』
畢竟她只抬起頭一瞬間，可能沒被發現。
就在那時，有人輕輕碰了碰她的肩膀，莉莉卡跳了起來。她差點尖叫出聲，但意識到皇太子在房間裡才勉強忍住。

回頭一看，一位高大的男子站在那裡。即使在黑暗中，莉莉卡也能看到他戴著閃閃發光的胸針。

「布——」

男子把手指放在嘴邊，微笑著指了指出口。莉莉卡用手摀住嘴，點了點頭。

小跑著走出通道的莉莉卡深吸了一口氣。那男人跟著出來問：

「莉莉卡皇女殿下，您有什麼事嗎？」

意識到他知道自己是皇女，她放鬆地垂下肩膀，但很快又振作起來。

如果是布琳的哥哥，應該有聽過關於她的事，對她有所了解是理所當然的。

「我不知道殿下已經來了，只是去看看餅乾有沒有軟掉，或是茶是否冷了……」

「布琳呢？」

「我只是去確認一下，所以不想叫醒她……」

看到他的表情，莉莉卡再次嘆氣，「這樣不行嗎？」

「這樣不行，布琳會擔心的。」

「皇太子殿下會認出我嗎？希望他以為我是個可疑的侍女……」

「嗯——」

布蘭露出不知該說什麼才好的表情。他的長相和布琳非常相似，讓莉莉卡莫名有種親切感。

「殿下可能不知道這件事。我會好好跟他說明的。」

「真的嗎？謝謝！」

莉莉卡滿臉笑容地回道，晃了晃手中的回信。

「那我就先回去了。布琳會擔心的。」

「好的。」

布蘭微笑著目送她離去。正如布琳所說，她是在皇宮裡難得一見的皇女。

『如果布琳說的是真的，皇后殿下也沒有利用皇女殿下的打算……』

在皇宮內，連孩子們也不能掉以輕心。每個貴族的孩子背後都有一個家族撐著，因為孩子們沒有惡意，所以更容易被利用。父母只需對年幼的兒女說「在這裡玩捉迷藏吧」、「把這個餅乾交給殿下」或者「森林裡有個值得探險的地方，你和殿下一起去看看吧？」就足夠了。

落入這樣的陷阱一次就夠了。

從走廊盡頭走進房間之前，皇女殿下看著他輕揮了揮手，布蘭愉悅地回應了她的問候。

莉莉卡一回到房間就被布琳責備了。

「即使是私會，也應該帶著侍女去。」

「那就不是私會了，不是嗎？」

由於莉莉卡很勤奮地讀過字典，所以認識一些很困難的詞。她這樣反問後，布琳搖了搖頭。

「貴婦私會時也會帶上侍女，侍女就是如此重要的存在。」

「我知道了。」

成為皇女比想像中還要難。莉莉卡點了點頭。

事實上，她更想快點跟布琳炫耀一件事。她晃了晃手中的回信。

「皇太子殿下說會來參加茶會。」

「哎呀，真是太好了，皇女殿下。」

「嗯，而且他很認真地吃著點心。媽媽說他只吃親信帶來的食物，看來他很喜歡這些點心。」

布琳想像著青春期少年說不吃點心，之後吃下肚時卻被發現的反應，同時這麼問道：

「您沒事吧？沒被責備吧？」

「嗯，他好像把我當作侍女了。嗯，可能吧。」她沒有自信，因此小聲地補上了最後那句話。

「但布蘭說他會好好解釋的。」

「您見到布蘭了嗎？」

「嗯，和布琳長得很像。」

「呼嗯，是嗎？」

「當然布琳更美。」

「是這樣沒錯。」

布琳露出了微笑。即使她和哥哥的確長得很像，但這不是讚美。

「那我們該準備茶會了。」

莉莉卡心裡反覆念著這個詞。

茶會。

茶會。

這個詞有點甜美而陶醉的味道。

這是她第一次親自主辦茶會。雖然緊張感都湧上了喉頭，但布琳在一旁鼓勵她。

她已經練習過好幾次了，應該能順利進行。她安排兔子和熊玩偶就座，優雅地問候客人，倡導品茶，這樣練習了好幾天。

這也許是這世上最有趣的扮家家酒。

皇帝說可以使用地下冰庫裡剩餘的冰塊，所以她甚至得到了一大塊冰塊。

莉莉卡對於在這種天氣下還有冰存在的事實感到驚訝，但她努力展現出了皇女冷靜的面貌。高貴的皇女是不會對冰感到驚訝的。

五月底。

花園滿是嫩綠的新芽和濃綠的葉子，斑駁陸離，玫瑰花提前盛開，增添了色彩。掛在大型陽傘上的裝飾物在陽光下閃閃發光並搖晃著，他們將樹枝彎折後用緞帶綁起，以形成樹蔭。

春天的微風輕輕吹拂，帶來暖意。陽光透過樹枝間的縫隙，像金飾般灑落在瓷器上。

天氣和場景就像從畫中出現的一般完美。

所有的準備工作都已完成，莉莉卡等著皇太子到來，時間緩慢地流逝。每當有樹葉摩娑的沙沙聲響起，莉莉卡就會猛地轉頭看去。

阿提爾久久未現身，侍從們表情開始凝固。

莉莉卡對布琳輕聲說道：「他是不是因為有事情耽擱了？」

「我現在派人去問問看。」

布琳揮揮手，站在一旁的侍從迅速離開。

片刻後，侍從帶著陰沉的表情回來報告，「他說他在黑龍室，有事耽擱了。」

「就這樣？」

布琳問完，侍從點頭回答「是」。

布琳望著莉莉卡，莉莉卡則回答道：「既然他說會晚到，那就等他吧。」

莉莉卡等了很久。對一個孩子來說，靜靜站著是一件很困難的事，她不斷調整重心。

即使再次派出侍從，也只收到「會晚到」的回應。

兩個小時過去了，侍從依舊低著頭，帶回了新的答覆：「殿下說今天太過忙碌，無法與您共度時光。」

布琳的深紫色眼瞳閃著冷冽的光。她馬上窺探主人的表情。

莉莉卡露出驚訝的表情。布琳正在煩惱該說什麼時，莉莉卡先開口道：「殿下如此忙碌嗎？」

侍從驚訝地抬起頭，然後又低下去。

「什麼？是的……」

「原來如此。能幫我轉告殿下，不用太過歉疚嗎？他讓我在這裡等，一定很擔心才對。請告訴殿下我沒事，不要擔心。」

布琳強忍著笑意，侍從則嚴肅地點頭回應了莉莉卡的話。

「我明白了。」

「啊，對了。可以把剛做好的點心一起送去嗎？布琳，妳覺得如何？」

「我認為可以。」

「是嗎？那幫我來個籃子來。殿下沒辦法品嘗到媽媽請廚師做的點心，應該很遺憾。」

不久後，看著侍從帶著籃子離開，布琳感到很高興。莉莉卡嘆了口氣說道：

「他或許是因為忙碌而無法遵守承諾，但我擔心他會因為這樣感到抱歉。」

看到莉莉卡認為打破約定的人當然會感到抱歉的善良及天真，布琳感到歡喜並點點頭。

「您已經多次告知過皇太子殿下不必抱歉，殿下會沒事的。」

這是在委婉地暗示對方你就是做了如此失禮的事，若是不道歉，就代表你是個無禮的人。但這其中沒有惡意且帶著真誠，這就是我們皇女的美德。

布琳感到高興，而莉莉卡說：「那我們一起喝杯茶好嗎？就這樣收下去太可惜了。」

「我很榮幸。」

布琳優雅地回答。過了兩個小時，喝茶的時間早就過了，此時太陽也已經下山了。

她們讓人帶來提燈，然後坐下來。今天準備了放涼也不要緊的點心，所以只要再拿一壺熱水來就好。

由於不知道皇太子什麼時候會到來，廚房一直煮著熱水，所以水很快就到了。

莉莉卡親自沏茶，小手熟練地動著。因為她為了今天，和布琳一起練習過無數次了。她站上踏臺沏茶，先為自己斟滿杯子，然後再為布琳斟滿。

莉莉卡輕輕舉起手，握起拳頭後打開。身後的侍從們見狀後走遠，直到聽不見她們的對話。

莉莉卡神奇地看著自己的手，「這樣真的有用呢。」

「那當然。不論何時何地，都能使用手勢對侍從示意。」

「那麼，反過來握起拳頭，就表示可以靠近了嗎？」

「是的。」布琳悠閒地摸著茶杯的邊緣說：「有士兵在場時，比出手勢時最好小心一點。對方或許會假裝召喚侍從，以手勢當成信號發動攻擊。」

「真的嗎？」

「是的，歷史上已經發生過好幾次了。」

聽了布琳的話，莉莉卡點點頭，心想「高貴的人也很辛苦呢」。

布琳擔心地問道：「皇女殿下，您真的沒事嗎？您的心情沒有受到影響嗎？」

「嗯，我沒事。」莉莉卡勾起微笑，低聲說道：「雖然對一直幫我的布琳很抱歉，但我也想過可能會發生這種情況。」

布琳眨了眨眼睛。眼前天真的皇女殿下看起來不擅長計謀或計算。

「為什麼呢？」

因此，她如此問道。

莉莉卡皺著眉頭，用她獨有的嚴肅表情說：「我去陛下的辦公室時，陛下總是忙於工作，然後當拉特宰相說『您今天有約』時，陛下總是會說『我今天太忙了，無法參加。』」

這時，拉特會肯定會抱頭低吟，有時候，他甚至會說「即使您很忙也應該去」。

「是的，是這樣沒錯。」

皇帝會隨意取消約定的事眾所周知。

「皇太子殿下是繼皇帝之後，第二高位的人吧？那他可能也非常忙碌，所以就算約好了，我也做好了心理準備，認為他有可能無法前來。」莉莉卡拍了拍胸口，挺起胸膛說：「我也能體諒勞動者的苦衷。」

布琳滿臉笑容地回答：「真不愧是皇女殿下呢。」

「哎呦，這又不算什麼。」

莉莉卡不習慣被稱讚，臉頰染上紅暈，心裡卻稱讚著自己觀察入微。接著她趕忙對布琳說自己不難過。

「但是多虧於此，我才能和布琳一起愉快地喝茶對吧？如果是和殿下喝茶，肯定無法好好品茶。」

莉莉卡點點頭，說自己肯定會緊張到嘗不出味道。

布琳點了點頭，「如果殿下不介意，我這個侍女當然也沒問題。」

莉莉卡和布琳在黃昏時分喝著茶，天空也染上紅色，就像紅色的茶水。當燈光逐漸亮起的時候，兩人聽到了腳步聲。

一個高大的身影突然從樹林中出現。

「坦恩！」

莉莉卡高興得從座位上跳起來，布琳也迅速站起來行禮。

「見過坦恩大人。」

「不，沒事。我是在花園裡聽到聲音，想來看看發生了什麼事。」坦恩笑了笑，「您和侍女在喝茶啊。在這個時間舉行茶會可真是稀奇呢。」

「因為夕陽很美啊。坦恩，要不要一起來喝杯茶？我準備了很多點心和茶喔。」

「既然受到您的邀請，我就恭敬不如從命了。」

布琳迅速整理好自己的位置，拿出新的杯子。

澈底變回侍女的布琳開始斟添茶水。

坦恩稱讚茶很好喝，莉莉卡謙虛地回答：「這是拉特送的茶葉。聽說桑達爾的特產是茶葉。」

「怪不得。我也想送些沃爾夫領地的特產給皇女殿下，但或許還為時過早。」

「特產是什麼？」

「是蒸餾酒。」

坦恩咧嘴一笑，莉莉卡驚嘆道「原來如此」。

「點心也很新鮮。」

「是媽媽新請的廚師做的。」

「這個真好吃。」

坦恩大口吃著點心。對他的體格來說這些點心顯得微不足道，一兩個看起來沒辦法滿足他。

莉莉卡叫人再拿些點心來，侍女們馬上把更多點心端上來。

坦恩嚐了一口鮮奶油蛋糕，瞪大了眼睛。

「這個很好吃呢。」

「是媽媽請廚師做的，聽說這叫鮮奶油，好像是用來代替奶油抹醬的。」

鮮奶油放在口味厚重的磅蛋糕上，口味比奶油抹醬輕盈清爽。在北方很難取得牛奶和奶油，因此這種濃郁的甜味只能在首都嘗到。

沃爾夫家對甜食並不陌生，他們經常在蒸餾酒中加入方糖並咬碎。

「很不錯呢。我們那邊太冷了，所以很難取得奶油，無法做出這種東西。」

「很冷的話，奶油不是不容易腐壞嗎？」

聽到莉莉卡的問題，坦恩笑著回答道：「冷的話，牛就不容易產奶啊。」

「原來如此。」

莉莉卡得到了一個新知識，並記在腦袋裡。

聊著聊著，花園漸漸變暗了。周遭一片漆黑，坦恩提議送莉莉卡回宮，莉莉卡聞言則看著他問：

「我可以逛逛夜晚的花園嗎？」

「當然可以。」

「那麼我只帶布琳去。人多就不安靜了。」

莉莉卡說完，布琳笑著回答「好的」。

坦恩提著玻璃提燈邁步，而莉莉卡與他並肩走著，布琳則跟在後面。

夜晚的花園寧靜，空氣中瀰漫著玫瑰花的香氣。深呼吸時，彷彿花香會滲透至體內深處。寧靜或許很可怕，但有坦恩在身旁，莉莉卡就不害怕了。

只是靜靜地走著也很愉快，不過莉莉卡開口道：「謝謝你今天來。」

坦恩笑了笑。也許是得知了姓氏的由來，他的笑容看起來真的就像一隻狼。

「我也託您的福，嘗到了美食，謝謝您的招待。」

看到莉莉卡笑了，他接著問：「您真的沒事嗎？」

「嗯？」

「今天原本有其他客人吧？我在想您會不會感到難過。」

「啊。」

莉莉卡這才發現坦恩的到來並不是偶然。

「我沒事。而且對於皇太子陛下，我覺得他是個『溫柔的人』。」

「是嗎？」

坦恩驚訝地反問後，莉莉卡嘻嘻笑了起來。

「他一直很想來見我吧？總是說工作就快做完了，所以他很想盡快做完工作吧。」

然而在這期間，時間肯定一轉眼就過去了，所以最後才會說他無法來了。她認為他想盡快來見她，因此一直說「等等就過來」是種溫柔的表現。

坦恩似乎很煩惱該怎麼回應莉莉卡這出乎意料的論調，但莉莉卡絲毫不在意，繼續說：

「你是怕我還是很難過，所以才來的吧？謝謝你，坦恩。如果我是一個人，肯定會很傷心，也可能會很難過。但有布琳和坦恩在身邊，所以我沒事。」

坦恩停下來，凝視著莉莉卡。

她露出真誠的笑容，但眼裡帶著讓人笑不出來的信任。

她相信不曾有人「真的」傷害過自己，也沒有人「真的」想傷害她。這種信任和愛不像孩子會有的。

她的眼神彷彿看透了世事，只有曾經見過心懷惡意的人，將相信自己而依偎過來的小貓扔擲在地或一腳踢飛高興地湊過來的小狗才會有的目光。

坦恩讚嘆不已。
莉莉卡的人生並不平順。她之前度過的生活，阿爾泰爾斯、拉特和他都看過報告，都心知肚明。
然而，她從未因為受傷而渴望愛、變得卑躬屈膝，也從未因此反而變得咄咄逼人。這對於成年人來說都是難以做到的。
「不用感謝我。就像我剛才說的，我嘗到了美食，還順理成章地曠職了。」
坦恩笑了笑，「我和拉特猜拳時贏了。」
「你和拉特？」
「是的，我們兩個在想要由誰過來，所以用猜拳來決定。」
莉莉卡可惜地說：「你們可以兩個人都過來啊。」
坦恩點點頭。
「但是，那誰來處理剩下的工作呢？」
「說得也對。早知道是這樣，我也應該送一個籃子給拉特的。」
「籃子？」
「嗯，其實我送了一籃點心給皇太子殿下。因為他很忙，所以我希望他一邊吃東西一邊工作。」
這句話讓坦恩再次顫著肩膀笑了。通常分送食物會依序從上到下分送。當然，如果只是表兄弟姊妹說新做的點心太好吃了而贈送食物，那就無所謂。
他曾以為不會發生這種事就是了。
坦恩笑了笑，像是接受了那個解釋。看來下次他必須與皇太子殿下談談了。
不管怎麼想，這位天真的皇女殿下不只是單純。她既體貼又溫柔，也有足以守護這些的堅毅。
『這變得越來越有趣了。』

阿爾泰爾斯說要「結婚」時，他們都很擔心，但現在看來完全不需要擔心。

繞了花園一圈後，莉莉卡在自己的住所前嘆了一口氣，小聲開口，坦恩得彎下壯碩的身體才能聽到。

「事實上，只有一件事讓我有點難過。」

「是什麼事？」

「我擔心媽媽會難過。」

因為莉莉卡要招待皇太子，媽媽幫忙做了這麼多準備，但如果媽媽聽到莉莉卡等了兩個小時，結果皇太子單方面取消約定，媽媽應該會非常傷心。

「但是我真的不要緊。」

聞言，坦恩點了點頭，「既然皇女殿下說沒事，那一定不會有事的。」

「是嗎？」

「當然。」

坦恩的保證讓莉莉卡的表情明亮起來。

「謝謝你，坦恩。」

再次致謝後，莉莉卡走進房間。布琳笑著向坦恩問候了一聲，然後關上門。

站在門口，坦恩嘆了口氣說：「希望皇后殿下真的不介意。」

正如莉莉卡的預想，媽媽非常難過，但莉莉卡不停說著「不要緊」安撫她，媽媽這才釋懷。

媽媽輕聲說：「別擔心，莉莉。以後阿提爾肯定會為這件事後悔的。」

「什麼？」

莉莉卡吃驚地看著媽媽。

後悔？莉莉卡完全不希望這種事發生，但如果媽媽的心情能好轉，她要這麼想也沒關係。她完全沒想到媽媽有能力能讓皇太子殿下後悔。為了讓媽媽打起精神，莉莉卡點了點頭。

「我知道了。」

露迪婭微笑著抱住女兒，然後放開了她。

「莉莉，我買了一個新東西，希望妳的心情好轉。」

看到長長的禮盒，莉莉卡睜大了眼睛。她完全想不到裡面到底裝著什麼。

打開禮盒，裡面裝著一把陽傘。

這是一把用蕾絲和寶石等所有閃亮飾品製成的小陽傘。

「太漂亮了。」

莉莉卡讚嘆道。旁邊的布琳也發出嘆息。

「難道這是艾爾傑克蕾絲？」

「對，這是真正的艾爾傑克蕾絲。」

露迪婭笑著說完，莉莉卡則疑惑地歪著頭，「艾爾傑克蕾絲？」

布琳趕緊解釋道：「這是在艾爾傑克地區產的蕾絲。這種蕾絲非常精緻，編織起來需要耗費許多時間，因此價格非常昂貴，但它就是因為美麗而出名。」

「原來如此。」

陽傘的支架是象牙製成的，手柄是金製的。這把小小的陽傘似乎足以買下一座城堡。

以前大多數情況下，陽傘都是由侍女拿著的。而露迪婭引領潮流，讓比克里諾琳襯裙更加方便行動的巴斯爾禮服流行起來，同時也帶起了貴婦自己撐著漂亮小陽傘的風潮。

她為了莉莉卡，訂做了一把兒童用的陽傘。

即使人們都說孩子用陽傘太奢侈了，露迪婭也絲毫不聽。她覺得最重要的是為女兒做點事情。

莉莉卡眼睛閃閃發亮地問：「現在可以出去散步嗎？」

「當然可以。」

莉莉卡笑得很開心，拿起陽傘。

「？」

陽傘比她想像的重得多。尤其是她比同齡人瘦，因此更加沉重。但是為了不讓媽媽失望，莉莉卡裝作若無其事。

「我馬上出去看看。」

「好，好。」

露迪婭滿意地笑著點點頭，莉莉卡則雙手拿著陽傘走了出去。

打開陽傘，傘緣掛著的水晶裝飾反射陽光，形成了五彩斑斕的碎片。

『好美啊。』

莉莉卡倒抽了一口氣，將陽傘靠在肩上。這樣感覺輕了一些。

在陽光照耀下的花園中，莉莉卡悠閒地散步，轉動著她的陽傘，五彩斑斕的細碎光芒飛散在各處。

新的小山羊皮皮鞋發出輕快的腳步聲，莉莉卡的心情很愉快，但如果沒有吹來一陣春風就好了。本來就沉重的陽傘一被風吹動，莉莉卡就感覺身體被猛然拖走。

「皇女殿下！」驚訝的布琳喊道。

「我沒事！」莉莉卡大喊一聲，但狂暴的春風一轉眼就將她的陽傘吹走了。

「不行！」

一想到一座城堡飛走了，她就眼前一暗。莉莉卡開始追逐飛舞的陽傘。

她已經不在乎必須沿著花園小徑跑了。她跳過草叢，踏過小溪，一路奔跑。

「皇女殿下！請不要跑！」

布琳在後面喊道，但莉莉卡的眼睛只看著陽傘。

幸好風停了，陽傘眼看就要掉到地上，莉莉卡最後加快速度。

「呀啊！」

她就在陽傘前面摔倒了。

「哈哈，是乘著陽傘飛出來摔倒了嗎？」

聽到一陣笑聲，她才發現有人看到了這一幕。她趕忙壓著裙襬站起來。

「真抱歉……我……」

她頓了一下，因為眼前的人實在太耀眼了。

莉莉卡心中最美麗的人一直是媽媽，所以這個人馬上成了第二名。除了媽媽以外，她從未見過如此美麗的人。

銀色頭髮如月光般閃耀著細緻的光芒，五官冷艷華麗，就像精心打磨過的銀劍，美麗極了。

大概十二、三歲的那名少年微笑著問：「沒事吧？」

「什麼？是，我沒事，對不起！」

莉莉卡終於清醒過來，匆忙道歉。

少年再次笑了笑，他把掉在地上的陽傘撿起來，轉了轉。

莉莉卡呆愣地看著陽光穿透水晶，五彩繽紛的細碎光芒映照在他的銀髮上。

「對妳來說，這好像太重了？妳應該拿一把更輕的。」

他的目光往後看了一下，又回到莉莉卡身上。

「原來如此，這就是最近傳聞中的皇女殿下啊。也對，會帶著這種陽傘走動的人，大概只有她了。」

明明本人就在眼前，卻像在談論第三者一樣。

「我還以為是一個奢侈的壞女人，這真是出乎意料呢。」

聞言，莉莉卡皺起眉。如果他是說媽媽，莉莉卡會生氣，但如果是說自己，那就另當別論了，嗯。

但為了拾回皇室的威嚴，她挺起胸膛，堂堂正正地說教道：「不能只憑傳聞評斷他人。」

「嗯，但是流言蜚語確實很有趣啊。」

少年笑著站起來。他伸出手後，莉莉卡握住他的手站起來，這時她才注意到少年的穿著。

他的衣著和他的外表一樣華麗，襯衣上有各式各樣的袖口裝飾，搭配背心。

這身打扮在皇宮裡十分隨意，但即使如此，他的外表毫不遜色，令莉莉卡感到驚嘆。

「巴拉特小公爵大人，您還真是有禮貌。」

布琳在一旁說道。

少年咧嘴一笑，優雅地將陽傘靠在肩上，行了屈膝禮。

莉莉卡不禁張大嘴。這是她至今看過最優雅又帥氣的屈膝禮，格倫德琳夫人也無法做到這樣的屈膝禮。

穿著褲裝行屈膝禮是很獨特，卻一下子搶走了眾人的目光。

「這樣就好了嗎？」

聽到巴拉特小公爵這麼說，布琳皺起眉，莉莉卡則單純地佩服道：「您……不對，你真的好優雅。」

少年聞言，歪過頭噴笑出來。

他止住笑意，優雅地說：「您真的這麼認為？」

他的舉動足以被視為嘲弄，她卻對出乎意料的地方感到佩服。

「但是我說的是真的。」

莉莉卡的話讓他再次笑了笑，然後說：

「在下是菲約爾德．巴拉特，是巴拉特最好的傑作。」

最後一句話滿是嘲諷，不知道是不是對自己說的話。

莉莉卡也做出回應：「很高興見到你，巴拉特小公爵。」

「叫我菲約爾德就行了。」

「菲約爾德。」她輕輕地念出他的名字後，突然說：「你能教我屈膝禮嗎？」

「我教皇女殿下屈膝禮嗎？」

「嗯，我第一次見到能將屈膝禮做得那麼帥氣的人。我一定要學會。」

莉莉卡堅定地說完後，他搔了搔臉頰。

「如果要教導皇女殿下，首先必須取得皇室的許可。您先去取得許可如何？」

「是、是這樣啊。我完全不知道，突然提出這種要求，真是抱歉。」

看著認真道歉的年輕皇女，菲約爾德露出了複雜的表情。他苦笑著收起陽傘，遞給她。

「看來戲弄您的計畫行不通呢。那麼，請您回去吧。要是您說在這裡遇到了巴拉特，您可能會挨罵。」

「哦？」

「皇女殿下，他說得沒錯。」

布琳附和後，莉莉卡點了點頭。回頭一看，布琳似乎很想盡快離開這裡。

莉莉卡跟著她走出了森林，然後回頭看去。菲約爾德再次行了一次禮，莉莉卡不自覺地揮了揮手。

走出森林後，布琳嘆了口氣，「沒想到會在這裡遇到巴拉特。」

「巴拉特怎麼了？」

布琳皺著眉頭，低吟了一會後說道：

「我沒辦法告訴您這方面的事，格倫德琳夫人也一樣無法多說。也許您可以詢問皇后殿下。」

貴族間的政治角力不是一個侍女該解釋的，也不是一個非權族的禮儀老師該談論的。

「嗯，但他真的是一個非常漂亮的人。」莉莉卡嘆息似的說道。

布琳笑著問：「比皇后殿下還美麗嗎？」

「不，媽媽永遠是最棒的！這世上沒有人比媽媽更美。」

但他是第二美麗的人。那彩虹般的碎片、銀色的頭髮仍舊在她眼前。

對巴拉特感到好奇的莉莉卡馬上去找媽媽。恰好謁見結束，露迪婭輕鬆地迎接女兒。

「媽媽，你知道菲約爾德．巴拉特嗎？」

「當然知道。」

露迪婭對那個名字也很熟悉。不就是巴拉特公爵的傑作嗎？

『他現在應該十二歲左右吧？那會在三年後死去。』

如果菲約爾德．巴拉特遭遇不測，巴拉特公爵會變得更加瘋狂。

「怎麼會問起菲約爾德．巴拉特？」

「我在花園裡遇見他了。他幫我撿起了陽傘。」

女兒的話會露迪婭皺起了眉頭，「菲約爾德．巴拉特？在太陽宮的花園？」

「是的。」

「原來如此。」

露迪婭陷入了沉思。

巴拉特家族一直虎視眈眈地盯著皇位。與皇帝勢力完全對立的貴族勢力首領，正是巴拉特公爵。

但貴族勢力首領的地位不能滿足她，她一直覬覦著皇位。在重生前，露迪婭自己不也是站在巴拉特公爵那邊，想要奪取皇太子的位置嗎？

只要皇太子一死，巴拉特家的公子就能繼承皇位。

目前除了皇太子，塔卡爾家族沒有其他直系後裔。這是巴拉特家族創造出來的千載難逢的好機會。

況且皇太子的媽媽出身低微。如果只看血統，巴拉特小公爵更接近皇位。然而，只有塔卡爾家族能使用的「權能」是巴拉特家最大的敵人。

『巴拉特絕對無法戰勝塔卡爾。』

知道現任皇帝真正身分的露迪婭哼笑一聲。

她過去曾經站在巴拉特那邊，結果失去了女兒，還被當成叛徒燒死在火刑柱上。

『不對。』露迪婭咬緊牙關，改口心想，『是因為我，莉莉才會死。是我愚蠢的行為導致自己被火燒死。』

實際上，可以的話，她並不想與貴族或皇族有任何瓜葛。如果有除了契約婚姻之外的方法能脫離那個貧民區，她會選擇那種方式。

但不管怎麼想，只有這個方法最能活用露迪婭重生得來的知識。

『不過，我沒考慮到菲約爾德呢。』

畢竟是途中就會死去的人，是從一開始就排除在外的角色。更重要的是之後出現的……

巴拉特家族的千金。

一想到這個，露迪婭就皺了皺眉，然後轉移了思緒。

為什麼貴族勢力的領袖之子會在太陽宮閒逛？感覺不會是什麼好事。

看著沉思中的媽媽，莉莉卡鼓起勇氣說：

「媽媽，但是菲約爾德的屈膝禮做得非常好，我想學，但是說需要得到允許……」

「向菲約爾德·巴拉特學習屈膝禮？我確定他是個男孩子啊。」

「他是個男孩子，但是他做得真的很好！」

讓女兒與皇太子的政敵來往好嗎？

『反正三年後他就會死，應該沒關係吧？』

而且，這還是頭一次女兒主動提出請求。

即使阿提爾打破了與女兒的茶會約定，莉莉卡也說沒關係，但她應該很難過，所以她想女兒做些什麼。

露迪婭審視了自己的計畫，她的目標很簡單。

在擔任皇后的期間賺取大量金錢，離婚後也找個適合的地方定居下來，與女兒幸福地生活。

她沒有想要太多，被欲望吞噬、一切燃燒殆盡的人生一次就夠了。如今，手中的皇后權位不過是個玩具。她唯一的計畫就是忠於與皇帝的契約，操控社交界，一邊節儉地積累財富，隨後與可愛的女兒一同退休。

『但就這樣退休可能會有後患。』

她打算留下一些良好的人脈。萬一莉莉卡遇到什麼事，也能夠順利應對。

她從未想過要完全脫離貴族社會，斷得一乾二淨。

「好吧，我會向巴拉特家族提出請求，但是我不曉得能否成功。」

向巴拉特家族投擲一塊石頭也不是壞事。
就看看會掀起什麼漣漪，魚兒們會如何行動吧。
曾作為巴拉特家下屬的露迪婭，大致上知道他們的計畫，但總是需要確認。
「真的嗎?謝謝您！」
莉莉卡開心地笑著，抱住露迪婭。露迪婭也輕輕地笑了。
抱著長了肉的女兒，既柔軟又有股香氣，她的笑聲開朗而悅耳。
『果然我的女兒是世界上最可愛的。』
問題是，其他人似乎也發現了我女兒是世界上最可愛的。
突然想到皇帝會對孩子說些關於父親的無稽之談，露迪婭緊緊抱住女兒。
『絕對不能把莉莉給別人！莉莉的媽媽只有我！』
現在想想，上一世權族們也對莉莉卡非常感興趣，當時她只以為是平凡的莉莉卡引起了他們的好奇。
『現在想來不是那樣，因為他們很會察言觀色。』
露迪婭放開就快喘不過氣的莉莉卡，露出了微笑。
「既然是莉莉的請求，我當然要答應。」
女兒思索這番話的模樣同樣令人愛憐。
優雅的溫柔和堅定的溫暖，是只有有眼光的人才能識別的寶藏。
「不久後，媽媽就會成為富翁了。到時候莉莉想要什麼，我都能買給妳。」
「富翁？」
莉莉卡的聲音中夾雜了一絲不安。露迪婭點了點頭。

「嗯，媽媽找到了一個很好的投資標的。」

「是什麼樣的投資標的呢？」

「有一個叫做烏巴的人，正在找人投資他的探險隊，他不久前才離開。如果莉莉也聽到他的說明，一定會覺得很有趣的。」

「探險隊？」

「對。」

露迪婭點點頭，莉莉卡更加不安了。居然是探險隊。

露迪婭坦白說：「雖然大家都在說他是騙子，但其實他是個誠實的人。」

「什麼？」

「他的衣著可能有點邋遢，但妳不用擔心。」

不安如烏雲快速襲來，莉莉卡小聲地問：「那麼您投資了多少呢？」

「所有訂金。」

「！」

看著女兒的表情像隻受到驚訝的小兔子，露迪婭一再安慰。

「我說不用擔心，妳只要相信媽媽。」

莉莉卡無法告訴媽媽「那正是最不能相信的話」，她支支吾吾地從座位上站了起來。

「我親自去和他談談看。」

「妳去？好吧，他應該還沒離開，現在叫他來……」

「不，我自己去見他。」

不能給騙子準備時間。

看著女兒跑走說要突襲對方，露迪婭點了點頭，「那就這麼辦吧。」

「好的。」

莉莉卡急忙跑出去，打算從烏巴那裡拿回媽媽的投資金。布琳輕輕向露迪婭敬禮，跟在莉莉卡身後離開。

露迪婭輕輕笑了，看到女兒那麼有精神非常開心。

雖然烏巴可能會感到慌張……

『但憑他的口才，應該能夠好好說服莉莉卡。』

他之所以會被說是騙子，有一部分也是因為那油嘴滑舌的說辭。但那個被稱作騙子的男人，應該很快就會成為探險隊的傳奇。

帝國雖然廣大，未開墾的土地更廣闊無垠。一邊是罪犯和逃亡者居住的無盡沙漠，另一邊則是那裡。

那裡棲息著吃人的怪物，是連羅盤、星象、升起的太陽都無法發揮作用的未知之地——有著一片叢林的樹海。樹海內是新事物的寶庫，帶回來的珍貴香料和植物都能以非常高的價格售出。

因此，有很多人組織探險隊前往樹海冒險，但未能歸來的也不在少數。

組織探險隊需要大量資金，貴族的資助必不可少。烏巴也到處尋求貴族的資助，但大家都認為他是個騙子。在被貴族拒絕後，他首次從平民那裡獲得了合資投資，並取得了巨大的成功回來，合資探險隊自此開始盛行。

但那不是露迪婭所關心的，她打算將所有資產全投給烏巴。

可是不管怎麼說，莉莉卡都無法相信她，這多半是她自己的責任，所以她打算讓莉莉卡看到幾次大成功，以此建立起女兒對媽媽的信任。

站起來走向窗邊，看見奔跑的莉莉卡，露迪婭不由自主地笑了。

她整理了一下即將發生的幾件大事。

現在，她正忙於在社交界站穩腳跟，如今她出席的派對場合，從衣著就能明顯區分出來。

巴斯爾襯裙派和克里諾林襯裙派。

克里諾林襯裙派的人大多是貴族勢力，從她們的眼神中可以看出她們不受來路不明的皇后影響的決心。

『就算這樣，也只是自找苦吃。』

反正下次在大劇院發生火災時，穿著克里諾林襯裙的女性將無法逃脫，終將被烈火吞噬。

在那之後，巴斯爾襯裙徹底成了主流，而現在是作為皇后的她，人為提前引領了這股潮流。

『不過我也不能就這樣讓她們被火燒死。我也變善良了。』

露迪婭動腦訂立著各種計畫，但現在該滿足可愛的莉莉卡的請求了。

露迪婭拿出了新的信紙。

唯一的離宮路徑是穿過花園。莉莉卡跑過花園，布琳在後面說著「皇室成員不能奔跑」，但莉莉卡認為現在她不需要當一個皇室成員。

她馬上成功追上了男人。

「等一下！停下來！」

跟隨侍從走在迴廊上的男人驚訝地停了下來。

莉莉卡深吸了一口氣，旁邊的侍從先低頭致意。

「拜見皇女殿下。」

那男人驚訝地脫下帶有羽毛的華麗帽子，鞠躬致意，「拜見皇女殿下。」

「你就是烏巴嗎？」莉莉卡抱起雙臂，盡量用最嚴厲的聲音說道。

「是的。」

「我們稍微談談吧。」

「好的。」

烏巴禮貌地回答。莉莉卡對他華麗的打扮感到驚訝，她在宮中生活也從未見過這樣的裝束。

他長得俊俏，手裡拿著的也是裝飾著華麗羽毛的三角帽，穿著的衣服也非常華麗。頭髮細細地編成幾縷，裝飾著珠子，該怎麼說呢……

『劇場演員？』

她雖然沒有親自看過戲劇，但看起來很像她以前看過，畫在招牌上的劇場演員。

『真的很像個騙子。』

本就不多的信任感跌到了谷底，莉莉卡瞇起了眼睛。

布琳對察言觀色的侍從做了個手勢，讓他退下。侍從迅速鞠躬後，快步離開了迴廊。

莉莉卡直截了當地說：「我剛聽母后說，她承諾對你進行投資。」

「是的，確實如此。」

烏巴沒想到會直接見到帝國的話題人物「皇女殿下」，所以雖然知道不能和對方對上眼，還是忍不住偷瞄。

然而，從皇女口中聽到的話卻令他晴天霹靂。

「滿城皆知你是個騙子，你肯定是騙了心軟的母后。」莉莉卡像生氣的小羊，狠狠跺了一下腳，「你立刻去告知母后真相。」

聽到莉莉卡瞪大雙眼這麼說，烏巴急忙回應。

「請稍等，皇女殿下。我不是騙子，我是被冤枉的。如果您願意聽我解釋，您會聽到事實的。」

烏巴認真地說道。他不能就這樣失去得來不易的投資者。

在他迫切的話語中，莉莉卡沉思了一會兒。

不聽他解釋就將他趕走，莉莉卡也覺得太過分了，她以相當嚴肅的聲音說：

「好吧，那我先聽聽你的解釋。」

「感謝您，皇女殿下。」烏巴吞了吞口水，不斷鞠躬。

布琳建議道：「皇女殿下，我們別在這裡談，回房間談吧。」

「不，我們一邊走一邊聽他說吧。方便一起走走吧？」

「當然可以。」

莉莉卡不想邀請他到房間，這樣要將他趕出去時，心裡會更難受。在花園裡散步聽完他的話，認為「他果然是個騙子」的話就可以馬上請他離開，之後去向媽媽報告。

莉莉卡和烏巴開始並肩走著。烏巴清了清嗓子，開始了他的故事。

「我已經進入樹海三次了。第一次，我失去了所有的同伴。」

他的冒險故事立刻吸引了莉莉卡的所有注意力。

烏巴的敘述技巧非常高超，當他講完故事時，莉莉卡已經眼含淚光。

「原來如此。我不曉得你發生過這些事，還以為你是個騙子呢。」

烏巴勾起微笑。他跪在花園的泥土上。

「您能為我流淚，我感到非常感激。皇女殿下，請您收回剛才的話，我一定會歸來的。」
莉莉卡吸了吸鼻子，「好，我明白了。」
她嘆了口氣，從口袋裡拿出一枚銀幣。
那是帶有汙漬的老舊銀幣，上頭承載著她所有的夢想。
她遞給烏巴時說道：「我也要投資給烏巴，雖然不多。」
莉莉卡簡短地解釋了她在貧民區的遭遇，並微微一笑。烏巴感受到掌心中的銀幣重量傳到了心臟。
「您真的相信我呢。」
他不自覺地說出口。烏巴凝視著那枚銀幣。
「那是因為你說的是實話啊。」
聽到莉莉卡的話，他突然抬頭，凝視著年幼的皇女。
『真像。』
她與她媽媽相似或許是理所當然，但確實很像。
烏巴為了尋找投資者，拜訪了許多貴族家庭。大部分的人都說他是「騙子」而拒於門外，當有人願意聽他說，而他試著將故事說得更吸引人時，他們就突然大笑地嘲諷道：
「我們叫你來就是想聽故事。嘿，你何不去當個演員呢？」
有人造謠說他很會講故事，甚至付錢讓他離開。
他感到絕望，更覺得自己悽慘。
當新皇后召見他時，他也沒有抱任何期待。因為無法拒絕高位者的召見，他只能前來。
儘管他自己也覺得自己說的故事一點也不誠懇，皇后卻說：「我相信你。」
他愣住了，甚至反問：「您相信我？」

皇后只是微笑，當場給了他一張支票。

此刻，烏巴靜靜地凝視著莉莉卡美麗的眼睛。

「我一定會成功的。」

無論如何。

不惜一切代價。

聽到烏巴的話，莉莉卡謹慎地說道：「但還是要小心自己的安全。」

烏巴微微一笑，「遵命。」

「嗯。」

莉莉卡點了點頭，在談話即將結束時，布琳適時叫來了侍從。

烏巴再次向莉莉卡致意，跟隨著侍從離開了宮殿。

布琳問道：「皇女殿下，您這樣交出那枚銀幣沒關係嗎？」

布琳也很清楚那枚銀幣對莉莉卡來說有多珍貴，沒想到她會把它交給一個看起來很像騙子的人。

銀幣是無所謂，她擔心的是信任他的莉莉卡之後會受苦。

『而且，皇后殿下似乎也承諾會投資他一大筆金額。』

如果這個消息傳開，肯定會成為社交界的笑話。

布琳也聽了那個故事，但故事實在太戲劇化了，聽起來全像是謊言。如果這是真的，那個男人是很了不起，但最後被朋友奪走份額，成為一無所有的窮光蛋的故事也太像騙子了。

所以大家都沒有投資。

莉莉卡點了點頭，「他不像在說謊。」

布琳疑惑地歪了歪頭，「您能分辨出他是否在說謊嗎？」

「不是那樣的，但可以說是一種直覺吧。」

莉莉卡臉上帶著認真的表情。布琳只能點了點頭。

『那好吧，凡事都要經歷過才好。』

布琳這麼心想。

CHAPTER. 2
敏銳的孩子

「聽說妳被阿提爾拒絕了？」

莉莉卡來到辦公室做事時，阿爾泰爾斯咧嘴笑著說。莉莉卡噘起嘴。

「我不是被拒絕了，是皇太子殿下太忙了。」

聽到莉莉卡的話，阿爾泰爾斯看著她一會兒，自言自語似的說：「其實那小子比起我，可能更需要像妳這樣的人。」

「什麼？」

「我是說阿提爾做了蠢事。」

阿爾泰爾斯說完，目光又落到文件上。莉莉卡悄悄靠近，雙手放在書桌上問：

「您有什麼擔憂嗎？」

她的問題讓拉特抬起頭，阿爾泰爾斯也看向她。

莉莉卡歪著頭問：「您好像有什麼擔心的事。」

阿爾泰爾斯托著下巴，凝視著莉莉卡。他伸手用力推了一下莉莉卡的額頭，不過她現在已經能站穩，承受住壓力了。

「我沒有擔心的事。」

聽到他的回答，莉莉卡露出說著「真的嗎？」的表情。

阿爾泰爾斯問道：「話說回來，妳為什麼這麼想？」

「什麼？」

「妳為什麼會覺得我有擔心的事？」

「因為您看起來很擔心。」

該怎麼解釋呢？莉莉卡又將頭歪向另一邊。

阿爾泰爾斯說：「應該說，我本來覺得正好能用來消磨時間，但漸漸開始感到有點興趣，讓我很困擾吧。」

「？」

莉莉卡雖然不太明白，但還是認真聽著。當人感到疲憊困頓時，有時僅僅是傾訴就足以帶來安慰，不是嗎？就算無法做到其他的事，她對此也很有自信。

阿爾泰爾斯笑了笑。

「算了，這樣正好。」

「什麼正好……」

話還沒說完，就聽到敲門聲。拉特起身去開門。

阿提爾拿著報告走進來，然後杵在原地。他緊盯著站在皇帝書桌旁的莉莉卡。

莉莉卡驚訝地轉過身來，向他問好。

「拜見皇太子殿下。」

他沒辦法在這裡公然無視她。阿提爾輕輕點了點頭，將視線轉向阿爾泰爾斯。

「陛下，我帶來了您要求的報告。」

拉特在旁邊代為接下報告，然後遞給阿提爾一個籃子。

「這是什麼？」

「拿著這個，帶她去湖上划船吧。」阿爾泰爾斯推著莉莉卡的背說道。

阿提爾看向莉莉卡，又看向阿爾泰爾斯。

「這是命令嗎？」

「算是吧。」

「那我明白了。」

阿提爾低頭致意。莉莉卡困惑地看著阿爾泰爾斯，看了看拉特，最後看向阿提爾。

看來這次她別無選擇。拉特看到她為難的表情，理解似的點點頭，但沒有站在她這邊。

「快去。」

阿爾泰爾斯又從背後推了她一下。莉莉卡被推著向前走了幾步。

「既然如此，」莉莉卡對阿提爾說：「那就麻煩您了。」

「走吧。」

「祝兩位度過愉快的時光。」

拉特微笑著目送兩人離開。

莉莉卡嘆了一口氣，跟在阿提爾身後走。她走在走廊上，問道：

「籃子由我來拿吧？」

「不用。」阿提爾簡短回答。

直到到達湖邊，他們兩人都沒有說話。阿提爾明顯地表現出他沒有交談的意願。

莉莉卡跟在他後面走著，抬頭望向天空。

「哇～～」

阿提爾看了她一眼，莉莉卡則笑著說：「天空真的好藍，雲也很漂亮，天氣也非常好。天啊，湖水太美了。」

莉莉卡不斷發出驚嘆，環顧著周圍。

湖泊位於宮殿外相當遠的地方，必須走很遠，所以她還沒有來過這裡。

「這裡人不多呢。湖泊挺寬廣的……這是通往哪裡的呢？哇，中間那是島嶼吧？島上還有小房子，真奇妙。」

阿提爾不回答也沒關係，莉莉卡興奮地望著湖泊，喋喋不休。

阿提爾靜靜地聽著她的聲音。他們在戶外，所以不會覺得吵，只是有些尷尬。

阿提爾很久沒聽到這麼無憂無慮的明亮聲音了。他將籃子放在停靠在湖邊的小船上，然後向莉莉卡伸出手。

莉莉卡睜大了眼睛，然後笑著抓住他的手。

直到那一刻，他才看清了她的臉，和當時瞬間閃過的臉孔又不相同。

登上小船的莉莉卡說：「我沒有請陛下要求您這樣做。」

「我知道。」

被這樣放鴿子，莉莉卡不可能主動要求見他。

阿提爾解開繩索，用腳將小船推向湖面。

莉莉卡想跟他說些什麼，但被搖晃的小船嚇了一跳，止住了話。

很快地，小船隨著波浪輕輕搖晃，平穩地前進。莉莉卡第一次感受到這種感覺，原本緊緊抓住船的兩側，但漸漸放鬆了下來。

阿提爾熟練地站著划槳，莉莉卡好奇地看著他。

「我第一次坐船。原來是這種感覺啊。」

莉莉卡很快就適應了，情緒亢奮起來。她輕輕將手指伸入湖水中，然後抬頭望向阿提爾。

「殿下。」

阿提爾望向她，莉莉卡坦率地說：「我不知道殿下怎麼想，但我一直很希望有兄弟姊妹。其他同齡的孩子打架時，總有哥哥或姊姊來幫忙。我是獨生女，所以總是很羨慕。」

她微微一笑，「所以其實聽說有了哥哥，我很高興。雖然我不曉得殿下是怎麼想的。」

『啊，又說了同樣的話。』

莉莉卡如此心想，繼續說：「我想要和您變親近。」

莉莉卡堅定地凝視著他，問道：「可以嗎？」

阿提爾眨了眨眼。這是他第一次被人這麼直白地說「想和自己親近」。

他的藍眼凝視著莉莉卡的藍綠色眼瞳。那雙眼瞳就像翡翠色海洋，彷彿會帶人前往遙遠的異國。

對他來說，他沒有任何血親。不，雖然有阿爾泰爾斯，但父親並不是一個和藹可親的人。

阿提爾總是一個人。無論何時，他都是一個人，所以他努力不去想這些。

但是，就這麼一個小女孩的話讓他動搖了。

他咬了咬嘴脣，改變話題。

「我父親有很多兄弟姊妹。」

莉莉卡靜靜地等著他的下文。

「總共有六個，但當父親登上王位時，只剩下他一人了。」

莉莉卡的眼睛瞪得大大的，「他們都去世了嗎？」

「對。」

「陛下一定很傷心吧。」

莉莉卡小聲地說，阿提爾則不禁笑了。

這是他第一次聽到有人這麼說。大家都更關注於「暗殺」或「爭奪王位」的故事，從未有人談及這種感情。

「對，應該是吧。」

阿提爾只能這麼回答。他無法告訴莉莉卡即使有兄弟姊妹，也只會變成爭奪王位，或面臨暗殺威脅的關係。

莉莉卡拍了拍自己的胸膛，「我不會死的。」

「什麼？」

「我絕對不會死的，所以您不用擔心。我不會讓您感到傷心的。」

阿提爾笑了笑，「還會永遠站在我這邊？需要的時候會趕過來？」

「那當然！這就是兄弟姊妹該做的事吧。如果有人欺負您，我會去訓斥他們。」

小不點做出如此保證的模樣有些好笑。

「我不相信那種話。」

「但是沒有人不需要那種話。」

即使聽到尖銳的話語，莉莉卡也平靜地回答。

阿提爾不再開口。

莉莉卡的臉頰泛紅，「我也知道『永遠』或『總是』這種話聽起來可能很虛無，但即使如此……」

莉莉卡站了起來。儘管因為身高差，仍然無法平視阿提爾，但比起坐著時，她的臉更湊近了一些。

「我是需要的。」莉莉卡繼續說道，「而且我相信那樣的存在。」

阿提爾的手緊緊握住槳。

他想要相信，但無法相信。

阿提爾別開視線代替回答，但莉莉卡並未感到失望。她想起了一隻倔強的流浪貓。

在貧民區，有一隻尾巴高高豎起的黑貓。總是表現傲慢，絕不會被孩子們扔的石頭擊中，迅速而優雅。

信任不是伸出手一次，或說一句話就能建立起來的。

這時，船抵達了小島。將繩索綁在碼頭的柱子上固定後，兩人登上島嶼。

阿提爾熟練地拿起籃子向前走，莉莉卡跟在他後面。小島上搭建了一座涼亭，裡頭擺著桌椅。兩人要打開籃子，將食物擺放到桌子上時，有人走了過來。

阿提爾看到對方後放鬆下來。

「羅溫。」

「您不能沒有護衛就這樣四處走動啊。」

「你知道，陛下總是這麼隨性。」阿提爾嘆息似的說完，向莉莉卡介紹：「這是我的護衛騎士，羅溫。」

「我是羅溫‧格雷，皇女殿下。」

「很高興見到你。」

莉莉卡輕聲回應。她覺得有種奇怪的感覺。

『有不好的預感。』

雖然他是阿提爾的護衛騎士，但感覺不對勁。心底響起警鈴，異常清晰又明顯。這個人肯定會帶來傷害。

「你是怎麼知道的呢？」

面對莉莉卡的問題，羅溫聳了聳肩，「我問了侍從。」

阿提爾背對著他打開籃子，莉莉卡則偷偷地瞥了羅溫幾眼。

「真是什麼東西都放進去了。」

莉莉卡聞言，不禁踮起腳尖探頭看籃子裡的東西。

那一刻，她背脊一涼，從眼角瞥見羅溫握緊了劍柄。

來自貧民區，見慣了暴力的她，注意力立刻被吸引過去。一直以來拯救她的直覺，現在尖叫似的大聲警告著。

莉莉卡的手不自覺地朝阿提爾伸去。那一瞬間，羅溫如閃電一般揮劍而來，同時，莉莉卡用力一把拉過阿提爾。

「！」

羅溫的劍鋒驚險地劃過阿提爾，幾縷頭髮在空中飄落。

如果莉莉卡沒有及時伸手，肯定就來不及了。

「哎呀。」

羅溫的聲音平靜淡然，甚至讓莉莉卡以為他是用劍趕走蟲子。

莉莉卡跳上長椅，張開雙臂站在羅溫和阿提爾之間。

「為什麼……」

阿提爾顫抖著的聲音從身後傳來。

『怎麼辦？怎麼辦？』

該怎麼做才能擺脫一個拿著劍、訓練有素的成年男性？

莉莉卡直視著羅溫。羅溫則嘆了口氣。

「我之所以侍奉皇太子殿下八年，就是為了這一刻。考慮到我們之間的情誼，我原本想讓您無知地離開啊。」

「到底為什麼……！」

阿提爾的聲音顫抖著而破碎，像是被擠出來的。

莉莉卡大聲道：「因為這傢伙是壞蛋啊！」

羅溫猶豫了一下。莉莉卡繼續喊道：「叛徒！壞蛋！自以為有正當理由，最壞的壞蛋！厚顏無恥地想殺害一個孩子！」

羅溫一臉厭惡地對大聲叫喊的莉莉卡說：「竟然讓這麼膚淺的女孩成為皇女，真像不知來歷的皇帝會做的事。這樣的人是帝國的皇帝就是個問題，帝國需要一個新的……」

這時，莉莉卡的背後突然有東西飛來。羅溫揮劍打落，瓶子同時應聲破裂，胡椒粉四散飛揚。

與此同時，阿提爾抓住莉莉卡的手逃跑。

但是沒有逃太遠。

「啊！」

莉莉卡被抓住頭髮的那一刻，放開了阿提爾的手。

然而阿提爾沒有放手。他停下來回頭，咬緊牙關。

「快跑！」

莉莉卡如此大喊，但阿提爾沒有聽從。莉莉卡覺得自己快要喘不過氣了。

眼前一黑。

「哦？」

傳來一聲奇怪的吱嘎聲響。

視線真的在物理上變得一片漆黑。抓住她頭髮的手鬆開了，她感受到摀住自己眼睛的掌心溫度。

『這是怎麼回事？發生了什麼事？』

咚地一聲，有人倒下了。

「看來你們兩個都沒事。」

摀住眼睛的手放開了。她想回頭看時，有人的手阻止了她，不讓她轉頭看來。

「不，不要看後面。」

於是她抬頭看去，皇帝正站在那裡。阿爾泰爾斯微微一笑。

這時她才開始雙腿發顫，拚命忍住眼眶中的淚水。

阿提爾以失落的表情看著死去的羅溫，然後看向阿爾泰爾斯。

「您……是把我當成誘餌嗎？」尾音微微顫抖。

阿爾泰爾斯聽到後歪了歪頭，笑了，「天曉得。」

阿提爾咬著嘴唇。

與此同時，莉莉卡大喊道：「我不喜歡！」

「什麼？」

莉莉卡試圖轉身，但阿爾泰爾斯的雙手仍抓著她的頭，使她無法轉過去。

「那、那樣說太過分了，居然用這樣的語氣這麼說！請您給出明確的回答。我們是被當作誘餌了嗎？如果是的話，我會非常傷心又生氣，但至少可以問為什麼；如果不是，那就是誤會，但我真的不喜歡這樣的回答。」

莉莉卡氣喘吁吁地說完，緊閉上嘴。

阿提爾呆愣地看著她，而阿爾泰爾斯沉默了一會兒後說：「不是的。」

阿提爾猛地抬起頭。

「我沒有把你們當成誘餌，真的是一時興起的決定，因為妳媽媽突然大鬧一場。」

阿爾泰爾斯小聲嘟囔「究竟是怎麼知道的……」，接著說：「我正打算去找你們時，得知阿提爾有危險就急忙趕來了。我先到一步，妳媽媽也快來了。那邊，不對，妳看不到。總之，從那邊可以看到她搭船過來了。」

那一瞬間，莉莉卡雙腳一軟，癱坐在地，淚水不停落下。

驚訝的阿提爾走近過來。

「嗚、嗚嗚，啊嗚——」

最終，莉莉卡放聲大哭，阿爾泰爾斯看著她問道：「妳受傷了嗎？」

阿提爾聞言，驚訝地單膝跪在她面前，「難道是羅溫抓到妳的時候發生了什麼事——」

莉莉卡突然抱住了他，使阿提爾倒抽一口氣。

「我、我、我好害怕，真的好害怕！啊嗚、嗚，真是太好了……」

莉莉卡嚎啕大哭地抱住他。

阿提爾因為驚訝而僵住了，這是他第一次被人抱住。小女孩的手臂和身體纖細得驚人，體溫很熱。

令人驚訝的是，他並不討厭她的哭聲。

他曾聽人說過小孩哭鬧很麻煩，但他卻不討厭莉莉卡在他懷裡的哭聲。

該怎麼辦呢？他如此心想，慢慢地拍了拍她的背，莉莉卡就像小狗一樣，鑽進了他的懷裡。

不知為何，他不由得嘆息似的說：「妳不是說不會死嗎？」

話音剛落，懷裡就傳來莉莉卡嘟囔的聲音：「我絕對不會死的。」

阿提爾不禁笑了。

「莉莉！天啊，莉莉！」

這時，伴隨著一聲尖叫，皇后一臉蒼白地跑過來。阿爾泰爾斯說了句「他們兩人都安全」，但皇后似乎沒有聽到。

慌張的阿提爾試圖推開莉莉卡，但她不放手。

該說些什麼好呢？

這種情況要如何向皇后殿下解釋呢？

阿提爾正在思考這些問題時，露迪婭同時抱住了他們兩個。

「幸好你們平安無事，真的太好了。」

「！」

阿提爾倒抽了一口氣。

說著「太好了」並放下心來的聲音、粗暴地摸著頭的手。從未被媽媽擁抱過的阿提爾，拚命忍住差點掉下的眼淚。

阿爾泰爾斯帶著諷刺地說：「是我救了他們，妳為什麼不抱抱我？」

「您現在還說得出這種話！」露迪婭猛地站起來說道。

她正準備發火時，目光落在屍體上，「唔，天啊，我們還是先離開這裡吧。對孩子們的教育不好。」

露迪婭遮住阿提爾和莉莉卡的眼睛，皺起眉頭。

這時，經過一陣混亂，他們乘船返回對岸，迎接他們的是臉色蒼白的布琳和布蘭。

派伊也忐忑不安地站在那裡，不斷撫摸胸口。坦恩和拉特也來了，但他們與阿爾泰爾斯低聲交談。

露迪婭說：「來，你們兩個去休息一下吧。」推著他們離開。

莉莉卡泡了個熱水澡，坐在柔軟的沙發上，喝著一大杯熱可可。

不是之前吃過的濃郁巧克力，而是加了牛奶的柔和牛奶巧克力。每喝一口，內心就溫暖起來，繃緊的神經也逐漸放鬆。

布琳問：「您現在感覺好一些了嗎？」

「嗯……」

莉莉卡輕輕點頭，又問：「阿提爾呢？」

「阿提爾有布蘭在照顧。要我去看看情況嗎？」

「嗯。」莉莉卡點點頭。

布琳對另一位侍女使了個眼色，那位侍女迅速走出去。

布琳說：「不過幸好您沒受傷。您說被抓了頭髮對吧？」

「嗯，但現在已經沒事了。我真的體會到了不能自己一個人走動，布琳妳說得對。」

「我不希望您以這樣的方式體會到這件事。而且，這實際上是陛下的責任。」

這次是讓兩個孩子單獨去野餐的人不好。阿爾泰爾斯不喜歡周圍有人，因此布琳總是把莉莉卡帶到辦公室後不在旁待命，但這就是問題所在。她皺著眉頭。

這時，門被用力推開。

「莉莉！」

「媽媽。」

在露迪婭抱住莉莉卡之前，布琳及時從莉莉卡手中取走杯子。

「妳嚇到了吧？媽媽真的也嚇了一跳，沒想到今天偏偏會發生這種事。」她深深嘆了口氣，對莉莉卡說：「這就是為什麼做人必須善良一點啊。」

露迪婭知道阿提爾會被護衛騎士襲擊也沒有採取行動，因為他傷害到了莉莉卡，所以想讓他也嘗嘗這種滋味，但沒想到會直接反彈到自己身上。

「要是媽媽也像莉莉一樣溫柔就好了。」

莉莉卡聽到這句話紅著臉，結結巴巴地說：「我不溫柔。今天我還大聲對陛下大喊說我不喜歡，還有，嗯～不溫柔的媽媽我也喜歡。嗯，不是不喜歡溫柔。」

「哎呀？阿爾泰爾斯也算活該，真是的。」

露迪婭哼笑一聲，毫不留情地貶低契約丈夫，然後開心地笑了。

「不過聽到莉莉這麼說，我就恢復了精神。」

輕輕撫摸頭的手很舒服。一放鬆下來，莉莉卡就開始感覺到睡意。

兩人輕聲說話的聲音在睡夢中傳來。

「皇女殿下已經睡著了。」

「可能是放鬆下來了。可憐的孩子，肯定嚇壞了。」

感受到一隻手輕柔地撫過額頭。

「就讓她這樣好好睡一覺吧。接下來的所有行程都取消。」

「是，皇后殿下。」

「如果可以的話，我也想陪在她身邊，但接下來還有會議——」

聲音越來越模糊，莉莉卡完全沉入了夢鄉。

「——！」

莉莉卡踢了空氣一腳，驚醒過來。她渾身冒著冷汗，心臟怦怦直跳。

「皇女殿下，您作惡夢了嗎?還好嗎？」

燭光立刻亮起，布琳靜靜地走近她，低聲問道。

莉莉卡坐起身來，點了點頭，「……現在幾點了？」

「已經過午夜了。您繼續睡吧，我會待在您身邊的。」

莉莉卡呆愣地盯著虛空一會兒，布琳疑惑地問：「要不要我去拿些餅乾和熱牛奶來？還是您想出去吹吹風？」

「布琳。」

「是，皇女殿下。」

「我能去看看殿下嗎？」

「您說皇太子殿下嗎？」

「嗯，不行嗎？」

布琳微微一笑，「沒有不行，我去詢問一下。」

「嗯，謝謝。」

「不客氣。」

布琳微笑著離開臥室，莉莉卡則屈膝抱著雙腳。

媽媽肯定和皇帝陛下在一起，不能去打擾他們。而且我已經長大了，不能因為作惡夢就去找他們。

『那個人真是壞透了。』

她恐怕不會忘記羅濫這個名字。擦鞋大叔曾經說過，做壞事卻不覺得自己壞的人是最壞的人。

——那些人說的話全是毒。

他是這麼說的。

喀嚓！聽到門打開的聲音，莉莉卡猛地抬起頭。

「他說什麼？沒關係……殿下……？」

揹著手站在門口的是阿提爾。他大步走近，將提燈放在床邊矮櫃上。莉莉卡驚訝地想起身時，阿提爾按住她的肩膀，坐到床沿。

「睡不著嗎？」

他那帶點嘲諷的語氣讓莉莉卡呆呆地望著他，然後輕輕點了點頭。

「這麼不想睡——不對，妳可能是睡不著吧。所以呢？」

「什麼？」

「那為什麼過來找我？」

當事人一旦真的來到在眼前，莉莉卡就開始說不出話來。

「怎麼了？」

他再次追問，莉莉卡小聲說道：「一起……」

她偷偷地瞥了他一眼，接著說：「我想一起睡覺……」

聽見話聲越來越小，阿提爾挑起眉。明明聲音漸弱，但莉莉卡的視線沒有從阿提爾身上移開。

她記得阿提爾都沒有放開自己的手，在那種情況下，他沒有丟下她逃跑。

所以，所以……

看到她直望而來的目光，阿提爾又深深地嘆了口氣。

「好吧，我們睡覺吧。」

「！」

莉莉卡開心地咧嘴一笑，往旁邊挪了挪屁股，拍拍身邊的床位。

阿提爾望向那個床位，莉莉卡又拍了拍。

阿提爾緩緩爬上床，靠著放在床頭的大枕頭上問：「這樣可以了嗎？」

「是。」

莉莉卡笑著回答，阿提爾用枕頭推了推她的頭說：「那就睡吧。」

「好的。」

莉莉卡把臉埋在枕頭裡，輕笑起來。

「為什麼這麼高興？」

「因為能這樣一起睡覺。我一直心想如果有兄弟姊妹，一定要試試看。」

兄弟姊妹。阿提爾慢慢地咀嚼這個詞，他不曾這麼深入地思考過這個詞。

因為一想到就會感到難受。

雖然有阿爾泰爾斯叔叔在，但他總無法抹去自己是孤獨的這種想法。

他慢慢地伸出手。看到那隻猶豫地停在半空中的手，莉莉卡迅速抬起頭，將自己的頭放到手掌下。

輕撫過頭髮。阿提爾撫摸著她圓滾滾的腦袋時，感受到神經放鬆下來。

莉莉卡呵呵笑著。看到她的笑臉，剛才她大聲喊叫的事彷彿都是假象。

他從未想過莉莉卡會擋在刺客和他之間，也沒有想到她會對刺客大喊大叫，更沒有想到她會對陛下發火。

她做出這些行為，得不到任何好處。

『這麼說來，剛才皇后殿下也……』

當莉莉卡被布琳牽著手帶走，不停顫抖的身子浸入熱水浴缸時，阿提爾正和阿爾泰爾斯在一起。

不，準確來說，是和皇帝夫婦在一起。

『沒想到皇后殿下會罵叔叔大人。』

阿爾泰爾斯問著「你的身體還好嗎？」、「接下來打算調查羅溫的背景」等等時，露迪婭的眼中燃著火光，拉高聲音說：「您這樣說話，不就會讓這孩子變得無法信任別人嗎？可以不要因為您不信任別人，就要讓別人也一樣嗎？」

「什麼？」

「天啊，您現在一定要說這麼籠統的話，讓他把周圍都當成敵人嗎？」

阿提爾眨眨眼站在原地。他從未想過有人敢在皇帝陛下面前大聲說話。

「不信任人？我？」

阿爾泰爾斯壓低了聲音，而露迪婭堅定地站在他面前，「是的。」

「哈，妳又對我了解多少，敢這樣胡說八道？」

「那您又了解我多少，認為我不了解您呢？」

阿爾泰爾斯走近她。

即使鼻子都快碰到對方的胸口了，露迪婭仍絲毫不退讓，阿提爾不由得感到佩服。

「妳——」

正當阿爾泰爾斯要發怒的時候，露迪婭舉起手，「等一下。」

在這種情況下出現了「暫停要求」。她說的話和動作都太過冷靜了。

誰會在這種時候說出這樣的話？

她轉頭看向阿提爾，讓阿提爾緊張起來。

「在你成為皇帝之前，我會支持你。我和陛下不打算生孩子，雖然阿爾泰爾斯看起來像對你不管不顧，但我會讓你登上皇位。我有這點程度的覺悟。」

出乎意料的言論讓人不知所措。從剛才開始，腦袋一直跟不上情況。

阿爾泰爾斯正要說什麼，但露迪婭又阻止他說：「我們不是約好在孩子面前不吵架的嗎？」

阿爾泰爾斯聽到這句話後咂舌一聲，淺嘆了一口氣，接著抱起雙臂，緊抿著嘴。

露迪婭接著說：「而且我也是。我支持他把你推上皇位的計畫，不管你信或不信，我就是來告訴你事實的。」

「妳竟然對孩子說這種話。」

阿爾泰爾斯在背後諷刺，但露迪婭連回頭都沒有。

「現在你可以出去了。啊，還有阿提爾。到目前為止，阿爾泰爾斯從未涉及任何一件暗殺。對吧？」

「那當然！」阿爾泰爾斯皺了皺眉，「我為什麼要殺阿提爾？」

「就是這樣，現在你可以出去了，我必須和這位先生談談。」

阿提爾就像被趕出來一樣，離開了辦公室。

布蘭和派伊跑過來問他是否還好，但他沒有心情回答。他覺得自己的腦袋中正吹起一陣暴風雨。

看著沉思的他，布蘭和派伊都閉上了嘴。

阿提爾思緒複雜，直到深夜時分，他依然無法入睡。所以聽到莉莉卡的消息時，他決定親自來看她。

看到她的臉，複雜的思緒感覺能放鬆一些。

『看到這張總是笑咪咪的臉……』

心頭的憂慮似乎都會消失。這孩子怎麼這麼毫無防備？明明如此脆弱。

「殿下。」莉莉卡叫了他一聲。

「怎麼了？」

「殿下，您不害怕嗎？」

阿提爾按下她的頭，把她的臉埋進枕頭裡。

「呀啊！」

「習慣了，因為這已經是第四次被刺殺了。」

「第四次嗎！」

她大吃一驚，想坐起來，阿提爾仍按住她的頭，點了點頭。

他不自覺地喃喃自語，「我還以為陛下都知道，卻放任不管呢。」

他還以為自己被當作棋子利用，即使死去也無所謂。不，他是為了維持皇帝的地位，只要還活著就好的存在。

但今天聽到他們的對話，看來不是那樣。

『原來不是那樣。』

嬸嬸——這個詞莫名讓阿提爾不好意思——與叔叔交談的情景，讓阿提爾感到震撼，十分新奇。

「但即使是第四次，我想我也會害怕的。」

莉莉卡深深嘆了口氣說。

聽著她的聲音，阿提爾十分為難。該怎麼回答好呢？

他最親近的人可以說是派伊或布蘭，但他們有自己的家族和血親。如果明天世界末日就要來臨，他們應該會拋下他，奔向自己的家人。

即使他死去，他們也會找另一個主人來填補他的位置。

阿提爾是隨時可以替代的存在，但家人一旦消失，那個位置就會永遠空著，是不可替代的東西。

對阿提爾來說，他只剩下空缺。他身邊沒有任何人。

至今為止無疑都是這樣的。

但現在出現了一個柔弱、魯莽又毫無防備的存在，真是麻煩又傷腦筋，該拿這個存在怎麼辦呢？

『只能靠我來守護了嗎？』

阿提爾這麼心想，然後說：「比起害怕，被人背叛的感覺更強烈。」

莉莉卡緊緊抓住他正摸著她腦袋的手，轉過身來。

阿提爾輕笑了一下。

「妳不用露出那種表情，因為妳那樣大喊，我覺得很爽快。」

他凝視著她的眼睛。那雙彷彿能將他帶往遙遠異國的眼睛，在黑暗中的燭光下也閃閃發亮。

『真的感覺就像來到了異國。』

明明昨天，不，直到剛才都沒有改變，一切卻都變了。

但他絕不會對莉莉卡說出這件事，畢竟這是一個十二歲男孩的自尊問題。

「所以不要再擔心了，睡吧。」

當他把被子拉至她的肩膀時，莉莉卡閉上了眼睛。因為阿提爾沒有放開她的手，她緊緊握著那隻手。

她當時非常害怕，但因為阿提爾沒放開手，所以感到很安心。

莉莉卡緊緊握著那隻手，睡著了。

阿提爾感覺到莉莉卡的呼吸變平穩後，熄滅了蠟燭。

『為什麼是現在？』

他閉上眼睛。

羅溫為什麼「現在」想殺害他？一直以來，他都有機會殺死他，但他選擇等待，肯定是在等待適當的時機和上頭的指示。

而他們認為那個時機現在已經到來。

『不同的果然是皇后殿下的存在和……』

他看了一眼莉莉卡。

『這個孩子嗎？』

雖然不知道羅溫是從哪裡接到了命令，但他一開始肯定就是為了這個目的而與他同行。

一想到至今為止的所有關係都是假的，他就感到窒息，就像肺裡積滿了水一樣痛苦。

所有人——

「嗯……」

也許是他不自覺地用力握起手，莉莉卡發出細微的聲音，阿提爾嚇得放鬆力道。幸好她沒有醒來，小小的手緊緊握著他的手。

「……」

家人。

一點血緣都沒有的妹妹。

但正因為如此，有些東西才無法切斷。

阿提爾慢慢滑下，枕著枕頭，面對著她躺下。

這也是他第一次與人並肩入睡。這陣子有太多的第一次，讓他頭暈目眩。但莉莉卡的呼吸聲不惹人厭，他也很快就入睡了。

『這也是第一次在晚上這麼容易入睡。』

這是他入睡前的最後一個念頭。

接下來的三天，莉莉卡一直沒辦法見到媽媽和皇帝陛下。

她去辦公室時，拉特說「兩位因為會議延長，決定一起用餐，並未出席辦公」。

阿提爾露出了「無意間得知了不想知道的事情」的表情，莉莉卡則很是擔心。

「開那麼久的會，他們沒事吧？話說回來，比起媽媽，我覺得由拉特去參加會議會比較好。」
媽媽會有什麼事要與皇帝討論嗎？拉特應該更了解一些。
莉莉卡的話讓拉特露出厭惡的表情，「我絕對不參加那個會議。」
他回答完，坦恩獨自狂笑。拉特就往坦恩的後腦勺扔去一疊紙，然後說：「所以您暫時可以安心，不必來辦公室也沒關係，兩位都是。」
拉特丟出的第二疊紙被坦恩抓住。
坦恩接著轉頭看來，依舊帶著忍笑的表情說：「有事我們會通知兩位，所以請不用擔心。」
宰相和騎士團長說完，兩人被推出辦公室。
莉莉卡垂頭喪氣，擔憂地說：「媽媽沒事吧？」
「體力上可能會有點累，但我想叔叔應該不至於那麼狠。」
阿提爾淡然地回答後停下腳步，看著莉莉卡。
莉莉卡看著他「哎呀」了一聲，搖了搖頭。
「先不說體力問題，我是覺得媽媽參加會議這件事很奇怪。我當然非常喜歡媽媽，但……」
她不懂為什麼媽媽與皇帝陛下會針對刺客的事討論那麼久。
阿提爾咳了幾聲，「妳擔心太多了。」
「是這樣嗎？」
「兩位在說什麼呢？等著兩位的人都急壞了。」
這時，在附近等著的派伊快步走過來。不知何時，布琳和布蘭也迅速站到兩人身後。
派伊微笑著看著莉莉卡。
「您好，皇女殿下。我還沒有正式向您問好。」

「這是派伊，這是莉莉卡。」

阿提爾介紹後，派伊皺了皺眉，「您一定要這麼說嗎？」

「什麼？怎麼了？」

「您這點真是像極了皇帝陛下。」

派伊的話讓阿提爾的臉色僵了一下。在他開口之前，派伊迅速向莉莉卡深深鞠躬。

「拜見高貴的『納拉．塔卡爾』，願您的名字如星辰般閃耀。我是桑達爾家的派伊，只有派伊而已。」

莉莉卡瞪大了眼睛。雖然學過，但這是她第一次收到如此正式的問候。聽說這種古老的問候，除非是正式場合，否則很少使用。

「很高興見到您，桑達爾家的派伊。我叫莉莉卡。」

派伊抬起頭，微笑著說：「很榮幸聽到您介紹您的第一個名字，皇女殿下。」

皇族有第一個名字和第二個名字。對外活動會使用第二個名字，第一個名字則是親近的人所用的——這種傳統在一百年前還存在，但現在大家都使用第一個名字。格倫德琳夫人是這樣教導莉莉卡的。

感覺真的成為了皇女，莉莉卡心中十分激動。

派伊拉過站在旁邊的布蘭說：「這位是布蘭．索爾。您認識吧？」

「嗯，布琳的哥哥吧？」

布蘭低頭致意，「拜見尊貴的『納拉．塔卡爾』。」

「叫我莉莉卡吧。」

索爾家沒有爵位，所以在皇族面前無法介紹家名和姓名。但是，沒有皇族不認識「索爾家」，這是莉莉卡認為索爾家有趣的地方。

派伊留著及肩的米色長髮，並將頭髮分側，往右編織。

『現在看來，拉特的頭髮也很長。桑達爾家的人都留著長髮嗎？』

待會得問問看。莉莉卡馬上拉了拉布琳。

「這是我的貼身侍女布琳．索爾。她是我非常珍貴的朋友。」

「天啊。」布琳感動地把手放在胸前，拉起裙襬優雅地行禮，「拜見各位高貴的大人。」

派伊對布琳大膽的行禮風格感到讚賞，布蘭則用力按著胃的位置。

阿提爾朝布琳斜眼看去。莉莉卡把她稱為「珍貴的朋友」讓他不太高興。

索爾家的人？

他公然無視布琳的問候，拉著莉莉卡的手。

「哦？殿下？」

莉莉卡驚訝地跟著走，其他人也紛紛跟著走。

阿提爾聽到莉莉卡的聲音，想說些什麼，卻突然說道：「聽說妳投資了騙子？」

「騙子嗎？」

「對。那個叫做烏巴的傢伙？想做什麼生意的傢伙，聽說他肯定是個騙子，但皇后殿下投資他了。難道妳也投了？」

莉莉卡停下腳步。

阿提爾沒有用力拉她，幾乎同時停下來。他轉頭看向莉莉卡，聽見她認真地說：「他不是騙子。」

「什麼？」

「烏巴不是騙子，他是個好人。」

「這正是騙子的特徵啊。」

「他不是騙子。」

「妳怎麼知道？」

「聽了他的故事就能知道，他不是騙子。」

「進樹海一直都是種賭博，怎麼能百分之百保證會成功？這種保證本身就是騙子才會做的事。」

「不是的，烏巴有其他經驗。」

莉莉卡毫不屈服地回話，阿提爾的表情也嚴肅起來。

「妳這是想做什麼？」

「什麼意思？」

「那傢伙是騙子。妳以為世上只有好人嗎？」

「那我最清楚不過了！但烏巴不是騙子。」

「那妳打算怎麼辦？」

「什麼怎麼辦？」

當兩人的對話越來越激烈，慌張的派伊介入他們之間。

「不是，為什麼兩位要因為那個人的事情吵架呢？」

「是啊，我覺得這不是值得兩位吵架的事。」布蘭也附和道。

阿提爾抱著雙臂，俯視著莉莉卡，莉莉卡也毫不退縮地望著他。

「如果那傢伙是騙子，以後妳想投資誰，就要先來找我取得許可。」

莉莉卡挺直背脊。

「好啊，那如果他不是騙子……」莉莉卡皺起眉頭，「就請您不要再說我信任的人是騙子。」

「好。」

「我也同意。」

兩人都露出滿意的表情，莉莉卡馬上再次握住阿提爾的手。

阿提爾驚訝地看著莉莉卡。剛才兩人吵得那麼凶，他還以為他們會就此分開，然而，莉莉卡的臉上寫著「這是兩碼子事」，牢牢握住了他的手。

『原來如此。』

和莉莉卡這樣爭吵也沒關係。阿提爾也握住她的手。

莉莉卡問道：「我很好奇一件事。」

「什麼事？」

「您真的有領地嗎？是哪裡的領地？」

「我有領地，但是在北方，問題是作物不易生長。」

「因為小麥怕寒害，或許我們必須考慮改種別的作物。不過即使如此，可能也無法取得太大的價值。」

派伊聳聳肩。

莉莉卡歪頭問：「那塊地不是豐沃的土地嗎？」

她還以為皇太子的土地自然會是豐沃的土地。

「是不像印露家族的土地那樣終年嚴寒，但也不是很好的土地。」

聽到派伊的話，阿提爾補充道：「能好好開墾那樣的土地，才能成為皇帝。」

「原來如此。」

但她不喜歡寒冷的土地。

莉莉卡不喜歡雪。赤腳踩在雪上，腳底會像被火燒一樣，或者感覺到被利刃割傷的痛楚。雖然她能忍受夏日的炙熱，但冬日的寒冷讓她感到害怕。

如果鼻子或腳趾被凍壞了怎麼辦？一到夜裡，她總會擔心這件事。

「但夏天非常美。」派伊點頭同意阿提爾的話，「白樺樹林很壯觀。夏天真的很美，有各種莓果——黑莓、覆盆子、藍莓——到處都是。這時候會大量採收，做成果醬或糖漿。即使裝了滿滿一桶仍到處都是，熊群也會瘋狂地吃。啊，還會有很多蜂蜜，以及非常多種堅果。」

莉莉卡張大了眼睛：「聽起來很棒。」

「夏天去領地時一定會邀請妳，但今年可能無論如何都會留在首都。」

「嗯，一定要邀請我。不對，請一定要邀請我。」

阿提爾思考了一下，眉頭一皺說：「如果妳有自己的護衛騎士的話。」

「哈哈，是啊。您知道一定要選一位護衛騎士吧？」派伊悄悄補充道。

阿提爾沒有多說什麼，再次向前走。

派伊和布蘭對望了一眼，嘆了口氣。

莉莉卡說：「我吃過覆盆子果醬，非常漂亮。像寶石一樣閃閃發亮，味道也非常甜美……那就是說，那裡到處都是那個吧？」

太驚人了，就像夢一樣的領地。

莉莉卡如此低喃後，布蘭笑了。而阿提爾輕敲了一下莉莉卡的頭，說：

「果醬是用糖煮成的，所以真正的覆盆子沒有那麼甜。」

「但還是很好啊。我也想採收滿滿一桶。」

阿提爾猶豫了一下，佇足沉思了片刻，然後緊握住手裡牽著的手，開始快步向前。

就這樣，他們離開了太陽宮，一路朝後花園走去。後花園非常寬廣，他們走了又走，看到莉莉卡開始累了，布蘭說：

「皇女殿下，恕我失禮，我可以抱您走嗎？」

「真嬌弱。」

阿提爾咂舌一聲，輕鬆地莉莉卡抱起來。

莉莉卡因為太過驚訝而大叫出聲：「我很重的！」

「殿下，讓我來吧。」

聽到布蘭這麼說，阿提爾說「不用了」，向前走去。速度比剛才快了兩倍。

莉莉卡呆愣地看著阿提爾，然後把視線轉向地面，再看向阿提爾問道：「您不覺得重嗎？」

「比小馬還輕。」

莉莉卡的眼睛咕溜溜地轉了轉。小馬輕嗎？還是重呢？因為她從未見過小馬，所以無法判斷。

於是莉莉卡又說：「殿下真是力大無窮。」

阿提爾不自覺笑了出來。對不懂什麼是塔卡爾、桑達爾或權族的她感到好笑。又好笑又可愛。

阿提爾迅速在心中抹去了後半句話。

「好了，我們到了。」阿提爾站在長滿爬山虎的城牆前說道。

莉莉卡仰頭看著城牆，「要抓著藤蔓翻過去嗎？」

「不用。」

阿提爾放下莉莉卡，把爬山虎推向一旁。隨後，一扇老舊的木門出現了。

莉莉卡睜大了眼睛。這是通往外面的門嗎？

阿提爾從口袋裡拿出鑰匙。舊木門發出吱嘎聲，鎖卻無聲地打開了。

「來吧。」阿提爾指向門內。

急著進去的莉莉卡被布琳攔下來。

「由我先進去吧。」

「啊，嗯。」

布琳和布蘭先進去，阿提爾跟在莉莉卡身後進入後，派伊關上了門。

穿過門的莉莉卡發出了驚嘆。

那裡是另一個花園。大約兩百坪的花園似乎很久沒有打理了，但任何人都能看出這更像是一片菜園，不是花園。

小蘋果樹和葡萄藤隨意生長，草本植物和灌木叢延伸至四方。石頭小徑雜亂，立起的支架倒塌了。還有一間小屋，是園丁用的小屋嗎？

但最吸引莉莉卡目光的是灌木叢。綠色灌木叢中結滿了鮮紅的果實。

阿提爾說：「只能摘熟的喔。」

「這裡是哪裡？這是什麼？」

莉莉卡扔出一連串疑問，但阿提爾沒有直接回答，而是隨意回應道：「妳不是想摘覆盆子嗎？」

「我要摘！」

莉莉卡興奮地跳起來說完，又困惑地回頭看向布琳，「但是摘下來要放哪裡？」

「放在我的圍裙裡吧。下次我們帶桶子來，今天就摘要吃的量吧？」

「好！」

莉莉卡跑向覆盆子灌木叢。她用手摘下一個又一個鮮紅的果實，不斷送入口中，同時也扔進布琳的圍裙裡。

漂亮的放進圍裙裡，不好看的放進嘴裡。

不只覆盆子，其他灌木叢也開著花，草本植物也散發出甜蜜又有刺激性的香味。

莉莉卡也將果實放進布琳的嘴裡，因為布琳雙手抓著圍裙，無法動手。

接著她挑了幾個最大最漂亮的果實給阿提爾和派伊。

布蘭笑著說：「我們也來幫忙。」

那麼多人一起摘採，很快圍裙裡就裝著滿滿的覆盆子。回來的路上，阿提爾把鑰匙交給了莉莉卡。

「現在給妳用吧。」

「真的嗎？我可以用那裡嗎？」

「我覺得這樣比較好。」

「真的可以嗎？」

布蘭小心翼翼地問道後，阿提爾點了點頭。

莉莉卡用雙手緊緊握著鑰匙，「雖然您交給我使用了，但是那裡的主人還是殿下。」

「就說要給妳用了。」

「好，我會的，但就當成我們共同持有的地方吧。」

畢竟等到皇太子成年，成為皇帝，她就要離開了。莉莉卡不打算獨占那個花園，也沒有那個自信。

「隨便妳。」

阿提爾回答後，隨手弄亂了她的頭髮。莉莉卡大笑起來。

被人輕柔地撫摸，感覺非常舒服。

莉莉卡摸著鑰匙，下定決心。

『我要把那個花園弄得很漂亮，然後還給殿下。』

阿提爾突然像是想到了什麼，問出從剛才就一直很在意的問題。

「不過，妳打算稱呼我為殿下到什麼時候？」

「什麼？」

「現在不用再叫我殿下了吧？」

面對這個問題，莉莉卡感到似曾相識，好像在哪裡聽過相同的問題。

她歪著頭回答：「那麼，阿提爾大人……？」

「我們不是兄妹嗎？」

阿提爾最終帶著「應該說得那麼清楚嗎？」的表情吐出這句話。

莉莉卡握住他的手，嘿嘿笑了。

「阿提爾。」

阿提爾微微一笑，握住莉莉卡的手。莉莉卡則拉著他的手，開心地朝廚房走去。

廚房的人們見到皇太子出現，都驚訝得僵住了。布琳拿出覆盆子後，廚師恭敬地說：

「我會準備好後送給兩位的。白龍室和黑龍室各準備一份好嗎？」

莉莉卡看了阿提爾一眼後說：「送到白龍室吧。還有，也把好的果實送給皇帝陛下和皇后殿下吧。」

「遵命。兩位請先回去吧，不用擔心。」

莉莉卡對阿提爾說：「我們一起吃吧。」

她帶他走進白龍室，不久後，一個裝滿覆盆子奶油的水晶球送了進來。

這是一道甜點，在甜蜜新鮮的鮮奶油中加入拌了砂糖的覆盆莓，之後冷卻製成。

吃著奶油和覆盆子直到飽腹，莉莉卡感到很幸福。

她將最後一顆覆盆子放入口中，品嘗著又酸又甜的滋味，滿足地以茶作結。

派伊笑著說：「皇女殿下，您吃得很開心呢。」

莉莉卡小心翼翼地問：

「有什麼不對嗎？我有違反什麼禮儀嗎？」
派伊搖了搖頭回答：「沒有，只是看您這麼快樂，我感到很高興而已。」
「吃到好吃的東西當然會開心啊。」
「是，確實如此。」
但沒有人會像莉莉卡這樣，明顯地將情感表現在臉上。
那副表情光是看著就讓人莫名愉悅，派伊不禁讚嘆，然後他輕輕摀住自己的嘴。
『哎呀。』
說錯話了。
『「看到您這麼快樂，我感到很高興而已」是什麼話啊！』
對其他皇族來說，這可能會被認為是侮辱。派伊剛才高興過頭了。
但莉莉卡沒有曲解他的意思。她沒有反覆思考這句話，坦然地接受了。
不管對方說開心還是難過，她都會相信，不會探究話語背後隱藏的意義。
『看來不用擔心她會另作解釋、告訴誰，又或者會不會從我說的話中找出弱點了。』
派伊這麼想著，向她道歉。
「對不起，皇女殿下，我說錯話了。」
莉莉卡搖了搖頭。
「沒關係，我也不應該問你『這是不是違反禮儀了』這種問題。我也不知不覺中就問出來了。」
如果真的是皇女，應該不會問這種問題吧。
「不，是我失言了，我也不自覺地太鬆懈了。」
莉莉卡凝視著派伊一會兒，然後遞出空杯子，「給我一顆，我就原諒你。」

派伊輕輕一笑，「我給您兩顆。」

看到這一幕的阿提爾從自己的杯子裡舀了滿滿一勺的覆盆子，放進莉莉卡的杯子裡。

「阿提爾，您為什麼要給我？」

莉莉卡問完，阿提爾回答：「以後如果需要道歉，我不想每次都這麼做。」

「皇女殿下，皇太子殿下還請您多多關照了。」

布蘭也將他分得的覆盆子倒進莉莉卡的杯子裡。

「你憑什麼讓她關照我？」

阿提爾不悅地說。布蘭只哈哈笑了兩聲。

轉眼間，莉莉卡的杯子裡又裝滿了覆盆子。她驚訝地張大嘴，然後轉向布琳。

「我要把一半給布琳，畢竟我應該會非常需要布琳的幫助。」

不知何時吃完、杯裡空蕩蕩的布琳笑著遞出自己的杯子，莉莉卡便把一半給了她。

派伊十分開心。

阿提爾儘管碎念抱怨著，但在莉莉卡面前顯得很放鬆。派伊不知道多久沒見過這樣的他了。

最讓他意外的是，他從沒想過會再次踏進那座花園。那裡的鑰匙對阿提爾來說有多珍貴，皇女可能不知道，但派伊知道。

往後，莉莉卡會非常珍惜那座花園，並照料它吧。

『真奇妙。』

這是他第一次遇到能如此輕鬆相處的對象。

『這就是家族長輩所說的從容感嗎?他們說要和能讓人放鬆的人結婚啊。』

蛇很少感受到這種舒適感，因此感覺既尷尬又深感興趣，這種會誘使人發生失誤的地方也讓他感到不安。但作為皇太子的隨從，他歡迎莉莉卡的存在。

『只要皇女不背叛就好。』

她還年輕，還不曉得長大後變得怎麼樣。

派特見過不少小時候很有活力、可愛的孩子們，長大後變得像有毒植物。

如果有人聽到這番話，可能會說「童言無忌」，但派伊當時十三歲。在桑達爾，長大到十幾歲就會被賦予與成人同等的發言權。

『和十二歲不一樣啊，當然和十二歲不一樣。』

雖然只差一歲，但年紀一旦進入十歲，發言權就有所不同。

要在蛇穴中生存下來，在那個年齡就必須擁有這點警覺。

『還是小心點好。』

那些會讓人放鬆警戒的存在，最好小心為妙。

派伊這麼想著，把剩下的覆盆子放進嘴裡。

莉莉卡在三天後才見到媽媽。聽說會議結束了，但考慮到媽媽可能很累，所以她打算晚點再去找她時，媽媽就叫她過去了。

露迪婭隨意地把頭髮綁成一束，穿著家居服迎接莉莉卡。她用非常疲憊的表情親吻女兒後說：

「這段時間有發生什麼事嗎？」

「是，沒有發生任何事。」

「是嗎?我的孩子，好乖。」
露迪婭想抱起莉莉卡，卻捶打著腰，發出了呻吟。
「您還好嗎？」
莉莉卡驚訝地問，而露迪婭點了點頭。
「我沒事，只是很累而已。媽媽變得很醜嗎？」
露迪婭捂著雙頰笑了。
莉莉卡輕搖搖頭，「不，媽媽依然很美麗！」
聽到莉莉卡的話，露迪婭笑了。看著那笑容，莉莉卡再次暗自驚嘆「真的很美」。
儘管看起來很疲憊，但皮膚出奇地光滑，眼眶泛紅，美得不可方物。莉莉卡直盯著媽媽看，皺起了眉頭。
「媽媽，您好像被蟲咬了，還好嗎？」
「嗯？」
「就在這裡——」
聽到莉莉卡輕拍自己的頸項這麼說，露迪婭急忙拉攏睡袍。
「紅了一大片，您不覺得癢嗎？」
「媽、媽、媽、媽媽沒事，真的沒事。」
露迪婭慌張地揮揮手說完，莉莉卡就點點頭。媽媽好像覺得被蟲咬很尷尬，但這沒有什麼好尷尬的啊。
露迪婭清了清嗓子，一邊整理睡袍的領口一邊說：「在這段時間，我收到了來自巴拉特的回信，他說會過來教妳，可以嗎？」

「真的嗎？」

「對，菲約爾德・巴拉特說他會來。」

「哇——！」

莉莉卡單純地感到高興，緊握起雙手。

露迪婭輕笑了一下，「有這麼高興嗎？」

「是的！」

「還有一件事……」媽媽稍微打了個哈欠，接著說：「阿提爾要挑選新的護衛時，也會為妳挑選一名護衛。去親衛騎士團挑個妳喜歡的人吧！也可以請坦恩閣下幫妳挑選一位不錯的人選。」

露迪婭說完又打了個哈欠。

莉莉卡問：「會議讓您非常疲憊吧？」

「會議？」

「是的，拉特說您和陛下為了開會，一直待在一起。」

「喔，對，那是一場單方面的會議……單方面的……呵呵。啊，但至少事情都談得很順利。」

想到媽媽有多辛苦，莉莉卡感到心情沉重。不過，媽媽馬上就召見她了，讓她感到很高興。

莉莉卡從座位上跳起來，緊緊擁抱媽媽。

「我明白了，您現在好好休息吧，剩下的事情我們以後再說。」

「嗯，媽媽就睡一會兒。妳去跟管家拿巴拉特寄來的信吧。」

「好的。」

莉莉卡離開房間後，管家將一封信交給布琳，信紙上畫著華麗的花朵圖案。

『之前說過家徽代表著家族的祖先。那麼，巴拉特家族的祖先是花朵嗎？』

一個家族的祖先可能是花朵嗎？

『但這聽起來很有道理。』

想到菲約爾德的外貌，莉莉卡覺得真的是如此。

或許他們的祖先是花的精靈之類的？

莉莉卡端詳著信封，走到了樓梯前。她偷偷環顧四周，然後清了清嗓子。

「布琳。」

「是，皇女殿下。」

「周圍沒有人吧？」

「看起來是沒有人。」

莉莉卡偷偷瞄了一眼樓梯扶手。

布琳禮貌地問道：「您要坐在上面滑下去嗎？」

「可以嗎？」

「應該沒問題。」

「好，那來吧。」

在布琳的鼓勵下，莉莉卡坐上寬大的大理石扶手。

「哇……！」

她一下子加速滑下扶手。

「哦？哦哦？」

樓梯很長，速度比預期得快。如果沒有直直地落地怎麼辦？

「啊！」

彈起來了！

她這樣想著，在扶手轉彎的地方緊閉上眼睛。

突然，有人接住了她。她慢慢睜開眼，抬頭看到皇帝站在眼前。

「在最後關頭不能閉上眼睛，妳得一直看到最後，確認降落的地點。」

「陛下！」

莉莉卡睜大了眼睛，他則將她輕輕抱起。

阿爾泰爾斯對旁邊的布琳說：「這樣很危險吧？」

「若陛下不在，我會接住她的。」

布琳輕輕低下頭。

阿爾泰爾斯又看向莉莉卡，「我都不知道皇女的工作還包括清潔扶手。」

莉莉卡的臉頰染上紅暈。阿爾泰爾斯凝視著她的臉。

「對不起……」

「為了清潔扶手嗎？」

「不是，因為我從扶手滑下來……」

「那有什麼好道歉的？」

莉莉卡看著他，一臉困惑。阿爾泰爾斯則眉頭一皺。

「我不是在追究妳做錯了什麼，而是我真的不明白妳為什麼要覺得抱歉才這麼問的。」

說完，他凝視著莉莉卡的眼睛片刻，「妳見到媽媽了嗎？」

「是的，她看起來很累。」

「呵。」

莉莉卡不自覺地望向阿爾泰爾斯的臉龐。媽媽看起來很累，他卻有種容光煥發的感覺。

「您很滿意會議的結果嗎？」

「什麼會議？」

「拉特說您和媽媽在開會……」

「啊。」阿爾泰爾斯的眼珠轉了轉，點點頭，「非常滿意。」

「這樣啊。」

「莉莉。」

「是。」

「妳也有問過媽媽嗎？」

「問什麼？」

「會議。」

「啊，是的。」

阿爾泰爾斯輕咳了一聲，「她怎麼說？」

「嗯……」莉莉卡煩惱著該如何回答，「她說事情談得很順利。」

「就這樣？」

「是的？啊，還有……」

發現到莉莉卡在看自己的臉色，阿爾泰爾斯說了句「說實話」，並微微一笑。

「她說是單方面的會議……」

「單方面，嗯……好吧，是這樣嗎？嗯……」

阿爾泰爾斯說：「那麼，以後我得努力讓雙方都對會議感到滿意啊。」

在將莉莉卡放下來時，阿爾泰爾斯注意到她手中的信封。

「巴拉特？」

「什麼？啊，是的，我想邀請菲約爾德・巴拉特來訪。」

「菲約爾德・巴拉特？」

「是的。」

聽到莉莉卡的回答，阿爾泰爾斯陷入沉思。他伸手要信，莉莉卡就將信封遞給他。

繪製在信封上的巴拉特家家徽十分鮮明，還有顯示收件人的銀龍徽章。

「有時候，不，我經常很好奇皇后在想什麼。」

他低聲自言自語後，將信封還給莉莉卡，「去吧。」

阿爾泰爾斯轉身朝樓上大步走去。

莉莉卡看著邀請函，問布琳：「陛下生氣了嗎？」

「不，如果陛下生氣，我們兩個之中會有一個人被殺，又或許兩個都會。」

「……」

看著布琳嘻嘻笑著，莉莉卡心想「貴族真辛苦」，然後將信件放進布琳的圍裙口袋裡。

她覺得別讓別人看見比較好。

回到白龍室，阿提爾像主人一樣自在地坐著，拿著茶壺的布蘭站在他身旁。

「妳來了？」

「您來了。」

聽到他們的話，莉莉卡驚慌地說：「怎麼感覺我像是客人一樣?我的侍女們都去哪裡了?」

「她們到處走來走去，我覺得很煩就把她們趕出去了。」

「阿提爾。」

莉莉卡皺了皺眉。她知道黑龍室只有布蘭一個侍從，對布蘭很是同情。

光莉莉卡一個人，包含布琳在內就有四個侍女，負責換床單、做雜務的侍女更是數也數不清。然而，想到布蘭一個人要做四個侍女的工作，莉莉卡就感到不忍。

她以前也是勞工啊。

來到白龍室當客人，布蘭也應該受到款待，阿提爾卻趕走侍女們，逼迫布蘭伺候自己。

莉莉卡迅速踩到踏臺上，伸手拉了拉呼喚鈴的繩子。

「布蘭，你放心地坐下休息吧。阿提爾，別再欺負我的侍女們了。」

「我沒有欺負她們，我不是讓她們休息嗎？」

莉莉卡皺起眉，心想「他在說什麼啊？」。

布琳則瞇起眼睛，「恕我失陪一下，皇女殿下。」

「啊，嗯。」莉莉卡點點頭。

布琳晃著裙襬離開後，布蘭露出苦笑。

「侍女們可能會受到責罵。」

「侍女們嗎？」

「因為白龍室的主人是皇女殿下，她們卻被殿下趕走了。」

「那是因為阿提爾是比我……」

地位更高的人。

「但那是不對的。」

布蘭慢悠悠地說完，為阿提爾的空杯倒滿茶。

莉莉卡瞇起眼，跑到阿提爾面前穩穩地站定，「所以是您擅自進來，裝作白龍室的主人是吧？」

阿提爾拿著杯子，點了點頭，「是啊。」

「這關乎到我的威嚴。」

「妳怎麼這麼說？我們是一家人吧。」

是這樣嗎？

莉莉卡歪過頭，阿提爾則放下杯子，一把拉過莉莉卡，將她抱到自己的腿上。

「殿下！」

她驚訝地大喊時，他捏住她的臉頰說：「阿提爾。」

被糾正稱呼後，莉莉卡在嘴裡再次喊出他的名字。

「阿提爾。」

莉莉卡皺起眉。她以前也經歷過這種情況。

莉莉卡說：「阿提爾真的很像皇帝陛下。」

阿提爾的表情複雜起來，「我們像嗎？」

「是的，很像。」

莉莉卡用力點點頭。他們的行為根本一模一樣。

阿提爾摸著莉莉卡的臉頰，陷入沉思，接著說：「我從來都不這麼覺得。」

身世不明的皇帝。

阿提爾也曾覺得，他真的是自己的叔叔嗎？

因為他的外貌看似混雜了異國人的血統，不是純塔卡爾人。阿爾泰爾斯的媽媽是來自沙漠的傳言也是因此流傳開來的。

仔細想想，那似乎是他與叔叔唯一的共同點。

媽媽的身分。

阿爾泰爾斯和阿提爾，他們的媽媽都不是正統的皇室成員。

「雜種」。他知道巴拉特公爵家這樣稱呼自己。

這時，莉莉卡捏住阿提爾的雙頰。

阿提爾驚訝地抬起眼，莉莉卡氣呼呼地說：「我覺得只有您摸我的臉頰很不公平。」

「妳對陛下也做過這種事嗎？」

「什麼？」

「我在問妳，妳對陛下也做過這種事嗎？」

「陛下從來沒有像這樣摸過我的臉頰。」

「是嗎？」

原來如此。阿提爾如此心想，一臉滿意地再次捏住莉莉卡的臉頰，然後放開。

莉莉卡不滿地從沙發上跳下來，站得筆直。

阿提爾懶洋洋地靠在沙發上，舉起茶杯，站著的布蘭馬上為他加茶。

接著，臉色僵硬的侍女們陸續進來。一名侍女走上前接過布蘭手中的茶壺，其他侍女則快速準備茶點，看著莉莉卡的臉色。

阿提爾嘲諷地說：「現在才來看臉色做什麼？全都滾開。」

聽到阿提爾的命令，侍女們被嚇得一顫，看向莉莉卡。

莉莉卡對阿提爾說：「請讓我的侍女們為我服務。」

「既然妳這麼說了。」

阿提爾這樣說著，看著每個侍女想記住面貌。他的目光最後停在布琳身上。

「有索爾在應該沒問題。」

聽到他的話，布琳微微一笑，莉莉卡點了點頭。

「我也很依賴布琳。」

「妳不能說自己依賴下屬。」

聽到阿提爾悄聲說道，莉莉卡驚慌地低語：「我認為信任是雙方的。」

再說，布琳不是「下屬」，她是莉莉卡珍貴的朋友。

阿提爾輕輕挑起眉毛。莉莉卡趕緊在阿提爾對她最喜歡的布琳發表評論前，迅速轉移話題。

「對了，媽媽說要我挑選護衛。」

看到莉莉卡明顯地轉移話題，阿提爾坦然接受了。

「妳身邊絕對需要一位護衛。」

「媽媽說阿提爾也要挑選一位，您不一起去親衛騎士團嗎？」

「我不去，妳自己挑吧。」

「什麼？但是——」

「別說了。」

他揮了揮手，莉莉卡的臉上則帶著擔憂。她坐在他旁邊，拿起茶杯。

看著恰好適合她手大小的小茶杯後，莉莉卡將視線轉向阿提爾。

「但是您也需要啊。」

「在我身邊八年的護衛可是想殺了我喔？」

「所以才更需要不是嗎？」

聽完莉莉卡的話，阿提爾搖了搖頭，粗暴地揉亂她的頭髮，連髮夾都差點掉下來。

儘管他的動作粗魯，莉莉卡仍沒有閃躲。

「我很擔心您。」

莉莉卡的話讓阿提爾停下動作。自從父親去世後，他就不曾聽別人說過「我擔心你」這種話。他的親信們不敢對他說這種話，阿爾泰爾斯也不是會說這種話的人。

「那天我不是作了惡夢，沒辦法好好睡覺嗎？如果再發生類似的事情怎麼辦？如果那時候，你沒有護衛該怎麼辦？一想到這些，我就擔心得睡不著。」

「如果選到一樣的人怎麼辦？」

聞言，莉莉卡毫不猶豫地回答：「那我們一起挑選吧。」

「跟妳一起？」

「是的，我的直覺非常準喔！」

莉莉卡迅速推銷起自己的特長。

阿提爾露出一個複雜的表情，「直覺？」

「是的。哎喲，請別那樣看我，你在想『還直覺，她在說什麼？』對吧？但我對壞事的預感特別準。事實上，那個護衛騎士出現的時候，我就覺得不太對勁了。」

莉莉卡得意地抬起頭，繼續說：「不僅如此。小時候，有一位老奶奶對孩子們很好，還會發糖果，所有孩子都喜歡她。但我就是不喜歡她，即使她叫我過去，我也不過去，也不會拿她的糖果。後來發現，那位老奶奶是一個人口販子。」

阿提爾的表情嚴肅起來，在旁邊聽著的布琳和布蘭表情也變得很奇怪。

莉莉卡挺起胸，炫耀她的成就。

「還有，有個叔叔會給孩子們錢，讓他們幫忙搬東西。只要幫忙搬輕便的東西，他就會給不少錢，所以孩子們都一直跟著他，但我就是不喜歡那位叔叔。結果，他果然也是壞人，你們猜他會做什麼？」

莉莉卡以低沉的聲音說：「他們會對孩子們做壞事，然後賣掉他們。」

「壞事？」

阿提爾問起，莉莉卡就一臉嚴肅地回答：

「我不太清楚，可能是讓他們挨餓或打他們吧？還有——」

莉莉卡一邊折下手指，一邊列舉她幸運避開的事件。

「也有不付工資的雇主。我從來沒有被那種人騙過。嗯，除了我忽略直覺的那一次。」

莉莉卡聳了聳肩。有時候即使覺得可能會發生壞事，她也不得不去做。那時她做好了心理準備，壞事果然真的發生了。

莉莉卡輕輕嘆了口氣說：「雖然只能避開非常糟糕的壞事，無法選擇好事，但這樣就可以了吧？怎麼樣？相信我的直覺一次吧。」

莉莉卡用這種表情看著阿提爾。而阿提爾咬著唇，用雙手揉亂她的頭髮。

「呀？唔？」

無論莉莉卡再怎麼想穩住身體都承受不住，她的身體前後晃了晃。

「阿提爾！」

最後莉莉卡開始掙扎時，他放開手，並緊緊抱住她。

「唔啊！」

莉莉卡被緊緊抱著，因為肚子受到擠壓而自然而然地發出奇怪的聲音。

阿提爾笑了，模仿莉莉卡的聲音。

「唔啊？」

「啊！都是因為阿提爾這樣緊緊抱住我才會這樣啊！」

莉莉卡抗議時，他以悠閒的聲音說：「扣掉一顆覆盆子。」

阿提爾曾說過自己不會一一道歉，要用覆盆子來代替。此刻他就澈底活用了這件事。

莉莉卡不甘心地喊道：「我要扣掉兩顆！」

「好好好。」

阿提爾抱著莉莉卡的手臂放鬆了一點。她仍然纖細嬌小得驚人。

能感覺到她的體溫很高，心跳急促跳動。即使她生氣，阿提爾也一點都不覺得受到了威脅，反而覺得可愛。

但是……

『原來妳以前過著這麼危險的生活。人口販賣啊。』

在帝國，農奴已經消失了很久，因為帝國發現壓榨佃農比保留農奴更有效率。雖然奴隸在正式紀錄上已不存在，但在非正式公開的地方，它們依然存在。

『得調查一下首都警衛隊了。』

阿提爾雙眼瞇起，然後輕輕推開她，凝視著她。莉莉卡遲疑地說：

「不扣除那兩顆覆盆子也沒關係，你真的不願意一起去挑選護衛騎士嗎？」

「我去。」

「真的嗎？」

莉莉卡從座位上跳起來。

阿提爾笑了，「對，真的，但不是今天，改天吧。」

因為今天他必須看看首都警衛隊的報告。

「真的嗎？」

「對，真的。」

他站起身，想把她亂糟糟的頭髮梳整好，但未能成功。

「我來整理頭髮。」

布琳趕緊過來阻止阿提爾，以免髮夾和頭髮纏著更緊。

阿提爾放開手，點了點頭，「那我們改天見。」

「好的，回去時請小心！」

莉莉卡頭髮凌亂地送阿提爾到門口。布蘭也微笑著對她深深鞠躬，跟著主人離開。

布琳迅速讓莉莉卡坐到在鏡子前，

拿起梳子。她取下髮夾，重新梳理莉莉卡的頭髮，並說：「沒想到皇女殿下的直覺這麼準。」

「對壞事的直覺很準，但問題在於我無能為力。」

雖然可以避開，但無法採取行動解決。但莉莉卡很清楚，能夠避開已經是很大的幫助，能避開最壞的情況非常值得感激。

布琳動作輕柔地挪動銀製的梳子，點頭同意。

「能夠避開壞事或者做好準備，就已經足夠了。」

布琳仔細打理好後，莉莉卡的頭髮就像工匠打磨過的木頭一樣，光滑閃亮。

在陽光下，那核桃木色的頭髮再次被整齊地綁好後，布琳退後一步。

莉莉卡站在鏡子前左看右看，雖然不像媽媽那麼美，但這樣看著自己，她覺得「滿可愛的」，十分自豪。

莉莉卡轉了一圈，用明亮的聲音說：

「我現在要去圖書館，得查到祕密花園裡種的植物是什麼才行。」

我一定要把花園整理得很美麗，讓阿提爾大吃一驚，然後把鑰匙還給他。

圖書館一如既往地安靜。莉莉卡在書架間尋找與花園工作相關的書籍，一一看過，布琳則在確認另一邊的書架。

「種苗……酸性……土壤……？」

一堆讓人摸不著頭緒的詞語不停出現。莉莉卡對農業一無所知，她把一本大書放回去，拿出下一本時，有一本小冊子跟著掉了下來。

『這是什麼？』

大約手掌大的冊子是黑色裝禎，上面用金色字體寫著《少女的心動魔法書》。

莉莉卡大吃一驚。

「魔法書！」

她拿著書看了看周遭。布琳還在對面查看書籍，莉莉卡悄悄翻開書頁。

『**爲心愛的人製作護身符的方法**』

『若要讓喜歡的人出現在夢中？』

『想守住祕密』

看過目錄，她的心跳更加快速度。她迅速把書放進口袋。

『我要偷偷借回去，偷偷地看，再偷偷歸還。』

這種東西為何會在這裡？她對此感到好奇，並看向其他書。

「皇女殿下。」

「啊？嗯！」

莉莉卡嚇了一跳，轉頭看向布琳，只見布琳微笑著遞出一本書。

「這本書看起來很不錯。插圖畫得很詳細，還附有說明。」

「啊，真的耶！謝謝妳，布琳。感覺有這本就夠了！」

「那我們帶著這本書，直接去花園怎麼樣？直接對照插圖會更好。」

「那樣不錯呢。」

莉莉卡立刻忘記了口袋裡的魔法書，用力點頭同意。

接下來的時間，莉莉卡全神貫注於花園。她將那本厚厚的書本攤開在一旁，一種一種地辨認植物，最終辨認出了相當多種種類。

「不過看起來雜草比較多耶。」

「要不要全部翻新，按照自己的喜好重新打造呢？」

「不行。雖然我不太清楚，但阿提爾一直珍藏著鑰匙，肯定有原因，我希望能盡可能恢復原狀還給他。當然，可能無法完全跟從前一樣……」

當莉莉卡埋頭苦讀書本時，布琳對她說：

「那麼，尋求園丁的幫助可能會更快。這裡太廣闊了，沒辦法一個人來做。」

「嗯……但這是祕密花園，可以請園丁進來嗎？」

「只要找個願意保密的園丁就行了。我不認為只看過書就可以做到。」

「對。」

莉莉卡嘆了口氣。她手中的書僅僅是植物圖鑑，並非關於該如何種植特定植物的指南。

「那麼，可以請布琳幫忙嗎？我希望找到一位好的園丁。」

「好的，我會挑選一些候選人，然後請您用直覺判斷是否有不合適的人。」

「嗯！」

莉莉卡堅定地點了點頭。那天的事情就這樣解決了。莉莉卡回到白龍室，換衣服的時候才想起口袋裡的書。

『啊，等一下！』

她在布琳拿走衣服前想起這件事，趕快跑進臥室，將書塞進枕頭下。

莉莉卡曾煩惱過布琳如果追問該怎麼辦？但她什麼也沒問。

這行為很像察覺到主人有所隱瞞的貼心侍女會做的事。

吃過晚餐，躺上床準備睡覺時，莉莉卡請布琳不要關燈。布琳關上門離開後，假裝睡著的莉莉卡立刻坐起來，從枕頭下取出書來。

『爲戀愛中的少女收集的魔法——』

她跳過序言，直接查看目錄，找到之前看過的魔法。

『為心愛的人製作護身符——將喜歡的人從危險中救出來！』

就是這個！

莉莉卡認真地閱讀，為的是幫阿提爾製作護身符。

材料、金幣，金幣？怎麼弄到金幣？

一開始就遇到了困難。金幣，她該從哪裡弄到金幣呢？

莉莉卡從來沒有見過金幣。

「首先，金幣要這麼做……」

『將金幣乾淨地洗淨後放入玻璃瓶，然後加入清澈的井水和新鮮的草藥（種類見下方記載）到瓶子裡，並讓它沐浴在月光下。

在心裡暗念「精靈啊，精靈啊，請保護〇〇〇（對方名字）」，同時用白手帕將瓶子包起來就完成了！』

雖然方法簡單，但效果看起來非常好，下方匿名的評價非常驚人。這對阿提爾來說是必須擁有的！

草藥似乎可以在祕密花園中找到，井水、玻璃瓶和白手帕也都能準備好。問題是金幣。

『金幣，可以用在陛下的辦公室工作得來的薪水……不、不行，我不想收下。』

我是因為喜歡才做那些事的，不是為了錢。

『沒有其他方法能賺取金幣嗎？』

苦思不解之際，莉莉卡突然想到了烏巴。他現在應該正在樹海裡。

莉莉卡雙手緊握祈禱。

『請讓烏巴安全歸來，請保護他免於危險，不會遭遇壞事，並身體健康，帶許多好東西回來。』

接著，莉莉卡補充道：

『還有，請讓我也能找到金幣。』

莉莉卡將墨水瓶擦拭乾淨後放在書桌上，文件也整齊地整理好，沙發上亂七八糟的毯子整齊地摺好。是陛下、拉特還是坦恩在這裡睡覺呢？

「您今天也很努力呢，皇女殿下。」

坦恩拿著文件，踏著輕快的腳步走進來，看到她便露出了笑容。

「聽說您說服了皇太子殿下？」

「那是我向他提出的請求。」

莉莉卡糾正後，坦恩又笑了。拉特問道：「請問您說服了他什麼？」

「他說要挑選護衛。」

「那真是了不起，皇女殿下。您真是太棒了。」

拉特微笑著讚美她。阿提爾一直拒絕挑選護衛不僅是親衛騎士團的問題，也是皇室的問題。

阿爾泰爾斯直盯著她，然後示意她過來。莉莉卡快步跑過去，他的手就粗魯地撫過她的頭。

「怎麼看起來無精打采的？」

「什麼？」莉莉卡驚訝地舉起雙手，「我很有精神耶！早上也吃了兩根香腸。」

「吃的東西不夠營養吧。」

「不會的。」

莉莉卡不停搖頭，阿爾泰爾斯就拉開抽屜。眼前突然變得閃閃發亮。

『為什麼抽屜裡會堆滿了金銀財寶？』

驚訝的莉莉卡張大了嘴巴。阿爾泰爾斯隨意將手伸進金銀財寶中，抓了一把後遞給莉莉卡。

「去買些好吃的吃吧。」

「什麼？」

「等一下，陛下。您給我這麼多……」

正當慌張的拉特要站起來時，莉莉卡迅速從口袋裡拿出了硬幣錢包。那是媽媽送給她的禮物。

看到那個錢包，拉特又坐了回去。

阿爾泰爾斯接過錢包，開始隨意往裡面塞金幣。莉莉卡慌張地說：「陛、陛下，那樣錢包會爆開的！」

看到作為禮物收到的錢包快要炸開，莉莉卡就快哭了。阿爾泰爾斯想關上錢包，但失敗了，只好讓錢包敞開著，遞給莉莉卡。

「來，去買點好吃的吃吧。」

「謝謝您。」

意外收到了零用錢，莉莉卡鞠躬致謝。

阿爾泰爾斯又輕輕撫摸她的頭好幾次。那手勢彷彿曾聽人說過，對待小狗或小貓要輕柔地撫摸。

那是能感受到愛意的撫摸。莉莉卡輕聲笑了，雖然阿提爾摸頭的方式可能更粗魯，但他也很喜歡這樣摸莉莉卡的頭。雖然是不得要領的笨拙手法，但莉莉卡還是覺得很開心。

她的笑聲使阿爾泰爾斯的眼角微微彎起，他收回手說：「快去吧。」

「好的！」

在意想不到的地方獲得了金幣，莉莉卡的步伐變得很輕盈。

要做一個給陛下、給媽媽，也給布琳……金幣很充足，要製作護身符的名單也增加了。
她匆匆離開辦公室時，待命的布琳熱情地迎接她。
「您遇到了什麼好事嗎？」
「嗯，看這個。」莉莉卡展示出她的錢包，「皇帝陛下說我看起來沒精神，要我去買好吃的。」
「天啊。」
如果是皇帝賞賜的東西，會稱為賜物，那這該稱為什麼呢？
布琳說：「回去看看裡面裝著什麼吧？」
「好！」
回到白龍室，莉莉卡迅速把錢包裡的東西都倒在桌上。
也出現了閃閃發光的幾枚金幣和白色的球狀物。
「這是什麼？」
「這是珍珠，皇女殿下。」
「啊！」
這是她第一次親眼看到珍珠，原來它這麼美，終於能理解「如珍珠般的膚質」這種形容是什麼意思了。難以置信這麼美的東西是從貝殼裡挖出來的。
「好美……」
布琳一一指著寶石為她解釋。閃爍著五彩光芒的透明鑽石、像阿提爾瞳孔的藍寶石、如玫瑰的紅寶石、像夏日花園的祖母綠，都是上等的寶石。
「您可以叫匠人來做成精美的工藝品了呢。」
「嗯，但就這樣就非常非常美了。」

陽光下閃閃發光的寶石美得讓人嘆息。莉莉卡說：「為什麼要把這些堆在書桌抽屜裡呢？」

「傳說中，龍喜歡累積金銀財寶。」

「啊～」

莉莉卡點了點頭。她小心翼翼地輕輕壓下稍微鼓起的錢包，讓它盡可能恢復平坦。

「沒有東西可以裝嗎？」

「請稍等一下。」

布琳很快拿來了一個天鵝絨袋子和一個珠寶盒。寶石排放在珠寶盒裡，金幣則放進天鵝絨袋子裡，莉莉卡還偷偷拿走兩枚金幣，放進了錢包裡。

『這樣金幣就有著落了。』

現在只需要搞定草藥和井水，因為玻璃瓶已經有了。

『這得感謝坦恩。』

雖然糖果已經吃光了，但漂亮的玻璃瓶還在。莉莉卡將瓶子清洗乾淨，擺在房間裡，所以可以使用那個。

『而且需要哪些草藥呢？』

莉莉卡想再次確認魔法書時，背上冒出冷汗。

她是不是把書放在枕頭下，然後就這樣睡著了？

仕女每天早上都會整理床單，如果她們發現了魔法書該怎麼辦？

焦慮不安的莉莉卡站起來。

「布琳，等一下。」

她走進自己的臥室，看見床上的被褥如往常一樣，鋪得很整齊。快哭出來的莉莉卡再次將手伸到蓬鬆的枕頭下摸索。

『沒有！』

她像熨燙床單的侍女一樣，努力地在枕頭下摸索，最後甚至掀起枕頭來看。書不見了。

眼前一片漆黑。

『該怎麼辦？』

「皇女殿下，您是在找這個嗎？」

布琳關上臥室門，走了進來，小心翼翼地遞出一本書。莉莉卡急忙接過用白布套著的書並打開。

正是那本書。

莉莉卡不知所措地看著布琳，布琳則將食指放在嘴唇上，笑著說：

「皇女殿下的祕密，我會帶到墳墓裡，所以請不要擔心。因為封面的標題太明顯了，我幫它套上了新書套……」

「布琳……！」

莉莉卡的聲音因感動而顫抖。她緊緊擁抱布琳，布琳則笑了。

幾年前，這本書在年輕的貴族女士之間非常流行。除此之外，還有花朵占卜、姓名占卜等等風靡一時，然後消失，但不知道皇女殿下是從哪裡得到這本書的。

『竟然已經有喜歡的人了。』

布琳心想，皇女殿下要談戀愛或許太年幼了，但她果然與眾不同。不過皇女殿下十分早熟，暗戀的對象或許也是成年人。

『或許是騎士團長，或者是宰相？』

想到自己曾在身旁見證擦身錯過的好感，布琳開始興奮起來。因為書名直白地寫著「我有喜歡的人」，所以她偷偷幫書本套上了書套。

這不是一位出色侍女的美德嗎？

「您要一個人完成咒語可能很困難，所以我也來幫您。請問您想要施展什麼咒語？」

布琳輕聲詢問，莉莉卡迅速翻開頁面。

「我想製作護身符。本來很擔心金幣的事，但陛下給了我很多。我要為阿提爾做一個，也為陛下做一個。啊，我也會為布琳做一個的！」

「天啊。」

布琳低聲感嘆，注視著莉莉卡認真的表情。看來莉莉卡相信這本書真的是魔法書。

『畢竟對我們皇女殿下來說，男女之愛還為時尚早，嗯。她的年紀還年幼，光是被愛就夠了。』

布琳迅速拋開之前的所有想法，微笑著說：「我會盡我所能幫助您，皇女殿下。」

「謝謝妳，布琳。」

莉莉卡真心地向布琳道謝。現在她不需要擔心如何偷偷帶草藥和井水進來了。

當她們坐在臥室裡悄悄討論魔法書內容時，外面的侍女傳來收到信件的消息。

「信件？」

「可能是來自巴拉特公爵家的吧？」

聽到布琳的話，莉莉卡從座位上跳了起來。她走出臥室，看到宮中的信差正站在門前等著遞信。

莉莉卡一出現，信差就有禮地問候並遞出信件。

信差離開後，莉莉卡用開信刀打開信件。也許是因為巴拉特公爵家的家徽是花朵，有微微的花香從信紙上飄散出來。

信中用優美的文字詢問來訪日期，提到即使是明天也沒問題。

寄信人是菲約爾德・巴拉特。莉莉卡立刻寫了回信。無論多努力，她還是寫不出那麼美的字，光要避免墨水濺到信紙上就耗費了力氣。

她盡量簡潔地寫道：『明天就來也沒問題，最好是在茶點時間』。因為如果信太長，墨水肯定會濺到紙上。

她用粉末吸乾多餘的墨水，然後將信放入信封中，用蜂蠟封好，交給信差送出去。

雖然巴拉特應該不會在皇宮內挑釁皇族成員，但布琳還是有些擔心，畢竟那是菲約爾德・巴拉特。

布琳因此若無其事地建議道：

「您要不要與皇太子一同前往親衛騎士團，挑選護衛?我認為越快越好。」

莉莉卡認為布琳的話有道理，於是點了點頭。黑龍室離得不遠，她決定立刻前往。

聽到莉莉卡的提議，阿提爾帶著一臉疲憊，隨便抓起外套穿上就來到門口。

「我們走吧。」

「阿提爾，您還好嗎？」

與他在一起的派伊揉著眼睛說：「因為殿下突然說要看首都治安的文件，真是的……唔！」

被阿提爾用手肘撞了一下，派伊發出呻吟。

「少廢話。」

阿提爾帶頭走著，莉莉卡跟在他後面。走了一會兒，阿提爾咂舌一聲，伸出手來。

「過來。」

莉莉卡疑惑地握住他的手，他就拉過莉莉卡的手，讓她站到身旁。

「為什麼要像侍女一樣跟在我後面？妳是侍女嗎？」

「是阿提爾走得太快了。」

「是妳走太慢了。」

他大步向前走的步調很快，莉莉卡慌張地小跑步，跟上他的步伐。一離開宮殿，他的步調就變得更快了。最後就在莉莉卡快跟不上，布琳想出言提醒時，阿提爾停了下來。

「妳會騎馬嗎？」

「什麼？不，我不會。」

她見過拉動馬車的馬，但從未看過單獨騎馬的人。

雖然聽說在公園散步就可以看到，但莉莉卡忙於工作，所以沒有時間去公園玩。

阿提爾不滿地說：「妳起碼應該學學這些。」

說完，他一把將氣喘吁吁的莉莉卡抱起來，「這樣會比較好。」

莉莉卡抓住他的肩膀，想起了坦恩曾經讓她坐在肩上。那時感覺非常高，讓她感到不安，但被阿提爾抱著時沒有那麼高，感覺很輕鬆。

這樣即使摔到地上也能平安落地吧？

派伊在一旁瞇起眼睛，想對阿提爾說些什麼，但因為莉莉卡在場，他只好忍住。

一行人抵達親衛騎士團，尋找坦恩。

「團長現在還在辦公室裡。」

因為騎士團沒有會客室，所以他們得待在團長室裡等，但阿提爾不想等所以拒絕了。

他對莉莉卡說：「既然坦恩不在，我們何不改天再來？」

「我想等他。」

如果不是今天，不知道阿提爾什麼時候還會一起來。阿提爾嘆了口氣說：「真拿妳沒辦法。」他隨即一屁股坐上長椅，莉莉卡則四處觀察著騎士團的內部，掛在牆上的武器既巨大又神奇。

就在這時，拉烏布穿著便服從裡頭走了出來。莉莉卡開心地向他打招呼。

「拉烏布，好久不見。」

拉烏布略微停頓，恭敬地問候莉莉卡，「拜見皇女殿下。」

「坦恩有沒有把我的話轉達給你？」

她小聲地詢問他是否有確實收到自己的道歉後，他露出了淡淡的微笑。

「是的，我有收到。」

「那就好。第一次看到你穿便服，今天開始休假嗎？」

對於她的問題，拉烏布沉默了片刻，然後緩緩回答：「不，我要回去故鄉。」

「啊……？」

這時，她感到一陣寒意竄上背脊，渾身發寒。她的直覺在警告她有危險。

莉莉卡驚訝地後退一步，目光依舊固定在他身上，彷彿無法從危險事物上移開目光。

『現在？拉烏布？之前還好好的啊，剛才明明也沒有什麼異常。』

拉烏布以為她會有這種反應是理所當然。莉莉卡感到指尖變得冰冷，掌心溼潤。

『該怎麼辦？該如何是好？』

也就是說……也就是說。

問題是他要回故鄉了嗎？

就在這時，有人抓住她的肩膀。她驚慌地跳起來轉過頭，是阿提爾。他歪著頭站著。

「怎麼了？發生什麼事了？這傢伙對妳說了什麼嗎？」

「啊，沒有！他什麼都沒說！」

她說話的聲音比想像中還大。莉莉卡意識到阿提爾的手多麼令人安心，又轉過頭去看拉烏布。

她已經不緊張了。

「拉烏布，你願意成為我的護衛騎士嗎？」

如果他不回鄉，那不就沒事了嗎？

面對莉莉卡的提議，拉烏布瞪大了雙眼，目光動搖。

莉莉卡感覺到握著她肩膀的力道增強，但她沒有在意，直視著拉烏布。

拉烏布似乎想弄清楚莉莉卡的真意，直望著她問：「您是認真的嗎？」

莉莉卡沒有移開目光，讓他了解自己問心無愧並回答：

「嗯，當然，如果拉烏布不願意，我也無法強求就是了……」

比起剛才，危險的警告聲減弱許多。確定不讓拉烏布離開是正確的，莉莉卡的表情也放鬆下來。

「我現在不再是騎士了，所以——」

拉烏布的表情暗了下來。

莉莉卡好奇地問：「即使不是騎士，我直接僱用你不行嗎？嗯～我不確定能不能給你很多錢，但是……」

「喂。」阿提爾搖了搖她的肩膀，大聲說道：「妳為什麼要僱用這傢伙？你是沃爾夫吧？如果他要離開，不就代表他不適任了嗎？為什麼還說這麼厚臉皮的話？」

「阿提爾！」莉莉卡大喊一聲，轉過身緊緊抱住他的腰。

「啊？啊啊？」

在疑惑的阿提爾懷中，莉莉卡堅定地回頭看著拉烏布，說：「如果你願意，我會僱用你。」

啊！莉莉卡豎起一根手指。

「給你一顆珍珠！怎麼樣？」

今天早上皇帝陛下給了她零用錢，讓她去買好吃的東西吃，那些錢讓她有了底氣。

「原來您是認真的。」拉烏布眨了眨眼。

阿提爾嘟囔說著：「妳是認真的……」但完全沒有要推開她的意思，反而小心地調整莉莉卡的位置，以免她的臉頰被身上的衣服鈕釦蹭到。

「我答應您。」

拉烏布回答的那一刻，剛才不祥的預感完全消失了。

莉莉卡的心情變得愉悅，開心地笑了起來。這是她第一次採取行動，改變了預感。

她沒有逃避。

『原來我可以改變結局。』

她突然覺得自己獲得了一種強大的武器。

拉烏布向她走近一步，跪了下來。莉莉卡呆愣地看著他時，阿提爾嘆了口氣，抓住她的手並伸出去，另一隻手則緊緊摟住她的背。

莉莉卡被阿提爾摟進懷裡，手卻被拉向另一個方向。

「啊？啊？啊！」

她伸出去的手被拉烏布握住，他輕輕吻了一下她的手背。

「我將忠心侍奉您。」

這到底是怎麼回事？有人能解釋一下嗎？

莉莉卡轉頭一看，坦恩站在敞開的門前，一臉莫名其妙。

「我僱用了拉烏布作為我的護衛。」

聽到莉莉卡這麼說，坦恩皺了皺眉，看向拉烏布。

拉烏布則站起來，走到莉莉卡的身旁。

坦恩問道：「您知道這傢伙今天就要離開騎士團了嗎？」

「嗯，但我還是可以僱用他吧？」

不可以嗎？莉莉卡疑惑地歪了歪頭，坦恩則扶額沉思了一會兒後抬起頭來。

「既然皇女殿下選擇了他，當然沒問題。那只需要讓皇太子看看候選人就好了嗎？」

「她會幫我挑的。」

阿提爾抓住她的雙肩，將她推向前。

坦恩微微一笑，「原來是莉莉卡皇女殿下要挑啊。」

「嗯。」莉莉卡又慌張地說，「阿提爾，該由您來選才行吧。」

「妳不是說妳要幫我看嗎？」

「我會幫您看的，所以至少您要從那些人中挑一位。」

她的話讓阿提爾輕聲笑了。坦恩一臉疑惑，但還是禮貌地邀請大家進辦公室。

辦公室裡的椅子非常柔軟，也有茶和點心供大家享用。拉烏布則被告知收拾好行李，到白龍室去之後就離開了。

坦恩聽完莉莉卡的故事後，摩娑著下巴。

「您有很敏銳的直覺呢。」

「嗯。」莉莉卡點了點頭。

坦恩思考了一下，之後說：「那我先讓人把候選人帶過來。」

他叫來一位侍衛，低聲吩咐了幾句。侍衛顯得有些疑惑，但還是走了出去。
不久後，五名騎士進來向莉莉卡致意。莉莉卡仔細觀察這些騎士，然後在阿提爾耳邊低語了什麼。
阿提爾說：「除了最後兩位，其他人都離開。」
坦恩的眼中閃過驚訝。
阿提爾選擇了留下來的兩位，「他們可以輪流執勤。」
被任命為護衛騎士的兩人離開後，坦恩詢問莉莉卡：「剔除前面三人是您的直覺嗎？」
「嗯，啊，不是說他們是壞人，只是有點……嗯……有點不對勁。」
沒有像拉烏布那樣讓警鈴大響。莉莉卡的話讓坦恩點了點頭。
「我明白了。」他勾起微笑。
「那麼事情就算結束了吧？我還有事要做，先走了。」
阿提爾站了起來。當莉莉卡也想跟著站起來時，阿提爾按住她的肩膀讓她坐下，說：
「妳慢慢吃。派伊、布蘭。」
「那我們先告辭了。」
「皇女殿下，下次見。」
隨著一行人離開，莉莉卡看著布琳問：「一顆珍珠可以嗎？」
「如果拉烏布閣下……不，他不再是騎士了。如果他認為可以，那就沒問題。」
頂級的珍珠非常罕見，價格取決於遇到的商人。簡而言之就是「時價」，那就是這麼稀有的昂貴物品。
莉莉卡鬆了一口氣。
『也對，拉烏布看起來是會直言不諱的人。』
她點頭時，坦恩走過來坐上她附近的椅子，開口問道：

「但皇女殿下，您選擇拉烏布沒問題嗎？」

莉莉卡瞥了一眼布琳，搖了搖頭。

「不，狀況非常糟，直覺告訴我很危險，後背都冒冷汗了……」

坦恩露出嚴肅的神情，布琳也是如此。莉莉卡看到他們的表情後，揮了揮手。

「但那是聽到他說要回故鄉時的感覺，所以我僱用他後就好多了。」

莉莉卡真的很擔憂地看著坦恩。

「坦恩的故鄉和拉烏布一樣吧？你們的故鄉會不會出什麼事？」

「不，沃爾夫領地應該沒問題，但是，啊，這真是……」他嘆了口氣，「我沒想到會把那傢伙交給皇女殿下。如果有什麼事情，請您告訴我，我會提供所有援助的。」

坦恩撐著雙腿，彎下腰。

「感謝您僱用拉烏布，皇女殿下。」

「哦？嗯，沒事的，坦恩。」

莉莉卡有些驚慌地揮了揮手時，布琳笑著說：「您真的願意提供援助吧？團長大人。」

坦恩抬起頭，認真回答：「當然。」

「我們會滿心期盼的。」

布琳輕聲笑著。可不是任何人都能得到親衛騎士團長的全力支持。

『真厲害。』

能夠侍奉有辦法輕易結交如此人脈的主人，是一件很帥氣的事情。

接受了坦恩的問候後，兩人閒聊著回到白龍室。

完全不曉得僱用拉烏布會遇到意想不到的難關。

派伊對阿提爾直言不諱地說：「您為什麼要那樣對皇女殿下說話？」

「什麼？」

阿提爾正忙著從首都治安的報告中篩選出關於人口販賣的報告，縮小範圍。他雖然討厭文書工作，但這非做不可。

一直忍著不悅的阿提爾聽到派伊的話，抬起了頭。派伊認真地看著阿提爾。

「您為什麼要對她說話這麼冷淡?您明明並不討厭她。」

「我什麼時候這麼做了？」

「您總是這麼做。布蘭，我說得對吧？」

聞言，布蘭點了點頭。派伊得意地用筆指向阿提爾。

「今天也是，說什麼『像侍女一樣跟著』或『連騎馬都不會』之類的，總之就是淨說一些讓人受傷的話。」

「我嗎？」

「是的，陛下。」

派伊的話讓阿提爾陷入沉思，然後說：「那都是事實啊，不管是跟在身後走還是不會騎馬。」

「如果您這麼說是想讓皇女殿下受傷，我不會說什麼，但您明明不是啊。」派伊瞇起眼睛，露出桑達爾家族的樣子續道，「請您試想如果皇女殿下用同樣的方式對您說話。比如說，『您總是走在前面，好像成了我的主人』。」

「……」

阿提爾沉默了。派伊接著說：

「我不是希望您溫柔地對她說話，您只是想和皇女殿下並肩一起走吧？那就說『和我一起走』不就行了嗎？」

「……她會不會因此傷心？」

他完全不想讓莉莉卡傷心或受傷。

派伊聽到阿提爾的話後微微一笑，托著下巴。

「皇女殿下心胸寬廣，所以應該不在意，但說不定將來會受傷，所以請您注意一點。」

「我會努力的。」

阿提爾這麼說完，他的眉頭仍未舒展。他審視文件的手速慢了下來，派伊急忙提出讓主人放寬心的建議。

「如果您在意，送個禮物給她怎麼樣？」

「禮物？」

「是的，送匹小馬。畢竟她還非常年幼，如果能在太陽宮的花園裡騎小馬四處走走，應該不錯。您不久前有收下一個禮物吧？哈夫林格馬。」

想到那匹擁有華麗奶油色鬃毛和尾巴的優雅棕色小馬，阿提爾的嘴角勾起微笑。

莉莉卡肯定會喜歡。

莉莉卡早餐吃得很飽，並且比平時更用心地編了頭髮。這是她第一次邀請外人來訪，所以莉莉卡反覆背誦了幾次招呼語。

拉烏布此刻如影隨形地站在她身後。不再是親衛騎士的他沒有穿著制服，而是一身輕便的皮甲，背上揹著劍。那天早上，莉莉卡給了他一顆珍珠。拉烏布珍惜地將珍珠收入懷中。

在眾人認為的茶點時間，下午三點到五點之間，菲約爾德準時到達，他的打扮不像當時那麼隨意，十分整齊。然而，那股讓莉莉卡窒息的華麗感仍然存在，那身端正的服裝反倒更強調了他的華麗。

「菲約爾德．巴拉特拜見莉莉卡．納拉．塔卡爾皇女殿下。」

「很高興見到你。」

問候聲比預期的更高亢活潑。莉莉卡伸出手，菲約爾德吻了一下她的手背。

那混雜著紅色的金色瞳孔看起來太冷酷，不太適合稱之為「蜂蜜色」。閃閃發亮的銀色頭髮散發出比清晨月亮還潔白的光芒。

『啊，果然如此。』

華麗卻有點鋒利，就像精心打造的武器一樣美。而且不僅是屈膝禮，一般敬禮的動作也柔和又優雅。

莉莉卡再次感嘆說：「今天不是用屈膝禮呢。」

不是在挖苦，是單純感到疑惑。菲約爾德對此微微一笑。

「畢竟是正式的問候場合。沒想到您真的會邀請我來。」

「謝謝你應邀而來。」

問候致意後，莉莉卡邀請他坐下。他們坐在準備好的桌子旁，分享茶和點心。

作為主人的莉莉卡先嘗了茶和點心，正式的茶點時間就此開始。

菲約爾德看到站在莉莉卡背後的拉烏布後問：「您沒有僱用騎士嗎？」

「嗯。」

莉莉卡點點頭後，菲約爾德笑了。

「肯定會有很多閒言閒語，說莉莉卡皇女為什麼不選親衛騎士團的騎士作為護衛，或者是因為您是養女，所以受到差別待遇嗎？」

莉莉卡眨了眨眼。她低頭看了看茶杯，然後看向菲約爾德。

「但這不代表我不是塔卡爾，對吧？」

不管別人在背後怎麼說，契約就是契約。這八年內，她的皇女身分是任何人都無法改變的明確事實。

莉莉卡的話讓菲約爾德的金紅色眼瞳帶著愉快的光芒。

「那當然。」這回答很有塔卡爾傲慢無禮的作風，菲約爾德因此感到心情愉悅。

巴拉特家努力想觸及天空也無法如願，那條龍卻自由地翱翔於天際。

在巴拉特公爵掙扎地認為「只要有他們的血脈，我們也能成為龍」的同時，一個沒有他們血脈的人光明正大地宣稱自己也是「塔卡爾」。如果巴拉特公爵聽到莉莉卡的話，可能會想要將她碎屍萬段，畢竟在某方面來說，對塔卡爾的正統性最為執著的莫過於巴拉特公爵。

「對龍來說，蚊子的振翅聲不過是小事一樁。」

菲約爾德以此作結後，莉莉卡露出了為難的表情。她小聲說：「不，就算是龍也會覺得蚊子很厭煩的，非常厭煩。」

因為在夏夜，最讓人難以入睡的就是蚊子。

一走進燃燒乾草的煙霧中，眼淚和鼻涕會立刻不停流下，但為了躲避蚊子，人們還是願意承受這一切。

比起對未來的不安，一隻蚊子往往更能讓人驚醒過來。

聽到莉莉卡的話，菲約爾德點了點頭，「那倒是。」

蚊子確實很煩人。

莉莉卡微微一笑，說：「再說，我不太懂關於皇族的問題，陛下會自己處理好的。」

提到世上最強大的後盾，莉莉卡吃了一口鬆軟的蜂蜜蛋糕。

『真好吃。』

是用了特別的酵母讓蛋糕變蓬鬆吧。

主廚在皇后的幫助下精心製作出來的新甜點，總是會先端到皇女的餐桌上。

在社交界，地位高的人總是走在潮流的前端。不管做什麼，大家的目光總是聚焦在皇族和高等貴族身上。因此誰能帶來新事物，這項「新事物」的流行程度也會成為衡量社交界影響力的標準。

模仿是最純粹的讚美。

露迪婭逐漸推出新的食譜、服裝、飾品、化妝法等等，每一項都引起了巨大的迴響。

莉莉卡不在社交界內，所以不知道其迴響，但她知道媽媽的廚師會做非常好吃的甜點。

莉莉卡向菲約爾德推薦蜂蜜蛋糕。

「這是皇后殿下製作的新甜點，試試看，很好吃。」

「我知道，關於蜂蜜蛋糕的傳聞已經傳開了。我們家的廚師也正在努力複製，但似乎不太順利。」

「真的嗎？」

「是的。」

他沒有確認莉莉卡的問題是關於什麼，因為他說的都是事實。

菲約爾德將蜂蜜蛋糕放進嘴裡，對不過於甜膩的味道和蓬鬆的口感感到滿意。

以前流行用大量昂貴的糖來炫耀財富，流行的含糖食品都甜到腦袋發麻，但露迪婭推出的甜點沒那麼甜膩，反而追求豐富的口感和與茶的契合度。

蜂蜜蛋糕很快就被吃光了。侍女馬上端上新切的蜂蜜蛋糕。

菲約爾德像那個年紀的男孩子一樣吃很多，莉莉卡愉快地招待了他。

她會問一些關於社交界的問題，菲約爾德毫無保留地回答了。

聽菲約爾德講述關於皇后，也就是媽媽的事，莉莉卡不禁感到驚奇。菲約爾德講的故事都是莉莉卡從未聽過的。

媽媽如何在社交界讓自負的伯爵夫人顏面掃地，或在茶藝沙龍中展示新甜點，讓大家大吃一驚，甚至是……

「安撫了驚慌的馬嗎？」

「是的，皇后殿下阻止了艾琳男爵家千金騎乘的母馬失控。因此，對方的未婚夫家族不停感謝皇后殿下。」

媽媽？

阻止了馬？

『好像和我認識的媽媽大不相同呢。』

當然，媽媽是世上最美麗、最溫柔的人，但莉莉卡總覺得自己必須保護她……

莉莉卡沉思時，菲約爾德問道：「皇女殿下沒有能聊天的朋友嗎？」

「布琳會陪我聊天啊。」

聽到莉莉卡的回答，菲約爾德微微一笑，搖了搖頭。

「不，我不是那個意思，我是說貴族送來的同齡朋友。您看起來是第一次聽到社交界的事情，也沒有能聊天的朋友。」他意味深長地補充道：「無論是出於家族間的情誼還是作為隨從，總之存在著多種意涵，讓權貴有個對象能聊天。」

「嗯。」莉莉卡嘆了口氣，「那麼，我可能還不夠格當一個權貴。」

因為是剛開始嘗到權力滋味的「新權貴」，還沒有人主動提供聊天的對象。

「這麼說來，阿提爾身邊有派伊。派伊也是阿提爾的聊天對象嗎？」

聽到莉莉卡的話，菲約爾德的嘴角微微顫動。他急忙吞下口中的茶。

事實上，只有莉莉卡自己尚未察覺，現在皇都裡和皇后一樣熱門的話題，就是莉莉卡本人。

但他絲毫不想讓她知道這一點。

他希望這位皇女殿下只認識他一個人。

莉莉卡很是遺憾。她希望自己有朋友。當然，她身邊有布琳在，但布琳只是作為貼身侍女堅守崗位，不會像朋友一樣和她一起玩耍。

『朋友。』

在貧民區裡，大家都忙於工作，沒有空閒交朋友。當然，如果莉莉卡去賣花或做偷雞摸狗的事，應該能更容易找到同伴。

『但我好不容易才找到工作，不想就這樣放棄。』

貴族的朋友們聚在一起會做什麼呢？莉莉卡想像著，嘆了一口氣。

貴族送來的談心朋友……將來會有這一天嗎？

『不，不要失望！成為一位出色的皇女後，肯定會有人想成為我的談心朋友。』

既然還沒成為一位出色的皇女，再努力就好了。莉莉卡挺直腰桿。

她的挫折和決心全表現在臉上，菲約爾德再次忍住笑意。

莉莉卡看著菲約爾德。那成為一名出色皇女的第一步——

「現在教我如何行屈膝禮吧。」

菲約爾德優雅地示範了一次屈膝禮。即使再看一次，那動作都如流水般輕盈而美麗，讓莉莉卡不自覺地鼓起掌。

「你是怎麼做到的？」

「皇女殿下在鞠躬時，會想什麼呢？」

「呃，要把膝蓋彎成這個角度後抬起來？慢慢站起來看起來會更優雅……」

「您要把那些想法放到一邊，想著自己是世上最美的。」

「什麼？」

「來，請跟著做看看。我是世上最美的。」

「我、我是世上最美的。」

「聽起來您一點也不相信。」

「那是因為……這是事實。」

莉莉卡沒有像媽媽一樣美麗的金髮……

「皇女殿下。」菲約爾德彎下身，凝視著她的藍綠色眼睛低聲說：

「皇女殿下很美，您的栗色頭髮像是樹之精靈，眼睛宛如陽光照耀下的魯丁湖。」

這是莉莉卡生平第一次聽到這樣的讚美，雙眼瞪得大大的。

菲約爾德微微一笑，「您可以有自信一點。來，再一次。」

「什麼？」

「我是世上最美的。」
「我、我是世上最美的。」
不知為何，臉頰發燙。沒想到會在比自己漂亮的人面前說出這樣的話。
「來，請再試一次。」
聽到菲約爾德的話，莉莉卡做出屈膝禮。也許是因為害羞，身體變得更僵硬了。
菲約爾德好奇地問：「但是，皇女殿下，您不需要向那麼多人鞠躬，有什麼理由讓您必須特意這麼認真地學嗎？」
「因為我想做給那些不多的人看。」
她想讓媽媽、陛下，還有阿提爾看到自己能做到多出色。如果能得到讚美就更好了。
媽媽一定會大力讚美我。
莉莉卡看著菲約爾德說：「他們應該覺得我已經很美了，所以……」
「啊，就是這個！」莉莉卡馬上轉頭看向菲約爾德，「比起美麗，我覺得我可以接受其他稱讚。嗯～我是世上最可愛、最討人喜歡的皇女……！」
雖然臉紅了，但這不是媽媽每天都會說的話嗎？
可愛的莉莉卡、我的莉莉卡、世上最討人喜歡的莉莉卡。
因為有人這麼認為，要自己也這麼心想就不難了。
「美麗」可能有點遙遠，但這個應該可以做到。
『我很可愛，我很可愛，我很可愛。來吧！』
莉莉卡心裡不停默念。她那充滿活力又可愛的屈膝禮讓菲約爾德不禁噗嗤一笑。
莉莉卡困惑地回頭看他，「有什麼不對嗎？」

「不，那個……」菲約爾德輕撫著她脖子上的紅色絲帶，笑了，「因為您看起來像小鳥一樣。」

「小鳥？」

她看了看自己的絲帶，又看向菲約爾德。

「是的，可愛的鳥兒皇女殿下。」

他微微一笑。

莉莉卡因為受到讚美，也想反過來讚美他。她思索到最後說：

「菲約爾德像銀製工藝品一樣。」

菲約爾德挑起一邊眉毛，笑了。他說：「我真想申請成為皇女的談心朋友。」

「真的嗎？」

「是的。」

「那麼——」

莉莉卡正要開口時，布琳正好介入他們之間。

「兩位都累了吧，請喝杯冰涼的果汁。」

「啊，謝謝妳，布琳。」

她準備了兩杯加了許多糖的覆盆子果汁。

因為站著飲食很沒禮貌，兩人坐到擺好的桌子旁。酸甜冰涼的果汁立刻讓心情變愉快。莉莉卡嘆了口氣。

「我好像沒辦法做得像菲約爾德一樣好。」

「那也沒關係啊！皇女殿下用自己的方式做就好了。」

可愛且討人喜歡，那樣不就足夠了嗎？

菲約爾德這麼想著時，大門被用力推開。

「莉莉卡，昨天我──」

清嗓完開口的阿提爾看到會客室內的情況後，就這樣定在原地。

他的視線鎖定在菲約爾德身上。

菲約爾德慢慢站起來，行了一禮。

「菲約爾德・巴拉特見過帝國的皇太子──」

話還沒說完，阿提爾就一下子跑上前，抓住他的衣領。

莉莉卡驚訝地從座位上跳起來，「阿提爾！」

不管她大喊，阿提爾低吼似的說：「你這小子怎麼會在這裡？」

「我是受邀過來的。」

「受邀？」

「對，阿提爾，是我邀請他的，所以──」

事情來得突然，搞不清楚這是怎麼回事的莉莉卡焦急地環視周圍。與阿提爾一同進來的派伊也一臉嚴肅。

「哈！你勾引我妹妹？是嗎？你用那帥氣的外表和甜言蜜語對她搖尾巴嗎？」

阿提爾說的話越來越難聽，菲約爾德則輕輕一笑。

「是皇女殿下邀請我來的。」

話剛說完，阿提爾就揮拳打上他的臉。

莉莉卡忍住尖叫。在這種情況下大喊只會讓情況變得更糟。

現在應該做出行動。

當她準備衝過去時，不知不覺間走近的拉烏布阻止了她。莉莉卡轉過頭，看到拉烏布輕輕搖了搖頭。

阿提爾再次抓起菲約爾德的衣領，低聲說：

「給我滾，巴拉特的傑作，在我想確認那些謠言是否屬實之前。」

「哈！」菲約爾德簡短地笑了一聲，「是嗎？我也很好奇那些謠言是否屬實呢。」

金紅色的眼睛直視著阿提爾。

「您要確認看看嗎？」

喀噠喀噠喀噠。

莉莉卡不禁將視線轉向桌子，桌上的餐具正微微顫動著。

杯子裡剩下的覆盆子果汁表面也隨之晃動，那不是桌子在動。餐具像對某種事物有所反應，不停搖晃。不行。

雖然不知道是什麼，但這樣不行。莉莉卡掙脫拉烏布，衝過去用力拉住阿提爾。

「請您住手！他是我邀請的客人！您再這樣無禮，我不會原諒您的！」

無論怎麼拉都沒用，莉莉卡就擠到兩人中間，開始推開兩人。

看到她努力使勁的樣子，阿提爾放開了菲約爾德，兩人被推到相隔幾步，像兩隻瞪著對方的鬥犬。

莉莉卡擋在菲約爾德前面說：「他是我的客人，是我的客人。」

莉莉卡使盡全力張開雙手。

「所以，菲約爾德的安全是我的責任。阿提爾，拜託，請您先出去。」

「什麼？喂，妳知不知道那傢伙是——」

「皇太子殿下。」

布琳打斷了他的話。她的紫色眼瞳十分冰冷。

「這裡是白龍室，是皇女殿下的住所。請原諒我在諸位談話時打斷您，但我不能再容許您對皇女殿下無禮。」

布琳低頭說完，阿提爾緊握著拳頭，然後丟下了一句話：「既然妳那麼喜歡那傢伙，那就隨便妳。」

阿提爾馬上離開了房間，派伊向莉莉卡點頭致意後也跟著離開。

門「砰」地一聲關上，莉莉卡努力不顯露出放鬆下來的樣子，轉向菲約爾德。

「你還好嗎？我馬上叫醫生來。」

「這點小事不算什麼，不勞您費心了。」菲約爾德笑著回答，然後問莉莉卡：「但您這樣好嗎？因為我而與皇太子殿下起了衝突。您不是想做屈膝禮給他看嗎？」

莉莉卡的肩膀微微一顫，但她態度毅然地回答：

「不需要為了一場爭吵結仇。而且剛才很明顯是阿提爾錯了，你明明是我的客人。」莉莉卡搖了搖頭，「而且你不是沒事，你不好。坐下吧，如果不想找醫生來，至少讓我幫你擦藥。」

聽見這命令的話調，菲約爾德眨了眨眼，手撫過破裂的嘴角說：

「我真的沒事，皇女殿下，在訓練時也會受到比這更嚴重的傷。」

「訓練跟這不一樣。」

挨打既恐怖又痛苦。暴力會使人畏縮，什麼也無法思考。

以前莉莉卡是別無他法，為了保護重要的人，只能向星星許願。但現在，她擁有力量和權力，莉莉卡想用這些保護身邊的人不受傷害。

所以，莉莉卡難得堅定地說：「我不喜歡。就算你說沒事，我也不會讓你就這樣離開，因為我不喜歡。布琳，能再去拿點方便吃的食物來嗎？要甜的。」

「是，皇女殿下。」

布琳轉身向侍女下達命令。

莉莉卡緊握著拳頭。

在白龍室，她是統治者，擁有權力，而這份權力總是伴隨著責任。

『我必須從一開始就做得更好才對。』

這兩個男人都比她高了一顆頭，因此讓她感到手足無措。而且……

莉莉卡側眼看向拉烏布，他的灰色瞳孔閃爍了一下。

『待會兒我也得跟拉烏布談談。』

侍女拿來醫藥箱後，莉莉卡自己用鑷子夾起棉球。「來。」

塗藥時，菲約爾德乖巧地垂下目光。他偶爾會偷看莉莉卡，但她專注於塗藥，沒有注意到他的視線。

「好了。」

莉莉卡將鑷子還給侍女，帶著菲約爾德走向重新擺設的茶几。

上頭放著熱騰騰的牛奶巧克力。那是莉莉卡最喜歡的飲料。

「喝下這個會讓你平靜下來。」

莉莉卡說完，喝下面前的牛奶巧克力。溫暖的牛奶巧克力味道甜美且略帶苦澀，暖和了她的胃。

她也感覺到緊張感漸漸消散。她知道阿提爾很粗暴，但沒想到他會揮出拳頭。

想到這裡，回想起以前挨打的記憶，身體內部有什麼緊縮了一下。

『我該怎麼跟阿提爾說呢？』

莉莉卡一邊思考，一邊拿蜂蜜蛋糕沾巧克力吃。咬了一大口，她就有了自信，能妥善處理好阿提爾的關係。

「好吃吧？」

聽到莉莉卡的問題，菲約爾德點了點頭。

對他來說，這一切都很新鮮。只是被打，他家的侍女們也不會問他「沒事吧」。

心中某些格外突出的情緒消散了。

慢慢品嘗甜美的巧克力，聽到關心的問候，感受到對方小心塗藥的手。

『這是什麼呢？』

他十分苦惱。

彷彿剛才的紛亂從未發生過，沉靜的時光流逝。溫暖的陽光灑滿會客室，杯中飄散出甜美的香氣，連銀製餐具也在光芒中閃閃發亮。這氣氛讓他的身心都放鬆下來。

創造出這一切的，應該是白龍室的主人，皇女殿下。

菲約爾德不禁微微一笑，意識到自己笑了之後，他輕輕壓下嘴角。

他迅速喝完杯裡的飲料。

「我應該就此告辭了。我離開後，皇太子殿下也會心情好一些。」

莉莉卡搖了搖頭，「那是我和阿提爾之間的事，你不需要擔心。」

「作為一名忠誠的臣子，我不能這麼做。今天我也有過錯，對不起，皇女殿下。」

菲約爾德鄭重道歉，莉莉卡又搖了搖頭。

從一開始阿提爾抓住他衣領時，自己就應該好好處理才對……

菲約爾德再次表示沒事，並小心翼翼地續道：「今天我必須就此告辭了。」

他猶豫了。在他的人生中，猶豫的時刻不多，因此他自己也感到有些尷尬。

他知道自己不能再來這裡了。他很清楚。

他轉頭看向莉莉卡。她那雙透明的眼睛毫無顧慮地注視著他。

「如果可以的話，下次還能邀請我來嗎？」

即使覺得這是個錯誤，他也沒有想改正的意思。菲約爾德看著莉莉卡。

莉莉卡想到了阿提爾，然後看著眼前的菲約爾德，他嘴角的傷口讓人心痛。

「嗯。」

莉莉卡點點頭後，菲約爾德微笑著鞠躬向她道別。

「那我先告辭了。願您平安，小鳥皇女殿下。」

送走菲約爾德後，莉莉卡問布琳：

「菲約爾德不會在回去的路上被阿提爾襲擊吧？」

「您不用擔心那種事，皇女殿下。」

「他們究竟為什麼關係這麼差呢？他們之間發生了什麼事嗎？」

「那個最好直接問他們本人。如果您問起，兩位都會回答您的。」

「嗯，說得也是。好吧。」

比起私下偷偷詢問，直接問可能會更好。

莉莉卡嘆了一口氣，然後快速回頭望向拉烏布，「拉烏布，我們談談。」

莉莉卡將拉烏布帶到會客室旁的房間，然後關上了兩側的門。

莉莉卡手扠著腰，擺出有話要說的姿態，拉烏布則是單膝跪下，配合莉莉卡的視線。

「你為什麼要阻止我？」

「因為我判斷當時很危險。」

「那我又衝出去時，你為什麼沒有阻止我？」

「那時候我認為兩位肯定會接受和解。」

「那一開始就由我阻止他們不就好了嗎？」

「當時反而可能會因為殿下的介入，火上澆油。」

「為什麼？」

莉莉卡歪著頭問，拉烏布沉思著該怎麼解釋，緩慢回答：

「皇太子殿下喜歡您，認為您會站在他這邊。如果看到自己喜歡的人袒護別人，他會更加生氣。」

「嗯……」

莉莉卡抱起雙臂，十分苦惱。拉烏布微微一笑，繼續解釋：「但在打了一拳之後，兩位可能都會馬上意識到『自己做過頭了』。」

在其中一方停止爭論的時候派人去阻止是最好的。

聽了拉烏布的話，莉莉卡垂下肩膀，懊悔似的說：

「但是，他們是白龍室裡打架，我得做些什麼才行，不管會不會火上澆油。如果我當時衝過去，你不是會保護我嗎？還是說，連拉烏布也不能反抗皇太子殿下？」

一個出色的皇女究竟該如何應對呢？莉莉卡覺得自己完全搞不懂。

「如果那時候您想行動，我當然會保護您，但是有更好的方法。」

「那是什麼？」

「您可以叫我去。」

莉莉卡看著拉烏布·沃爾夫。他那灰色的眼中帶著一絲熱情。

「如果您吩咐我整頓局面，我就會做到。不管是拔劍，還是介入兩人之中。」

「但拉烏布是我的護衛，我可以讓你做那種事嗎？」

她不經意說出口的話讓他的臉色一沉，有些難以啟齒地再次對她說：「我是您的盾牌，但我不僅想做您的盾牌，也想成為您的劍。」

可以嗎？

這句話中蘊含著這樣的問題。莉莉卡很是驚訝。

她是來自貧民區的孩子，人們經常在她面前隨意說話，沒有人會在她面前忍住心裡想說的話。但是，拉烏布說話非常謹慎，他沒有因為她只是個八歲的孩子，就隨意提出請求。

莉莉卡低頭看著自己的手。

小小的手掌。

她總是希望自己快點長大。這樣就能做更多事，賺更多錢，更能保護媽媽。

快點長大，做到現在無法做的許多事，有更聰明的想法，做出更好的判斷。

『但是，一個出色的皇女或許不是會獨自做好所有事情的人。』

如果對方是布琳，她可能不會像這樣單獨談話，追問原因，只會好奇地問「為什麼那樣做？」。

自己是不是也沒有完全信任拉烏布呢？

或許只是因為那個不祥的預感就把他帶來——只把他當成一解燃眉之急的存在，而不是真的將他當作自己的騎士。

拉烏布的困擾也許就是這個。

『高貴的人給予讚美時，要怎麼做？』

莉莉卡十分苦惱。皇帝或皇太子讚美她時是怎麼做的？

『他們會摸摸我的頭。』

莉莉卡伸出小手，輕輕撫摸拉烏布的頭。

灰狼顫了一下，望著年幼的皇女殿下。莉莉卡與他對上目光，微微一笑。

「我懂了。那從現在起，拉烏布就是我的盾牌和劍。如果有困難，我一定會叫你的。」
這是她第一次撫摸成年男子的頭，他的頭髮出乎意料的既柔軟又舒服。
她似乎明白為什麼皇帝和阿提爾喜歡摸自己的頭了。
「我會用全力回報您。」
拉烏布深深鞠躬後回答。莉莉卡覺得摸夠了就收回手。
「那再次拜託你了，拉烏布。」
「這是我的榮幸。」
莉莉卡心情輕鬆地走出會客室。她感覺自己與拉烏布的關係更進一步了。
但會客室裡有一位意外的人等著她。
「媽媽？」
莉莉卡開心地跑過去。
露迪婭勉強笑著，將莉莉卡擁入她的裙中，緊緊抱著她，然後望向拉烏布。
她那海藍色的眼睛像是一把匕首。拉烏布低下頭，似乎知道了皇后為何會過來，焦急感在體內流竄。
露迪婭從他身上移開視線，低頭看向莉莉卡。她的臉上不由自主地露出笑容。
「今天菲約爾德來過了吧？情況怎麼樣？」
「嗯，他教得很好。」
至於菲約爾德與阿提爾的爭吵，莉莉卡不知不覺間選擇了隱瞞。
「是嗎？」
露迪婭的來意並非此事，因此沒有注意到女兒的異樣，馬上進入正題。
「莉莉，妳坐下來，我有話要說。」

「好的，請說。」

莉莉卡迅速坐在沙發上後回答。露迪婭輕描淡寫地說：

「關於新選的護衛，媽媽想換成自己心儀的人選，可以嗎？」

換作平時，莉莉卡可能會輕易地答應，但這次不同。

莉莉卡的表情黯淡下來，露迪婭說：「媽媽想為妳挑選一位護衛，可以嗎？」

莉莉卡的視線落在腿上，又抬起頭。

「媽媽。」

「嗯？」

「我希望拉烏布繼續擔任我的護衛。」

這是委婉的拒絕。露迪婭感到驚訝，因為她的女兒一向都是順從媽媽的乖孩子。

「但那個人……！」

露迪婭瞪著站在一旁的拉烏布。

『一年後就會變成另一個人。』

拉烏布被逐出親衛騎士團後大約一年，會失去理智大鬧一番，成為沃爾夫家族討伐的對象。

那時她剛開始在巴拉特公爵家做事，偶然聽到了這件事。因為沒有什麼比暗中批評皇族親信的沃爾夫家更有趣的事了。

因為那起事件，坦恩・沃爾夫負起責任，辭退了騎士團團長的職位。

所以當她聽說莉莉卡選擇拉烏布・沃爾夫作為護衛時，她立刻趕來。

『但妳卻拒絕了我？』

露迪婭緊握著莉莉卡的手說：「媽媽是因為擔心妳才這麼做的，那個人根本不是騎士。有這麼多優秀的騎士，妳為什麼偏偏選他？嗯？聽媽媽的話好嗎？」
這全是為了妳好。
莉莉卡看了看拉烏布，又看向媽媽。
「我明白媽媽的意思，但我相信拉烏布。」
「妳到底看上他哪一點？」
露迪婭十分納悶，不明白莉莉卡為何突然這麼固執。這是從哪裡學來的壞習慣？
「我喜歡拉烏布。」
「不行，媽媽不允許，快換成其他人。」露迪婭站起來，強忍著怒火，「媽媽會自行處理的。」
「媽媽，請您不要這樣，好嗎？」
莉莉卡也站起來，抓住她的裙襬，而露迪婭甩開她的手說：「媽媽不喜歡不聽話的莉莉。」
莉莉卡嚇了一跳後放開手，雙手緊緊抓住自己的裙襬。
露迪婭想從莉莉卡口中聽到投降的宣言。
『我為妳做了多少事……』
莉莉卡的小手緊握著裙襬到發白，並顫著肩膀抬起頭，眼角閃爍著淚光，「我、我……」
露迪婭保持著嚴厲的表情。
『雖然現在會有點難受，但總比日後悔不當初好。』
這時，布琳走過來，在莉莉卡旁邊單膝跪下，緊握著她的手。
她低下頭說：「恕我失禮，皇后殿下，您能否先聽聽皇女殿下為何這麼做呢？」
那一刻，莉莉卡的臉色放鬆了下來。小小的手緊緊握住布琳的手。
露迪婭知道，她知道女兒不信任她，這可以花時間慢慢建立培養。雖然這樣想，但是看到女兒更依賴其他人，而非自己就有點……

『不行。』

不可以。

不願意接受嗎？

露迪婭突然清醒了。

『剛才那根本就是自私的想法吧？』

露迪婭重新審視自己的想法。

『這都是為了妳好。現在吃點苦比較好。』

這也是她過去，重生之前說過的話。認為自己是對的，忽視莉莉卡的想法，對她置之不理，將她拚命的解釋當成微不足道的理由駁斥。

『天啊。』

露迪婭感覺像血液一口氣流光了，指尖冰涼。

『說愛她，只是餵飽她、給她穿好衣服就夠了嗎？』

她意識到自己的行為在本質上沒有太大的改變，彷彿遭到當頭棒喝。

「皇后殿下？」

布琳察覺到異狀而喚了一聲，露迪婭這才回過神來。

露迪婭好想哭，她喘著氣說：「莉莉，我們能單獨談談嗎？」

「……好的。」

看到女兒猶豫不決地回答，她感到心好痛，「我不會逼拉烏布離開的。」

她勉強說出這句話，莉莉卡的表情才因此好轉了。

她們像剛才一樣走到對面的房間，關上門，露迪婭立刻跪在女兒面前抱住她。

「媽、媽媽？」

「對不起，莉莉，媽媽又犯錯了。為什麼我總是犯錯呢？我也想當個好媽媽啊。」

淚水流出眼眶。她不確定在孩子面前說這些話是否正確。

她想成為一個好媽媽，但究竟該怎麼做呢？

「媽媽不討厭莉莉。即使莉莉討厭媽媽，遠走高飛，媽媽也愛妳。我剛才不該這麼說的，媽媽也最喜歡不聽話的莉莉了。」

莉莉卡的眼中也馬上湧上淚水。

「謝謝妳作為媽媽的女兒出生。無論莉莉是惹了麻煩、生了病還是闖了禍，我都愛妳。」

她不是想要一個聽話的乖女兒，而是希望她幸福。

露迪婭努力斟酌言辭。當她擔心自己的心意是否有傳遞出去時，小小的手臂也抱住了她。

「我也愛妳，媽媽。」

「……！」

那句話為她帶來無法言喻的震撼。

露迪婭滿臉笑容地抱著女兒，然後吐出漫長的一口氣，並數到三。

「媽媽剛才錯了，我應該聽聽妳為什麼想選拉烏布作為護衛。能告訴媽媽嗎？」

「那是因為……」

莉莉卡擔心自己的理由會被嘲笑。雖然她對阿提爾可以很有自信地說「直覺很準」，但對媽媽又不一樣了。

莉莉卡小心翼翼地開始解釋。媽媽沒有一絲笑意或驚訝，認真地聽她講述。

受到她的反應鼓舞，莉莉卡坦承了一切，媽媽聽完說了句「原來如此」，沉思了一會兒。

「那就沒辦法了。莉莉，按照妳的意願做吧。」

媽媽的許可讓莉莉卡燦爛地笑了，再次抱住媽媽。沒想到自己的選擇得到認可，會帶來這麼強烈的安心感。

「謝謝您，媽媽！」

「不，媽媽也反省了很多。對不起，莉莉。」

在女兒的額頭上印上一吻，摸了一下她的頭後，露迪婭站起來。

「那就請妳轉告拉烏布吧。畢竟比起媽媽去說，這樣做可能更好。」

「好的。」

莉莉卡回答後，露迪婭微微一笑說：「對了，莉莉，妳不需要朋友嗎？」

「朋友？」

「嗯，朋友。」

「是，我覺得如果有朋友是最好。」

「這樣啊。」

露迪婭點了點頭。現在她打算去與坦恩·沃爾夫，沃爾夫家的家主談判。

『是坦恩·沃爾夫把那樣的狼推給我女兒的嗎？』

拉烏布會改變是因為他回到了故鄉嗎？所以莉莉的直覺才會發出警告？

『但放著不管也很令人在意。』

有來有往，那才算是雙贏。

她打開門走出去時，看到了布琳。露迪婭對她說：「幸好有妳在莉莉身邊。」

布琳看到莉莉卡開朗的笑，就知道事情順利談完了。她輕輕捏起裙角回答：「您過獎了。」

「今天真是多虧了妳。」

「能夠服侍皇女殿下是我的榮幸。」

聽到這忠誠的話，露迪婭輕輕一笑，再次擁抱女兒後離開了白龍室。

莉莉卡送走媽媽後跑向拉烏布，毫不猶豫地抱住他。

拉烏布驚訝得僵在原地，莉莉卡則抬頭對他大聲說：「媽媽說你可以繼續當護衛！太好了，拉烏布！」

拉烏布吃驚得倒抽了一口氣。沒想到這位皇女殿下能成功說服皇后殿下，他其實已經有些放棄了。他得到了保護。

被上位者保護的安心感擴散開來。對沃爾夫家的人來說，這是非常需要的安定感。

「謝謝您，皇女殿下。」

「不用謝！還有布琳！」

布琳微笑地接住撲進圍裙裡的莉莉卡。

「謝謝妳，多虧了妳，我才有勇氣。」

「這正是我在您身邊的理由。」

「但我還是很感激妳。」

莉莉卡笑了。她藍綠色的眼睛閃閃發光，臉頰上還留有淚痕。

布琳輕輕為她擦拭，「今天真的發生了許多事呢。」

聽到布琳的話，莉莉卡垂下肩膀說著「就是啊」。她現在應該去找阿提爾，但是太累了，不太想去。

或許休息一天也無妨？就當作是「我生氣了」的抗議行動。

「活動一下身體感覺能讓頭腦更清醒。」莉莉卡對布琳說，「布琳，我們去花園如何？」

「祕密花園嗎？」

「嗯，我想活動一下。也得去採一些草藥。」

「好的，那我去準備一些輕食放在籃子裡。」

「好！」

想到裝滿籃子的食物，莉莉卡又恢復了精神。

她在花園裡拔完雜草後，用豐盛的食物填飽了飢餓的肚子。

拉烏布用石頭撐起搖晃的戶外餐桌。雖然配套的椅子對莉莉卡來說太高了，但是雙腳能夠前後擺盪，她很喜歡。

布琳和拉烏布也一起聊著天。莉莉卡吃完飯後，拿著採到的草藥回到房間。

『把草藥放進玻璃瓶裡……』

晚上，布琳幫助她製作魔法金幣。將玻璃瓶放在月光直射的窗邊，莉莉卡雙手緊握。

『妖精大人、妖精大人，請賜予我力量，請守護我所愛的人們。』

她偷偷睜開眼，看到金幣閃閃發光，差點驚呼出聲，但她怕嚇到精靈，讓他們跑掉，所以忍住了。

相對地，她小心地從窗邊退開，鑽進床裡。

她夢到自己與月光精靈們共舞的幸福美夢。

CHAPTER. 3

所謂的家人

阿爾泰爾斯走進臥室，發現露迪婭正坐在床邊流淚。

他在門邊佇足片刻後，走進去問道：「怎麼了？有人欺負妳嗎？」

這個女人？會被人欺負後在這裡哭？

她不是會哭著跑回來尋求慰藉的人，而是會自己撕碎手帕，發誓復仇的類型。阿爾泰爾斯很喜歡她這一點，也喜歡為此自信十足地來尋求合作的她。

「莉、莉莉她……嗚嗚。」

一提到女兒的名字，她又開始哭泣，之後拿出手帕擦臉擤鼻涕。她「呼～」地吁了一口氣。

「我很努力想讓莉莉幸福，但不太順利。今天我又對莉莉動怒了，然後躺在床上思考。」

我為什麼要生氣？

因為她不聽話？不聽話就該生氣嗎？

為什麼莉莉卡不聽話就令我生氣？莉莉卡明明不是生來聽從我命令的。

因為她不按照我說的做，我擔心莉莉卡會受傷，我擔心拉烏布會傷害莉莉卡。

「我很害怕。」

「但因為害怕就對別人生氣，不奇怪嗎？」

阿爾泰爾斯坐在她身旁。他聽說她今天和坦恩單獨見面談了事情，想來問問談話內容，但是得晚點再說了。

他將她柔軟的金髮撥到耳後，說：「人經常這樣不是嗎？」

「你說經常這樣？」

「對，害怕時動怒，悲傷時動怒，厭惡時也動怒，很少人會深入了解自己的情感。」他安慰地補道：

「而且，害怕時用憤怒面對敵人，並不是壞事吧？」

露迪婭哼了一聲。

「莉莉不是敵人。再說，那樣做也會將非敵方的人變成敵人吧。」

更何況對方是她柔軟可愛的莉莉卡。

「我不想那樣。我不希望因為自己的情緒讓莉莉卡受驚或受傷。」她又嘆了口氣，「我發現自己不太了解我的女兒，我甚至不知道我送給她的陽傘對她來說太重，她幾乎拿不動。」

她咬著唇，立刻轉頭看向阿爾泰爾斯說：「我不想像你那樣養育她。」

「什麼？」

阿爾泰爾斯挑起眉。

露迪婭看到他的表情毫不畏懼，繼續說道：「看你怎麼養育阿提爾就知道了。我的女兒雖然已經很可愛了，但我還是希望能把她養育得更好。」

「無論是之前還是現在，我都覺得，妳真是個毫無畏懼的女人。」

阿爾泰爾斯的手指關節撫過她的臉頰，然後滑到頸項，指尖輕掠過她的鎖骨。

「因為我沒有理由害怕。」

露迪婭堅定地回答。這讓阿爾泰爾斯感到有點奇妙。

在他面前，「毫無理由害怕」的人究竟是什麼樣的人呢？

「聽說妳今天和坦恩單獨會面了。」

「啊，是為了莉莉的護衛問題。把拉烏布那種獨行狼交給莉莉卡真是太過分了，所以我不放心，就請他派迪亞蕾來做莉莉卡的談心朋友。」

「迪亞蕾？迪亞蕾·沃爾夫？」

「對。」

阿爾泰爾斯輕笑出聲。

「不喜歡獨行狼，卻要迪亞蕾・沃爾夫來做談心對象，真搞不懂妳是心胸寬大還是另有所圖。接受這個提議的妳女兒也真是寬宏大量啊。」

「我女兒是世界上最棒、最可愛的。」

露迪婭伸手抓住他的襯衫前襟，將臉龐湊近，距離貼近到像要接吻。

露迪婭低聲說道：「所以我願意為了女兒做任何事。任何事。」

阿爾泰爾斯那雙與露迪婭截然不同的藍色眼睛瞇起。雖然眼神銳利，聲音卻很溫柔。

「我很期待。」

坦恩・沃爾夫在黑暗中仰望月亮。也許是祖先是狼的緣故，他們，不，是他——坦恩一直努力將他視為一個個體，而非群體——總是會被月亮吸引，當滿月照耀之時，他會渴望在森林中奔跑。

這正是他們不開墾、留下那片廣袤森林的原因。北方的深邃黑森林對於狼族而言是最棒的去處。

狼會群居生活，沃爾夫家也總是一個熙熙攘攘的大家庭，但偶爾會出現一些因為祖先的血脈太強或太弱，十分異常的個體。他們無法適應群體，終成外人到處徘徊，最後消失無蹤。

坦恩擔心拉烏布也會成為那樣的存在，但他能成為皇女殿下的手下實屬令坦恩意外。

『他得在新的群體中好好適應啊。』

他搔了搔臉頰。

提到「皇女殿下」，他立刻想到了露迪婭。當阿爾泰爾斯首次宣布要結婚時，坦恩相當驚訝，但現在他似乎明白了原因。

『這是我第一次被人抓著衣領呢。』

她說如果我的女兒出了什麼事，我會殺了你。那宛如野獸咆哮的眼神讓坦恩很中意。

『但沒想到會請我派迪亞蕾過來當皇女殿下的談心朋友。』

是好是壞猶未可知。

但對他而言，別無選擇。

『時間會告訴我們答案的。』

他這麼想著，閉上了眼睛。金色髮絲如同月亮，在腦海中浮現又消失。

莉莉卡比平時晚起了一些。也許因為這樣，昨天的疲勞已經完全消散了。

但有其他事情先占據了她的思緒。

『金幣！』

她從床上跳起來，匆忙跑向擺在窗邊的玻璃瓶。

「哇！」

金幣閃閃發光。當然，在陽光下閃耀是理所當然的，但它似乎比普通的金幣更加耀眼。

她小心翼翼地將手伸進玻璃瓶，取出金幣。金幣上刻著一隻龍。

即使謹慎地輕觸，其光澤也絲毫未減。

『魔法果然太酷了。』

雖然她知道有能從口中吐出火焰或從耳後拿出硬幣的魔術師，但從未親眼見過，只聽過孩子們談論，現在卻能學到這樣的魔法。

莉莉卡想快點拿給布琳看。

「布琳，布琳。」

「是，皇女殿下。哎呀，您穿著睡衣呢。」

布琳呵呵笑著，在莉莉卡的肩上披上三角披肩。莉莉卡毫不在意地伸出手。

「妳看這個。」

「是金幣呢。嗯？」

金幣立刻吸引了喜愛閃亮物品的布琳目光。若是一般的金幣，她早就看膩了，但這枚金幣不同。它更加耀眼。

「這金幣真的在漂亮地閃閃發光呢？」

「是月光精靈分給我的力量。」

莉莉卡低聲說。布琳回答道「原來如此」，目光仍舊無法從金幣上移開。

莉莉卡嘻嘻笑著，「我也會一個送妳。」

「真的嗎？」

紫色的眼瞳閃閃發光。

「嗯，當然了，我本來就打算也為布琳做一個。現在只需要將這枚金幣包在白手帕裡就大功告成了。」

「那樣太容易掉出來了，我們把手帕折成四方形，將金幣放進去，然後縫上缺口吧。」

「那就這麼做吧。」

莉莉卡急切地想完成它，但布琳說要先吃早餐。

匆忙吃完早餐後，莉莉卡拿到了柔軟的亞麻手帕。

先橫折一次，再縱折一次，把它折成正方形後把金幣放進去，用藍色的線縫上邊緣。

在布琳的指導下，莉莉卡仔細地將手帕邊緣縫好。

「完成了。」

「既整齊又漂亮，金幣絕對不會掉出來的。」

「嗯。」

莉莉卡直盯著護身符看。

千萬要好好保護阿提爾。她在心底祈禱。

布琳輕咳一聲，小聲說：「但是，皇女殿下。」

「嗯？」

「能為我做一個銀幣的嗎？而非金幣。」

「銀幣？」

「是的，我喜歡銀幣多過金幣。」

「真的嗎？嗯……月光精靈大人會喜歡銀幣嗎？」

「如果是溫柔的精靈大人，就算用銀幣，肯定也會幫助您的。而且，清晨的月亮是銀色的不是嗎？」

布琳迫切的話語讓莉莉卡點了點頭。她說得有道理。

「我本來想幫妳做金幣的護身符，但我們就用銀幣試試看吧。」

「不是普通的銀幣，請您用這個。」

布琳迅速拿出一枚新鑄造的銀幣。新銀幣毫無汙漬，閃閃發光。

銀幣上刻著一位人物的側臉……

「這是媽媽嗎？」

莉莉卡驚訝地問完，布琳笑著點了點頭。

「很漂亮吧？每次鑄造銀幣時都會刻上皇后殿下的側臉，這次的銀幣真的刻得很漂亮。」

「嗯，真的很漂亮。」

波浪捲髮被精細地雕刻出來。布琳笑咪咪地說：「我也拿一枚給皇女殿下吧？」

「真的嗎？」

「是，真的，我會拿一枚剛鑄造出來的銀幣給您。剛從模具中取出來的銀幣多漂亮啊。」

布琳露出著迷的表情，之後迅速變回原本的表情，「您別擔心，我會找一枚刻得很漂亮的給您。」

「嗯。」莉莉卡笑著點頭。她玩弄著護身符，低聲說：「阿提爾還在生氣嗎？」

「就算他還在生氣，看到護身符應該也會消氣的。」

「希望如此。」

莉莉卡站了起來。

就在這時，一位侍女小心翼翼地走近，說道：「皇太子殿下派了一名侍從過來。」

「讓他進來。」

阿提爾？派侍從？

究竟是什麼事呢？

莉莉卡歪著頭時，布蘭走了進來。莉莉卡站起身迎接他。

「布蘭！」

「早安，皇女殿下。」

「有什麼事嗎？」

面對莉莉卡的問題，他微微一笑，說道：「皇太子殿下邀請您前往馬廄。」

「馬廄？」

為什麼突然要去馬廄？

莉莉卡感到疑惑時，布蘭低聲耳語似的說：「殿下反省過昨天的事情了。」

「阿提爾？」

難以想像阿提爾會反省，但她很快就往積極的方面想，點了點頭。

反正我也有事情要找他不是嗎？

「知道了。什麼時候？」

「就是現在。」

當他一臉為難地補充道，莉莉卡笑了。

「真像阿提爾。」

「還有，請您換成舒適的衣服。」

布琳似乎察覺到了什麼，笑著說：「明白了。皇女殿下，這邊請。」

不久後，莉莉卡換上相當精緻的騎馬服，帶著「難道有什麼驚喜」的心情興奮地喋喋不休。

「阿提爾會讓我騎馬嗎？妳覺得呢？我還是第一次騎馬呢。」

「您可以期待一下。」

布蘭溫和地笑著回答，莉莉卡的期待感更加膨脹了。

也許她會獨自騎馬，那會不會有點恐怖？

不對，會有人抓著韁繩帶領馬走吧。

馬廄位於距離太陽宮殿相當遙遠的地方。接近時，立刻聞到了動物的氣味和新鮮乾草的香氣，莉莉卡明白了為何會建在遠處。

在馬廄入口，同樣穿著騎馬服的阿提爾斜站著。

「阿提爾。」

莉莉卡小跑過去，然後突然停下。他或許還在生氣。

她歪頭仰望他時，阿提爾沉默不語。旁邊的派伊撞了一下他的側腹。

「啊，別這樣。」

阿提爾對他顯露出惱怒，然後深深地嘆了口氣。他別開目光說：「昨天的事，我很抱歉。」

莉莉卡驚訝地睜大眼睛，隨即笑了。

「我已經原諒您了，但還是謝謝您的道歉。」

阿提爾驚訝地看著莉莉卡。派伊也感到驚奇，而布琳點了點頭。

她不是說「沒關係」或「不會」。

她的意思是：沒錯，你的行為很無禮，但我原諒你，而且我依然喜歡你。

莉莉卡這麼表示。她迅速從口袋中取出護身符。

「還有，這是給您的禮物。」

「禮物？」

當派伊好奇地湊過來時，阿提爾轉過身去。

「我可以打開來看嗎？」

「不行，這是能保護您的護身符。是我很用心做的，所以請您一定要隨身攜帶。」

「護身符？」

「對，這是為了心愛的人準備的護身符。」

聽到莉莉卡的話，阿提爾的眉頭皺了起來，緊抿著唇。

『他生氣了嗎……？』

莉莉卡感到驚慌時，他把護身符塞進口袋裡，說：「哼，為什麼要做這個。」

「啊！」

莉莉卡這時才意識到，這是他害羞或忍住笑意時的壓抑表情。

『他可以直接笑出來啊。』

莉莉卡笑著，抱住他壞心地說：「這是我認真做的耶。如果您不需要，請還給我。」

看著笑盈盈說話的妹妹，阿提爾回答道：

「妳說這是妳認真做的啊。看在妳的誠意上，我就收下了。」

莉莉卡不再逗他，笑著站在他身旁。

阿提爾拉了拉她的手，「既然收到了禮物，我也送妳回禮吧？」

他吹了一聲口哨，馬廄裡的馬夫立刻牽出一匹小馬。

莉莉卡的眼睛瞪得大大的。

那是一匹美麗的棕色小馬。毛皮如絲絨般柔軟，光澤閃耀，鬃毛是非常淺的奶油色，從某種角度看也像白金色，額頭上有一顆小小的星形斑點。

「這是妳的了。」阿提爾看著莉莉卡，一臉得意地說。

「我的、我的嗎？」

莉莉卡結結巴巴地回問，阿提爾就點了點頭說：「對。」

「您要不要幫牠取個名字？」派伊在一旁提議道。

「那、那好。」

莉莉卡輕輕伸出手。與其他大馬一樣，小馬看起來沒有威脅性。

她一伸出手，小馬似乎在確認她手上是否有東西，用嘴巴碰了碰她的手，然後從鼻子噴出一股氣息。

莉莉卡開心地笑了。

「就叫牠『晨星』吧。因為牠的額頭上有顆星星。」

「晨星，聽起來不錯，感覺是會流傳下去的名字。」派伊笑嘻嘻地說。

阿提爾擋住派伊，對莉莉卡說：「現在去騎看看吧。」

「騎嗎？」

要怎麼騎呢？

雖然晨星是匹小馬，但比莉莉卡高大，她無法直接上去。

「就像這樣。」

阿提爾一把將她提起，放到馬鞍上。

莉莉卡還來不及驚訝。

「我會抓著妳，把腳掛在馬鐙上。對。」

他還親自調整了馬鐙的長度。

「那、那現在我該怎麼做？」

「絕對不要彎腰，要挺直背脊。踩在馬鐙上的腳要用力。」阿提爾一邊解釋一邊輕拍馬的臀部，「妳騎看看就知道了。」

「呀啊！」

「殿下！」

「皇女殿下！」

莉莉卡在輕快奔跑的馬背上拚命將身體挺直。
「這、這、這、這太晃了。」
原來馬背上本來就會這麼晃嗎？
這時，馬停了下來。莉莉卡喘了口氣。
不知何時，拉烏布來到身旁，手握著轠繩站著。
「拉、拉烏布。」
「您還好嗎？」
「嗯。」莉莉卡點了點頭後笑了，「我是不害怕，但是太晃了，要挺直背脊真的好難。」
「您剛才保持得很好。」
「真的？」
「是的。」
拉烏布溫柔地微笑著回答。隨後走來的一行人你一言我一語地說：
「什麼啊，妳騎得不錯嘛。」
「阿提爾，真的拜託你不要這樣。」
「皇女殿下，您騎馬的樣子一點也不像初學者。」
「我還擔心您會摔下來，嚇了一跳呢。」
在拉烏布的指導下，莉莉卡努力地學騎馬。後來，她甚至表示想要再快一點。
當拉烏布讓馬加速時，莉莉卡再次繃緊搖晃的身體。幾次之後，她的臉變得像蘋果一樣紅，汗水滴落下來。
布琳阻止莉莉卡道：「您突然這麼勉強自己，明天會動不了的。」

「是嗎？」

「是的，您以後還有很多機會可以騎，今天就到此為止吧。」

「嗯，晨星應該也累了。」

拉烏布幫助莉莉卡下馬。她決定下次要製作踏板之類的東西。

「我、我的腳在發抖。」

一踏上地面，雙腿就不由自主地發軟，讓莉莉卡嚇了一跳。

布琳笑了：「您看，應該休息一會兒就會好了。」

「我們準備了一些輕食和飲料，就在不遠處。我們過去吧。」

布蘭溫和地說道。他果然就像能幹的侍從典範，讓莉莉卡感到佩服。

侍從們帶來了椅子、桌子，甚至還有遮陽傘，搭建成了臨時小餐館。

也許是口渴了，莉莉卡大口喝下冰涼的檸檬水。

「這麼熱的夏天裡，怎麼能讓水變得這麼冰涼呢？」

「皇宮裡有冰窖。」

「冰窖？」

「是的，下次我們一起去吧，裡面非常涼快。」

聽到布琳的話，莉莉卡點了點頭。「探險」這個詞總會讓人感到雀躍。

莉莉卡喝了許多冷飲直到生膩，最後從那天傍晚開始肚子痛。

當醫生說「是因為喝太多冷飲引起的」後，布琳驚訝不已。

「您說是冷飲造成的？」

「是的，通常孩童在熱天時喝太多冷飲，就會導致胃痛。」

醫生語氣友善地向布琳解釋。這個意外讓布琳的臉色變得很難看。

她曾對莉莉卡說過權族的身體出奇地健壯，但她沒有確實了解莉莉卡的狀況，對自己的疏忽十分痛心。

「那我們該怎麼辦呢？」

要溫暖腹部，喝些熱薑茶。

「我也會為您準備一些藥。」

布琳點了點頭，忙碌起來。她煮了許多熱薑茶，並將烤熱的燕麥放進布袋中。

將布袋放在莉莉卡的腹部上時，布琳問道：「會太重嗎？會太熱嗎？」

「不會……」

莉莉卡以沉悶無力的聲音回答。即使來回跑廁所，肚子的痛楚也沒有消滅。

聽聞情況的露迪婭匆匆趕來。她似乎是從沙龍聚會趕來的，打扮得華麗非凡。

「莉莉。」

「媽媽……」

因為腹痛，莉莉卡自然發出了虛弱的聲音。露迪婭不顧衣服就直接爬上床。

「很痛嗎？」

「嗯。」

被抱在懷裡時，莉莉卡聞到了淡淡的香粉味和媽媽的味道。露迪婭將自己的手放在燕麥袋上加熱後，開始搓揉莉莉卡的腹部。

奇妙的是手掌在腹部上搓揉時，疼痛開始逐漸減輕了。

露迪婭輕聲說：「媽媽會一直在妳身邊的，妳睡一下吧。」

輕柔地摩娑腹部的手、哼唱搖籃曲的歌聲，還有媽媽的氣息，莉莉卡慢慢沉入夢鄉。

布蘭發現布琳手裡拿著許多卷軸和書籍，其中一封信從她手中的文件堆上掉了下來。

「給妳。」

布蘭急忙在信件落地前接住它，並放回原處。

他沒有說「需要幫忙嗎？」，因為無數次的經驗告訴他，問了也無濟於事。

「這是什麼文件？」

「是關於如何撫養普通孩子的資料。我絕不會再讓皇女殿下難受了。」

布琳的眼睛閃閃發亮。

「我召集了在撫養孩子方面受到讚賞的老婆婆和保姆，讓她們分享育兒的經驗，然後只記錄下她們共同的觀點。」

布蘭回想起理應受到召集的索爾家人員。

城堡內當時也許因為召集來的老婆婆們，變得熱鬧非凡，而布琳手上拿著的應該就是經過篩選的資料。

「需要做到這種地步嗎？」

聽到布蘭的話，布琳輕蔑地笑了笑，對布蘭說：「如果孩子從樹上掉下來該怎麼辦？」

「就讓他掉下來吧，硬要接住他反而會弄傷自己的手臂。塔卡爾族的孩子比其他孩子還重，骨頭也很結實，即使掉下來也不會受傷。」

這樣說完，布蘭恍然大悟地「啊……」了一聲。

索爾家負責侍奉塔卡爾，因此，他們的育兒知識是針對塔卡爾族的。

「等等，這個例子太極端了……」

「哪裡極端了，我可是聽著『侍奉的皇族扔來物品時，該如何毫不痛苦地接住物品』的課程長大的。」

「嗯，那個我也用過好幾次。」

避開會更激怒對方，所以布蘭對阿提爾用過好幾次巧妙地被擊中，但不會痛的技巧。

「但是這合理嗎？只因為喝了冷飲就腹瀉。」

布琳低吼道：「這是索爾家族的恥辱，不，是賭上我布琳・索爾的名字也不允許發生的事。」

我太大意了。

她咬著嘴唇，布蘭也點了點頭。

他也聽說了莉莉卡因為喝冷飲腹瀉的事。阿提爾和派伊聽到後很驚訝，他也同樣如此。

塔卡爾族的孩子並非不會腹瀉，但通常是因為沒有多加留意就吃下毒物才會發生，不是因為喝了太多冷飲。

「我聽說低等貴族中也有這種人。」

「還有其他驚人的事。聽說普通孩子有時會無故發燒。」

「發燒？」

布蘭再次感到驚訝。發燒不是只會在嚴重生病時才會出現的症狀嗎？

「是的，那叫『智慧熱』，總之就是會那樣。」

「無緣無故？」

「是的。」

「那……真是恐怖。」

「對吧？」布琳瞥了布蘭一眼，說：「不過，你可以幫我拿一半嗎？」

「非常樂意。」

布琳突然反常地開口詢問，布蘭心情愉悅地接過一半的文件。

這時，他看到布琳舒展肩膀，那雙不會錯過任何閃亮物品的眼睛，直盯著她別在衣領上的胸針。

那是一枚銀幣胸針。

這枚銀幣散發出奇異的迷人光芒，邊緣以金色裝飾，然後固定在緞帶中央。

即使並肩走著，他的目光也不停飄向那枚胸針。

原來是想要炫耀才請我幫忙拿東西啊。即使心生哀嘆，他也忍不住問道：

「那個胸針是在哪裡買到的？」

「是皇女殿下送我的。」布琳得意洋洋地說，臉上露出微笑，「很漂亮吧？」

「那不像普通的銀幣，是怎麼加工做成的？」

「那是祕密。」布琳嘻嘻笑著，轉過身來，「那麼，現在請把文件還給我。」

「既然都已經幫忙拿了，我就幫妳拿過去吧。」

「不用了，我也有兩隻手，和你一樣。」

「但是——」

「快點。」

布蘭又把文件放到布琳手中的文件上。

「那我先走了。」

布琳輕輕蹲下再站起，快步離開。也許是因為向他炫耀了銀幣，所以步伐很輕快。

「唉……如果家族裡的孩子們看到了，都會想要的吧。」

連他都想要了，其他孩子肯定萬分眼紅。

『應該請皇女殿下幫忙嗎？』

莉莉卡皇女殿下肯定會笑著給他一枚，但那樣的話，就得忍受布琳那嚇人的凶狠目光。況且，皇女殿下不是他服侍的主人，想提出這種請求也是件難事。

他搔了搔臉頰，帶著一絲遺憾轉身離開。

莉莉卡這幾天都只吃有助消化的食物。就在她快要厭倦時，母親帶來點心卡士達布丁，讓她高興地歡呼起來。

露迪婭看著莉莉卡一臉幸福地吃著布丁的樣子，心想著原來看到自己的孩子吃東西，是那麼令人會心一笑的事。

「對了媽媽，您今天真的很美。」

莉莉卡的話讓露迪婭呵呵笑了，「我等等要去大劇院一趟。」

「大劇院？」

「對，那是一個演出戲劇和歌劇的地方。」

「您和陛下一起去嗎？」

「不，今天媽媽自己去。下次希望莉莉也能一起去。」

等那個被大火燒毀的大劇院重新建好之後。

露迪婭嚥下了後半句，在莉莉卡圓圓的腦袋上親了一下。

「那媽媽先走了。」
「我送您出去。」
莉莉卡放下布丁，從座位上站起來，「我現在已經完全好了，非常健康，不需要再待在房間裡了。」
看著莉莉卡積極地說著，露迪婭笑了。看來最近布琳有過度保護她的傾向。
「好。那我們一起走到馬車那裡吧？」
「好的！」
「去換上輕鬆的衣服吧。」
露迪婭看著布琳，輕推了一下莉莉卡的背。放著布丁不管，莉莉卡高興地跟著布琳離開了。
這是時隔許久的外出。
她換上衣服，穿上裝飾著銀釦的新靴子。新靴子的聲音很輕快，感覺很好，和媽媽手牽手走在宮殿裡也很愉快。
今天為了去劇院而穿上外出服的媽媽真的非常美。
『等我長大，也要做一件和媽媽一樣的衣服來穿。』
稍微傾斜地放在金色頭髮上的小帽子也美得讓人驚嘆。
莉莉卡加重力道，握著雙手。這麼美麗的人是她的媽媽，讓她非常自豪。
馬車已經準備好了，出乎意料的是，阿爾泰爾斯在馬車前等著。
露迪婭驚訝地問：「您也要一起去嗎？不，您的打扮完全不像要出門的樣子。您不會打算以這身打扮和我一起去大劇院吧？」
「不，我惹人憐愛的妻子要在百忙之中外出，我是來送行的。」
他微微一笑，露迪婭也報以笑容。

扮演一對恩愛的皇帝夫妻也很重要。

「要讓如此美麗的妻子獨自外出，真讓人不安。」

他伸手輕觸她的翡翠耳環，露迪婭則勾起淡淡的微笑，「我總是會回到您身邊啊。」

『哇。』

莉莉卡十分佩服。

她知道兩人之間是契約關係，所以這也是工作之一，但是該怎麼說呢？阿爾泰爾斯明明只是輕輕觸碰媽媽，她卻莫名感到臉頰發燙。

偷偷環顧四處，周圍的侍從們也露出相同的表情。

「我知道，但妳總是……」

陛下的聲音越來越低，最後湊近媽媽的耳邊低語了什麼，讓媽媽臉紅地笑了出來。

她的手溫柔地抓住陛下的手臂，而阿爾泰爾斯笑著放開了露迪婭。

「再不出發就要遲到了。若是表演有趣，回來再跟我說說吧。」

「當然會的。」

「那莉莉要不要和我一起送媽媽出門？」

阿爾泰爾斯伸出手，莉莉卡馬上握住。她一手被媽媽牽著，另一隻手被阿爾泰爾斯握住。

這是她第一次同時被兩人牽著。

媽媽彎腰對莉莉卡說：「我去去就回。」

「路上小心，請注意安全。」

「我帶著莉莉給的護身符，所以不用擔心。」

媽媽微笑著，在陛下的陪同下上了馬車。馬車門關上，看著媽媽遠去時，陛下突然把她抱起來。

「聽說妳生病了？」

聽到阿爾泰爾斯的問題，莉莉卡點了點頭，他則嚴肅地看著莉莉卡。

莉莉卡急忙說：「我已經沒事了，只是肚子痛而已。」

「這麼說也是。」他輕輕一笑，「是不是該做一個讓妳更健康的護身符呢？」

「！」

莉莉卡頓時有了靈感，他瞇起眼睛。

「我看到了妳給露迪婭的護身符……妳說是妳自己做的對吧？」

「是的。」

「是怎麼做的？」

「那個……」

莉莉卡猶豫著，阿爾泰爾斯則有耐心地等著。她不知道是否可以告訴阿爾泰爾斯魔法的事。

阿爾泰爾斯對她的猶豫輕輕一笑，開始往前走。莉莉卡驚訝地抓住他的肩膀。

「都別跟來。」

他的一句話讓跟上來的侍從和騎士們都停了下來，但只有拉烏布走近一步。

「陛下。」

他低聲呼喚阿爾泰爾斯。阿爾泰爾斯露出凶狠的笑容——莉莉卡不曉得他怎麼做到的——回答：

「怎麼，拉烏布·沃爾夫？你想要用你的腳一邊奔跑一邊吠叫嗎？」

「……」

拉烏布的表情僵住。莉莉卡發現到事情正朝著不好的方向發展，大喊道：「拉烏布，等著！」

「……」

一陣奇妙的沉默流淌。莉莉卡察覺到這股氣氛，尷尬地說：「不是，我的意思真的是等一下……為什麼……我說了很奇怪的話嗎？」

「沒有啊，難不成妳也會說『坐下』或是『握手』？」

阿爾泰爾斯的話讓莉莉卡一臉呆愣。她沒養過狗，所以不太懂這些。

在貧民區裡徘徊的野狗，只是令她害怕的對象，所以她只就字面理解阿爾泰爾斯的話。

「為什麼要讓拉烏布做那些事情？不對，是可以讓他坐下啦。」

握手是什麼意思？

當她這樣想著，阿爾泰爾斯笑了，再次邁開腳步。

莉莉卡轉頭說：「我出去一下。」

她還揮了揮手，要拉烏布安心。杵在原地的拉烏布很快就變得很遙遠。

阿爾泰爾斯一路朝天空宮走去。不久後，他們來到一個無人的花園，阿爾泰爾斯說：

「妳看看這個。」

他指向花園裡的玫瑰花。莉莉卡的視線也跟著看去。

「哇！」

掉在地上的花瓣全部被捲到半空中，然後像雪一樣落下。

就如字面描述的花瓣風暴，莉莉卡驚訝地問：「您是魔法師嗎？」

阿爾泰爾斯笑了，「差不多。這是龍族的權能。」

「我以為您只能凍結東西呢。」

「那也可以。」

他攤開手掌，一個雪花晶體出現後，手一揮又消散了。

他再次問道：「所以，妳的護身符是怎麼做出來的？」

「就是——」

看到了宛如魔法的情景，莉莉卡澈底敞開了心房。她詳細地講述自己發現魔法書的事。

「嗯……」

聽完故事後，阿爾泰爾斯沒有說話。莉莉卡直看著沉默的皇帝，問道：「那個真的是魔法對吧？」

雖然金幣會閃閃發光，但她還無法確定那是否真的有護身符的效用。

阿爾泰爾斯從沉默中回神，笑著點了點頭。

「對。」

「果然如此。」

莉莉卡確定地點了點頭。阿爾泰爾斯的表情嚴肅起來，並說：

「但是那本魔法書很危險，妳最好還是放回原處。」

「很危險嗎？」

「想用魔法操縱人心的想法本身就很危險。」

「啊……」

那本書中的確有很多這樣的內容。現在重新想想，確實很危險。

「我明白了。」

「而且，並不是擁有魔法書的人都能使用魔法，是因為妳很特別。」

「我嗎？」

「對。」

莉莉卡瞪大了眼睛。她從未想過自己擁有特殊的能力。

「所以以後最好把妳做了護身符的事當作祕密。如果人們得知有魔法的存在不太好。」
「我知道了。啊，但是布琳已經知道我找到了魔法書。」
「布琳・索爾……索爾家應該沒問題。」
他點了點頭。阿爾泰爾斯沉默了一會兒，然後長嘆了口氣，「為什麼是現在？又為什麼是妳？」
「什麼意思？」
「我是說，魔法師再次出現的理由。」
他彷彿在自言自語，但莉莉卡一問，他也認真回答了。
聽到這個答案，莉莉卡也陷入了沉思，阿爾泰爾斯輕笑出聲。
「不過，我也被牽扯到這裡了。」
阿爾泰爾斯思考了一會兒，然後說：「魔法就由我來教妳吧。」
「陛下要教我？」
「對，應該每週上一次課就夠了。」
「真的嗎？」
阿爾泰爾斯點了點頭，說：「原本皇女也會收到領土的。」
「這樣啊。」
雖然這話題很是突然，但這與她無關，因此莉莉卡只點了點頭。
阿提爾說過他有自己的領地，皇女果然也應該有自己的領地。但讓她更加激動的是「魔法課程」這四個字。
「那麼，課程是……」
阿爾泰爾斯打斷莉莉卡的話，說：「這樣比較好。」

阿爾泰爾斯再次做出了結論，並在放她下來時說：「回去時要小心。」

「好的，好的。」

莉莉卡慌張地點頭後轉身。看了看路徑後，她問道：

「陛下，這條路對……嗎……」

轉過身時，已經沒有人在了。

莉莉卡十分驚慌，然後察覺到阿爾泰爾斯是使用魔法離開了。

「只要走原路回去就好了吧，而且我可是魔法師。」

莉莉卡勇敢地走過玫瑰灌木叢的小徑。

「拉特！」

聽到大聲呼喚他的聲音，拉特放下正在欣賞的羽毛筆。

『完全不讓人休息呢。』

他這麼想著，從座位上站起來問道：「什麼事？」

「有沒有能分給皇族的領地？」

「您究竟打算把皇領分給誰？」

拉特傻眼地反問。不是，現在又沒有戰爭，他突然要把領地下賜給誰呢？

「給皇女。」

這回答讓拉特說不出話來。

「您是說莉莉卡皇女殿下嗎？」
「對。」
「您說封地？」
「皇族都會收到啊。」
「是這樣沒錯，但是……」
拉特瞇起眼來。
阿爾泰爾斯無言地回答道：「如果我對女人失去了理智，早就直接給皇后領地了。」
「嗯，送禮物給女兒，應該會比直接賜給她媽媽更能贏得好感。」
聽到拉特的話，阿爾泰爾斯點頭說：「可能吧。總之，分配一塊領地給她，就算不是好地也沒關係。」
拉特長嘆了口氣。為什麼自己是帝國的宰相呢？
不，他並不是不喜歡宰相這個工作，因為除了皇帝，他不需要對任何人低頭，在巴拉特家的家主面前也能抬頭挺胸是這個工作的好處。
『若是不用處理皇帝突發奇想的麻煩就好了。』
他說要給皇女領地，那應該給多少才好呢？
事實上，皇領相當廣闊。過去皇族會瓜分持有這些土地，但現在直系皇族只剩下三人而已。皇族去世後，他們的領地會重新歸為皇帝所有，所以現在的皇領恐怕是帝國成立以來最廣闊的。
「需要劃分多少呢？」
「看看舊資料，隨便給一點就行了。」
「我能詢問您為什麼突然這麼做嗎？」

阿爾泰爾斯靜靜地看著拉特，那猶如深淵的藍色眼睛彷彿在審視他。

拉特有時候會想，如果他的天秤失衡，可能會被那個深淵吞噬。

不只是他本身，整個家族、帝國，甚至是人類，都可能會沉落至無底的深淵，令人感到一股寒意。

那是一種非人的目光。

拉特費了一番力氣才沒有移開視線，筆直地回望。

彷彿心裡有了答案，阿爾泰爾斯露出滿意的笑容，「我不希望傳到桑達爾的耳中。」

這句話立刻激發了拉特的好奇心。好奇從內心深處慢慢湧上。

「那當然，作為宰相，我不會讓應該保密的國家祕密外洩。」

即使是血親。

那是桑達爾的尊嚴，也是拉特自己的尊嚴。

阿爾泰爾斯雖然不相信拉特充滿自信的這番宣言，但認為這是個測試他的大好機會。

「你知道魔法師嗎？」

「您是說賣怪藥、欺騙世人的惡徒嗎？還是雙手靈巧的人？」

拉特的話十分刻薄。阿爾泰爾斯笑了笑，坐到椅子上。

拉特撫摸著自己的單眼眼鏡，說：「也有人會使用古代神器，但那不算是魔法師。」

僅僅是神器使用者。

阿爾泰爾斯點了點頭，然後說：「現存的魔法師有三種類型。」

「有三種？」

「第一種是龍。」

他豎起一根手指，拉特有些不情願地回答：「嗯，確實如此。」

「第二種是與原始精靈交易的人……」

「原始精靈嗎？」

拉特驚訝地反問後，阿爾泰爾斯聳了聳肩，「據說沙漠中還存在著這樣的人。」

拉特知道阿爾泰爾斯來自沙漠，想問他是否親眼見過，但阿爾泰爾斯感覺不太願意回答。

阿爾泰爾斯接著說：「這邊是稱他們為精靈吧？不過不像童話中那麼可愛。」

「這話題越來越有趣了。」

聽起來這些所謂的魔法師，與其他存在有些不同，原始精靈這個詞也是。

總之，這是關於神祕存在的故事。

阿爾泰爾斯舉起第三根手指。

「最後是真正的人類。」

拉特露出奇妙的表情，「我也是真正的人類啊。」

「不，我不是說你們這種混血的人。是純血人類，祈願者，會用意志操控魔法，曾經從海中拉起島嶼的人類。」

阿爾泰爾斯的話讓拉特的神情緊繃。「混血的人」這個詞對權族來說是一個敏感詞。

他低聲說：「那麼現在已經不存在了。」

要說這片土地上的所有人類其實都與怪物混雜在一起了也不為過，只有血脈的濃淡差異。

「對。」

阿爾泰爾斯點點頭。拉特試著將阿爾泰爾斯的話結合起來思考。

『那麼意思是說，皇女殿下是與原始精靈交易的人嗎？』

如果這是真的，她是如何進行交易的呢？

『可能是因為她那純真善良的性格吧。』
無論如何，這件事最好保密。
「我明白了。那我就去找一塊合適的領地。」
拉特點了點頭。有了領地，皇女的影響力會進一步增加，相當於多了一層保護。
對於這樣的人才，皇室當然必須留住並保護她。
拉特這麼想著，阿爾泰爾斯則陷入了沉思。
祈願者。
魔法師。
純血人類。
最初抵達這片大陸的人們，從破碎的島嶼上被龍拯救的人們。
與島上的怪物混血，失去了「意志之力」的人們。
「純血」這個詞本身就有些可笑，畢竟現在大陸上的人類都認為自己是真正的人類。
就像拉特一樣。
『現在當然不存在了。對，但有趣的是，有所謂的隔代遺傳。』
阿爾泰爾斯在莉莉卡身上看到了那種可能性。以愛意作為動力，使用意志的人。即使是假的魔法書，只要她相信、遵循並祈求，就會發揮效力。
從某方面來看，這是一種非常危險的能力。
『還好不是所有人都擁有同樣程度的能力。』
力量較弱的人能修復折斷的樹枝，治癒小傷口，而強大的人——
『能逆轉時間，扭曲空間，甚至復活死者。』

接近神的權能。

那麼也許，也許……

『不，隔代遺傳中，還沒有人擁有那麼強大的力量。』

稍微湧上的希望被他壓下。即使是祖先回歸，最多也只能讓人民豐收。

他輕輕一笑。

混血的人會被純血吸引，就像聽到來自血脈深處的呼喚，越近似怪物，越是如此。

『希望只停留在可愛的魔法就好。』

『我迷路了嗎？』

明明可以看到對面的太陽宮，卻無法直直走過去。

十分熟悉貧民區複雜小巷的莉莉卡很快就察覺到了不對勁。當她正在煩惱時，一個聲音從上方傳來。

「您來這裡做什麼，小鳥皇女殿下？」

莉莉卡高興地抬頭大叫：「菲約爾德！」

彷彿應聲而來，他從樹枝上跳了下來。

他如此輕盈地落地，讓人覺得他跳下來的那棵樹並不高。

菲約爾德向莉莉卡問好後說：「您看起來不是來欣賞玫瑰的。」

從上面看，能非常清楚地看到莉莉卡在不停繞圈。

莉莉卡嘆了口氣，「我迷路了。」

「這邊的路很複雜，無法直接通往太陽宮的。」

「沒錯！」

不太對勁的地方正是這個。

「據說為了防止人們進來，在這裡只要走錯一條岔路，就會無法前往太陽宮。」

可以說是為了防止人類從天空宮來到太陽宮而設計的迷宮。

「原來如此。」

莉莉卡心想，下次要和布琳一起更仔細地探索一下。她們之前主要是探索太陽宮的周圍，她卻在外面遇到這種難關。

『陛下也真是的。』

竟然把人丟在這種地方就走了。如果他是希望自己能回想起被抱著走來的路線，那她應該沒有達到他的期待。

「布琳和拉烏布一定很擔心您。」

「菲約爾德，你知道路嗎？」

「是的。」

「可以帶我去嗎？」

「這是我的榮幸。」

他再次優雅地鞠躬後邁步向前。莉莉卡與他並肩走著，問道：

「話說回來，菲約爾德總是在花園裡呢。」

「我喜歡大自然。」

「你家沒有花園嗎？」

「有，但不合我的喜好。肥料太油膩了，會有臭味。」

「在花園裡？那其他人呢？」

「他們似乎習慣了，所以沒有察覺到。」菲約爾德帶著冷笑說。

莉莉卡點了點頭，又問：「你的身體還好嗎？受傷的地方好了嗎？」

「是的，多虧您的關心，已經完全好了。」

他微笑著回答，而莉莉卡看著他說：「我被打的時候，比起疼痛，更覺得非常尷尬。」

身體伴隨著沙沙聲被扔出去的感覺，雖然確實既痛苦又難受，但更難堪的是在眾人面前挨打，難為情得不得了。

「是誰打了皇女殿下呢？」

菲約爾德的聲音很溫柔，但莉莉卡感覺到了危險的氣息。

「以前因為我們拖欠房租，房東就動手打了我，但現在沒事了。」莉莉卡馬上補道：「所以，我覺得菲約爾德或許也有這種感覺。或許是我想錯了，不過我覺得那樣也沒關係……」

她關心的話語逐漸變小聲，菲約爾德陷入了沉思。

被打時的羞恥和恥辱感早已淡去，更鮮明的是摻雜著一絲憤怒和無奈的情緒。

「更重要的是……」

他小聲嘟囔著，聲音漸漸變弱。

更重要的是。

她擔心的語氣、小心翼翼的觸摸，讓他只記得當時感受到的善意。

年輕皇女毫無計謀的善良，使他當時極想逃跑，又反倒想永遠坐在那裡。

「比起那些，我更記得蜂蜜蛋糕。」

他只能給出這樣的回答，因為他自己也無法摸清那股感受為何。
莉莉卡露出燦爛的笑容。
「對，蜂蜜蛋糕很好吃。」
美味的食物也能稍微抹去不愉快的記憶。
「不過，菲約爾德。」
「是，小鳥皇女殿下。」
「我可以問你，你和阿提爾為什麼關係不好嗎？」
「因為我是巴拉特最棒的傑作。」
他的回答輕快且堅定。但在那份輕快中，莉莉卡再次感受到了不好的情緒。
莉莉卡認真地說：「但是，菲約爾德不是傑作。」
這次他真的驚訝地轉頭看向莉莉卡。他那雙金紅色的眼睛圓睜著。
莉莉卡真心地對他說：「菲約爾德不是物品或作品。」
她不喜歡他每次說這些話時夾雜的諷刺語氣。
他呆愣地看著莉莉卡。
不久後，他想笑著帶過，但無法完全表現出來。那一刻，他的表情動搖扭曲，最終露出苦笑。
那個笑容不像他這個年紀的少年該有的。
「是啊。」
他只說了這句話，莉莉卡也沒有再多說什麼。
『有時候，不，很多時候，沉默勝於雄辯。』
她想起擦鞋大叔曾這麼說過。

走了很久的莉莉卡，發現他正在配合自己的步調。

他不像其他大人，會因為莉莉卡走不快而不耐煩，也不像阿提爾一樣希望她跟上，快步走著。

「菲約爾德，你可以走快一點喔。」

「我不願意。」菲約爾德微笑著回答，「因為我喜歡和皇女殿下並肩走路的時光。」

莉莉卡停下腳步，然後開心地笑了，「我也喜歡菲約爾德。」

她純真地笑著，作為親密的表示，握住了他的手。

他略微一怔後，低頭看著莉莉卡。

就在莉莉卡心想「他是不是不喜歡握手？」的那一刻，他緊緊握住了她的手。

「皇女殿下總會說些令我愉悅的話呢。」

「那就好。」

菲約爾德再次笑了。他慢慢地走著，告訴她該轉彎的路和標記。

莉莉卡仔細聽著，但要一次就記住實在很困難。

他的聲音帶點音樂的韻律，聽起來很悅耳。沿路他還指著一隻鳥，告訴她那是知更鳥。

那是一隻棕色的小鳥，胸口卻帶有紅色，相當可愛。

『是因為棕色很相似嗎？』

不久後，菲約爾德停了下來。

「看來有人來接妳了。」

「真的嗎？是拉烏布嗎？」

「我就此告辭了。」

「哦？至少喝杯茶再走吧。」

「皇帝陛下會生氣的。」

菲約爾德這麼說著，把食指放在嘴邊，微微一笑，「我們在這裡遇到的事，請保密。」

「我知道了。」

莉莉卡也把食指放在嘴邊。

他輕輕地鞠躬後離開，莉莉卡看著他消失在高高的灌木叢中。

她靜靜地等待時，不遠處傳來聲音。

「皇女殿下，莉莉卡皇女殿下！」

「拉烏布！我在這裡！」

莉莉卡大聲喊著，不久後拉烏布就出現了。他急忙查看她的狀況，問道：

「您還好嗎？沒有受傷吧？」

「嗯，我沒事。啊，布琳。」

莉莉卡向隨後出現的布琳揮手。布琳正緊咬著牙。

由於等了很久，莉莉卡都沒有回來，他們擔心地派了侍從去辦公室，才知道皇帝陛下已經回來了。追問之下才得知他把皇女殿下留在迷宮花園裡，他們兩人差點暈倒。

『皇女殿下被玫瑰刺傷也可能會得破傷風而死，陛下竟然將她留在那種地方！』

竟然將她放在這麼危險的地方不管，自己離開，塔卡爾人真的肯定腦袋有問題。

莉莉卡笑著安慰他們兩人。

「雖然走了很多路，但我也欣賞了花園一圈，很漂亮，而且沒有人。」

確認她沒有受傷後，兩人的表情放鬆下來。拉烏布慢慢站起來說：「我們回去吧。」

布琳一把抱起莉莉卡。莉莉卡則輕聲笑了。

她開始習慣周圍的人們將她輕輕抱起了。

『但我還是喜歡跟大家並肩走著。』

等她再長高一點就不會落後，能和大家並肩一起走了。

她非常期待那一天。

下午練習了騎馬。

莉莉卡覺得騎馬很有趣，她和晨星一起調整呼吸，一起行走和奔跑。

從遠處看著的布琳溫暖地笑了。

「看來需要再訂做幾套騎馬服了。習慣之後，還得學習側鞍騎乘法。」

拉烏布有些困惑她是不是在跟自己說話。他的灰色眼睛偷偷瞥了布琳一眼，然後又回到莉莉卡身上。

「她非常可愛吧？」

聽到布琳握著雙手，陶醉地這麼說時，拉烏布表示同意。

「是的。」

「天啊，嚇我一跳。什麼啊，你也會說話嗎？」

「……」拉烏布一時不知該如何回答，困惑地說：「會的。」

「喔~我還以為……我很常自言自語，所以你不用回答我。」

這時莉莉卡朝兩人揮揮手，布琳也露出燦爛的笑容對她揮手。

當拉烏布也一起揮起手時，布琳說：「請您別誤會了，她是在對我揮手。」

「我知道您是在自言自語。」
拉烏布這樣回答後，布琳不悅地瞇起眼來。
莉莉卡在轉眼間接近，問道：「怎麼樣？我現在騎得還不錯吧？」
「是的，腰板挺得很直，騎得非常好。」
「我覺得現在可以全力疾馳了。」
「我很期待。」
他們正開心地交談時，看到一名侍從匆匆跑來。侍從慌忙地跑過來，站定後說：
「皇女殿下，大劇場發生了火災。」
「大劇場？」
莉莉卡一瞬間心想「糟了」，但很快就想到媽媽去了大劇場。
「不行！」
莉莉卡不禁使勁踢馬，晨星立刻反應過來，開始疾跑。
「皇女殿下！」
布琳驚呼一聲，拉烏布則如閃電般衝出去，跑得比馬還快，瞬間擋住了去路。
莉莉卡驚訝地猛拉韁繩。幸好沒有全速奔馳，晨星立刻停了下來。由於差點撞到拉烏布，莉莉卡以為心臟都要跳出來了。
「拉烏布！」
她大喊一聲後，拉烏布說：「您要去哪裡？」
「去哪裡？當然是──」
「是大劇場對吧？我為您準備馬車。」

布琳迅速跟上來說。莉莉卡這才發現自己根本不知道大劇場在哪裡，沒辦法騎著晨星前往。

「對不起，我……只是……」

她努力保持冷靜，但手開始不停顫抖。

「恕我失禮。」

拉烏布將她從馬上抱下來，布琳則緊緊握住她的手。

「皇后殿下也帶著護身符吧？一定會沒事的。來，我們快走吧。」

莉莉卡本以為她能夠照顧自己，但事實上根本不是如此。

當布琳有條有理地安排一切時，聽到消息的阿提爾趕了過來。

「莉莉卡！」

莉莉卡忽然就快哭出來了，「阿提爾……」

「沒事吧？妳現在要過去對吧？」

「是、是的。」

「我們一起去。馬跑得比馬車快，妳坐在我前面就好。」

「不行。」

拉烏布出言反對。

阿提爾眼神銳利地看著他時，拉烏布說：「騎馬完全無法防備四周，兩位一起騎在馬上更是如此。」

阿提爾的神情緊繃。

『難道說，大劇場的火災是有人蓄意造成的？』

莉莉卡這才恢復了理智，想要立刻趕過去。如果知道路的話，她甚至想獨自騎著晨星過去。

但她不能那麼做。

一個合格的皇女，一個出色的皇女……

莉莉卡抬起頭，「那就麻煩你快點準備馬車。」

不久後，一名侍從小跑過來傳達消息，布琳用不大但清晰可聞的聲音說：「馬車準備好了。」

「走吧。」

阿提爾拉起莉莉卡的手腕。

這輛馬車是能快速奔馳的輕便馬車，沒有任何徽紋，但看起來非常堅固。

馬車飛快地奔馳，但莉莉卡仍覺得十分緩慢。阿提爾緊握住她的手。

「不會有事的。」

「是。」

「啊……」

這時，阿提爾敏銳地察覺到周圍的動靜，說：「要下雨了。」

「！」

莉莉卡打開小馬車的窗戶。雨點開始落下。

滴答，滴答。

『再下大一點，再下大一點，快啊……』

莉莉卡的願望似乎被聽到了，雨水馬上開始落下。那是一場極大的暴雨，使馬車的速度放慢下來。

雷聲從非常近的地方傳來。雨聲很吵。

「是叔叔。」阿提爾低聲說。

莉莉卡驚訝地看向他，阿提爾則勾起單邊嘴角笑了。

「不然還有誰能在這個時候，突然帶來這麼大的雨？」他回頭看著莉莉卡說：「已經沒事了。」

走下馬車時，雨已經停了，但空氣中仍飄盪著刺鼻的燒焦味。曾自詡為帝國第一的大劇院，現在已經燒燬了一半，殘垣斷壁一片。劇院周圍擠滿救援人員和看熱鬧的人，但由於有騎士們圍成一圈保護，要找到露迪婭並不難。

「媽媽！」

莉莉卡大喊著跑過去。坐在簡易椅上的露迪婭抬起頭來。

「莉莉！」

「媽媽！」

看到媽媽安然無恙的臉龐，莉莉卡的淚水終於流了下來。媽媽的臉上沾著煤灰，衣服都溼透了，能看出事態的緊急程度。

莉莉卡撲抱住她的雙腳。

「沒、沒事，您平安就好，嗚……」

「媽媽沒事，我不要緊，這都是多虧了莉莉給的護身符。」露迪婭摸著莉莉卡的頭，然後抬頭看向阿提爾，微笑道：「沒想到你們兩個都來了。」

她和藹地拍了拍緩緩走近的阿提爾手臂，然後嘆了口氣說：「火勢真的太猛了。」

「但是多虧了皇后殿下，才大大減少了傷亡。您待到最後才離開，幫助人們安全疏散，我不知道有多焦急。」管家嘆著氣，哀求似的說。

露迪婭嫣然一笑：「但是下起了這樣的雨，我們真幸運呢。」

「有我這樣的丈夫才幸運吧。」

「天啊！阿爾泰爾斯？」露迪婭面露驚訝，「您怎麼會來這裡？」

阿爾泰爾斯快步走過來，抓住她的下巴審視一番。

「妳有受傷嗎？」

「我沒事。」

阿爾泰爾斯放開手，抱著雙臂，「那站起來看看。」

莉莉卡聽到這句話，驚訝地從媽媽的腿上跳起來，「您受傷了嗎？有哪裡不舒服嗎？」

「腳踝有點扭到。阿爾泰爾斯，如果您想現在掀起我的裙子，我不會放過您的。」

剛伸出手的阿爾泰爾斯停了下來。他靜靜地看著她，然後對莉莉卡說：

「妳媽媽就是這麼魯莽的人。」

「阿爾泰爾斯！」露迪婭大喊道，「您在孩子面前說什麼啊？」

周圍的人伸長了脖子，側耳聽著他們的對話。

「皇帝陛下來了嗎？」

「皇后殿下受傷了？」

「好像是在救人時受的傷，天啊……」

莉莉卡的眼淚再次不停掉出眼眶。她很害怕，很害怕，非常害怕。

我只有媽媽。

如果連媽媽也不在了。

如果連媽媽也不在了……

露迪婭站起來，抱起莉莉卡。莉莉卡驚訝地說：「您、您的腿……」

「真的只是小傷。妳看，媽媽站得很穩，對吧?嗯?媽媽沒事，沒事的。」
露迪婭抱著她摸摸頭和後背，莉莉卡在她懷裡又哭了起來。
阿爾泰爾斯對嚎啕大哭的莉莉卡說：「妳不用擔心。因為現在有我保護妳媽媽。」
聽到這句話，露迪婭一瞬間露出冷淡的表情，然後馬上對女兒說：
「對，皇帝陛下是帝國中最強的人，所以妳不需要那麼擔心。妳嚇壞了吧?那麼害怕啊。」
雖然露迪婭有很多話想說，例如「竟然把孩子們帶到這種地方」，但她努力忍住了。
阿爾泰爾斯說：「我們先回宮為妙，這裡太亂了。」
「那是最好。」
露迪婭這麼說後，莉莉卡緊緊抱了一下媽媽，然後放開手。阿提爾咂舌一聲，遞出一條手帕。
「那麼——」
露迪婭轉頭尋找馬車的位置時，阿爾泰爾斯一把將她抱起來。
「阿爾泰爾斯！」
「不是說腳踝受傷了嗎？」
「真是的……」
露迪婭嘆了口氣，但還是環上他的脖子。皇帝夫婦這樣坐上馬車的畫面，給人們留下了深刻的印象。
「皇后殿下萬歲！」
「皇帝陛下萬歲！」
莉莉卡不知為何，無法跟上他們。她靜靜地站著，緊捏著手帕，注視著媽媽和陛下的背影。
「怎麼了？」

阿提爾問道，莉莉卡嚇了一跳，搖了搖頭。阿提爾朝四周看了看。

「看來我得稍微整理一下再回去。妳先走吧。」

「什麼？」

「我總不能什麼都不做啊，都露面了。陛下離開了，這裡的事就得由我來處理。」

「我也可以幫忙，有沒有需要我幫忙的？」

「不用了。這裡很危險，妳回去吧。」

「但是，但是……」

莉莉卡想要做些什麼，但阿提爾堅決地說：「我說不用了。」

「……好的。」

莉莉卡小聲地回答後離開，但布琳在一旁開口：「殿下，恕我直言，人們都已經知道皇女殿下在這裡了，現在馬上回去不太好。」

「什麼？」阿提爾皺起眉。

莉莉卡猛地抬起頭，大聲說：「我也做得到。」

「做什麼？」

「什麼？」

「妳能做什麼？別在這裡添麻煩——」

「咳咳！」

站在後面的布蘭咳了幾聲。阿提爾強忍住想說出口的話。

『您不是想要傷害她吧？』

他想起派伊的話，深吸了一口氣。

對，他不想要傷害她。

「莉莉卡，這裡的事情還沒有妳能做到的事，而且太多外人了，只靠拉烏布一個人很難保護妳。這樣我會很擔心，所以妳先回去吧。」

莉莉卡垂下肩膀，點了點頭，「我知道了。」

布琳把手放在莉莉卡的肩膀上。

莉莉卡坐上馬車，回頭看了一眼。她看到阿提爾在聚集的人群中熟練地下達指令。

「啊。」

在倒塌的大劇院後方，出現了一道彩虹。水坑上閃爍著光芒。

不知為何非常悲傷，卻又非常美麗。

馬車門關上後，馬車行駛得比剛才更加平穩。一同搭上車的布琳小心翼翼地問：

「皇女殿下，您還好嗎？」

「嗯，我沒事。媽媽也安然無恙，真是太好了。」

看到莉莉卡笑著堅強地回答，布琳也對她露出了微笑。

「再長大一點，您就能和殿下一起工作了。」

「嗯。」

莉莉卡點了點頭。

回到皇宮後，莉莉卡站在接受診療的媽媽身旁，皇帝則對御醫嘮叨了一大堆。

看到莉莉卡的臉色很糟，露迪婭不停安慰她。

腳踝有輕微扭傷，還有幾處輕微的燒傷，因此塗上了藥膏。

「妳就傻傻地站在那裡看著大火燃燒。」

「哪有，您說誰傻傻地看著大火熊熊燃燒啊？我是在疏散人群。如果我不出面，人們都慌亂得不知該往哪裡跑，損失會更大才對。」

「確實如此。」旁邊的管家認同露迪婭的話，「皇后殿下用身分控制了現場人員，指揮人們避難。穿著克里諾林裙襯的女士們一旦跌倒，就無法自行站起來，因此遭到人們踩踏。即使著火，她們也無能為力。」

現在想想，那真是可怕的經歷，管家渾身顫抖起來。克里諾林裙襯是無法自己穿脫的服裝，一旦著火就束手無策。

由於克里諾林裙襯相互碰撞，其他女性也無法提供援助，火勢一瞬間就從一件寬大的裙襬蔓延至另一件，即使只有一個人也足以阻塞通道。幸好依照流行趨勢穿著巴斯爾裙襯的女士們超過了一半，她們的動作快多了。

『若是皇后殿下沒有帶起巴斯爾裙襯這股熱潮……』

管家再次渾身顫抖。如果當時在場的女士們都穿著克里諾林裙襯，不管怎麼努力，情況都會非常嚴重。

露迪婭輕輕握住顫抖的手後放開。

她因為早就知道會發生火災，掉以輕心了。火勢過於猛烈，迅速蔓延，看到濃烈的煙霧和飛舞的火花，她僵住了身。

熊熊燃燒的火刑臺火焰。

恐懼襲上心頭的瞬間——

叮鈴！

穿過混亂和尖叫聲，莉莉卡給的護身符發出難以置信的巨響，掉在地上。

她嚇了一跳後回過神來。看到護身符，她強烈地心想「我必須活著回到莉莉身邊」，然後在混亂中大聲呼喊指揮。

皇族的座位從任何地方看都很顯眼，所以所有人都看到她堅定地站在那裡。

——我會留在這裡，直到最後一個人逃出來！

她的呼喊抓住了人們的心。途中，劇院的一部分倒塌，擋住了火勢，爭取到了時間。但是，如果沒有下雨……

露迪婭摩娑著泛起雞皮疙瘩的手臂。

「無論如何，媽媽真的沒事，這都是多虧了莉莉的護身符。也感謝您，阿爾泰爾斯，如果沒有下雨就麻煩了。」

「我妻子被燒死在那裡會是更大的問題。」

「阿爾泰爾斯。」

露迪婭用眼神看向莉莉卡，阿爾泰爾斯閉上了嘴。

莉莉卡勾起微笑，「那麼，我先走了。媽媽休息吧。」

「今天晚上一起睡怎麼樣？嗯？」

露迪婭微笑著提議。

莉莉卡瞥了一眼阿爾泰爾斯，搖了搖頭。

「不，我沒事。」她堅強地說，「我明天早上再來。」就離開了。

露迪婭擔心地看著女兒的小小背影。

『她還是不相信我嗎？』

坦恩在夜裡的花園中停下腳步。雖然他收到了報告，但這確實讓人頭痛。

他看到一位穿著白衣的女性蜷坐在花園的長椅上，光是看到那如雲朵般豐盈流淌的金色頭髮，坦恩就認出她是誰了。

「皇后殿下。」

他呼喚時，露迪婭抬起頭。坦恩聳了聳肩，「您半夜待在這裡做什麼？」

「我睡不著。」露迪婭頓了一下，然後嘆了口氣，「我想，散步可能比喝烈酒要好。」

坦恩向她走去，然後在適當的距離停了下來。露迪婭喃喃自語。

「但是那也沒用，所以我才坐在這裡。」

「要不要我拿杯酒來給您？」

露迪婭揮了揮手，「我正在戒酒。」

夏夜涼爽，花園裡所有的香氣都比白天濃郁。比其他人更敏銳的狼族嗅覺，能分辨出所有香味。玫瑰、罌粟、刺槐、夜來香、大麗花，還有血肉的味道。

坦恩長長地吐了一口氣，說：「您為什麼睡不著？」

不管怎麼樣，他都有義務把她送回房間，或者保護眼前的她。

「是因為白天的事。實際上，我怕火。」

露迪婭隨意開口。她緊緊抓著自己的雙臂，聲音顫抖著。

「所以我可能會作惡夢，但我不想，所以無法入睡。」

「陛下他……」

「你覺得我會告訴阿爾泰爾斯自己的弱點嗎？」

露迪婭瞪了他一眼，噘了噘嘴。她更擔心的是作了惡夢後，自己可能會說出什麼夢話。如果被聽到她說出「我不想死」之類的話，那就糟了。
當她哼笑一聲時，坦恩無言以對。他搔了搔臉頰。
「但是，嗯，夫妻之間……」
「就因為是夫妻，有些事情也是不能觸碰的。我們彼此的條件很匹配，在這方面很完美，但僅此而已。」
她打算利用對方，不打算依賴對方。不能依賴對方。
一旦依賴他人，總是會失敗。她必須靠自己的力量完成目標。
靠她一個人。
用她的力量。
她低下頭，「有時候，莉莉卡會讓我很不安。」
坦恩困惑地歪過頭，「我認為皇女殿下擁有一顆罕見善良的心。」
低沉的笑聲響起。
「那就是問題所在。」
然後沒有了回答。坦恩擔心她可能在哭。該如何安慰一個哭泣的女人呢？
如果是自己的族人，塞顆糖進嘴裡就能馬上解決，但露迪婭應該不會。
露迪婭深吸一口氣，她必須獨自擔起照顧莉莉卡的責任。
莉莉卡是個出色的孩子，她改變了自己。所以，露迪婭也在盡她所能地為莉莉卡做最好的打算，但她不確定這樣做是否正確。
她很害怕。
擔心自己會不會毀了莉莉卡。會不會讓本來可以變得更好的女兒，因為自己的教導而走錯了方向？
是否應該放手，盡可能交給優秀的老師們教育……

『但今天也……』

女兒一直流淚。露迪婭感到失敗，十分自責，她想問問別人，在這種時候應該怎麼辦。

她需要一個人傾聽她的煩惱，但是沒有那個人。

她獨自一個人。

要獨自一人想辦法，用盡全力，以免毀了自己的女兒。

以免任何人傷害自己的女兒。

她必須保護自己和女兒，免於狼和野獸的侵害。

露迪婭抬起頭來，坦恩十分驚訝。他還以為她在哭，但她根本沒有流淚。

她態度毅然的臉龐很美，但不知為何，讓他感到悲傷。

露迪婭從長椅上站起來，「我繼續留在這裡的話，會給坦恩大人添麻煩吧。我先走了。」

聽到露迪婭的話，坦恩搖了搖頭。

「皇后殿下請隨意，我只會跟在您身後而已。」

露迪婭輕輕一笑。她停下腳步，茫然地仰望著太陽宮，用目光細數女兒睡著的房間。

她邀請女兒一起睡覺卻被拒絕了，似乎讓她受到相當大的打擊。

露迪婭再次嘆氣，慢慢離開。

莉莉卡因為睡不著而從床上跳起來。

她既不安又害怕，今天寬敞的床和高高的床頂蓬都只讓她覺得更加孤單。

莉莉卡從高高的床上光著腳落地，走到窗邊。一打開窗戶，濃郁的花香就飄進來。即使把手搭在窗臺上深吸一口氣，也不怎麼涼快。

她不由自主地看向花園。

不知為何，她覺得跑去那座迷宮花園，就能見到菲約爾德。去那裡和他說些什麼，可能會感覺暢快一些，但她知道自己不能那麼做。

莉莉卡關上窗戶，像被困在籠子裡的動物一樣不停轉圈。心裡悶悶不樂，苦惱不已。

母親安然無恙，皇帝陛下甚至承諾會保護母親，明明一切都完美無缺。

最終，莉莉卡衝出了房間。如果直接離開房間，布琳或拉烏布會發現，所以她像以前一樣利用了從僕通道。

走廊昏暗且可怕，但是其他感覺比恐懼更強烈，她跑過短短的暗廊，再次進入黑龍室的從僕通道，猛地推開臥室門。

躺在床上的阿提爾猛然坐起身，看到氣喘吁吁的莉莉卡後大吃一驚。

「什麼？妳怎麼了？」

他從床上下來的那一刻，莉莉卡馬上跑過去緊緊抱住他。阿提爾抬起頭來。

拉烏布和布琳偷偷從敞開的從僕通道入口探出頭來，兩人都在看主人去了哪裡。

阿提爾輕輕揮手，示意他們退下，他們就低下頭，小心翼翼地關上門。

「怎麼了？嗯？」阿提爾盡量用溫柔的聲音詢問用力抱著他的莉莉卡，「是作惡夢嗎？還好嗎？還是又睡不著了？」

他提出了許多問題，莉莉卡都搖搖頭。

「嬸嬸沒事，以後一切都會沒事的。就像妳說的，如果有叔叔保護……」

莉莉卡更用力地抱住他。

阿提爾頓了一下，然後問她：「妳是不是不喜歡叔叔？」

畢竟不喜歡父母的再婚對象是常有的事。

「不，不是那樣的。」

莉莉卡終於開口說話了，阿提爾雖然感到難受，還是盡力保持耐心。

「那妳是怎麼了？」

「……」

莉莉卡默默地退開，看到她失落的臉，阿提爾強忍著想要追問的衝動。

他自己不也有無法輕易說出口的情感漩渦嗎？

「來。」

他再次張開雙臂，莉莉卡就流著眼淚，再次投入他的懷抱。

「乖，乖。」

阿提爾小心地撫過她的背，小小的身軀顫抖著，肩膀一顫一顫地啜泣著。

壓抑著的哭聲讓阿提爾皺了皺眉，但他沒有說什麼。

哭了一會兒後，莉莉卡小聲說道：「媽、媽媽如果……」

「嗯。」

「如果媽媽拋棄我，我怎麼辦……？」

莉莉卡這麼說完，又開始哭泣。阿提爾感到困惑不解。

任誰看了都知道露迪婭真的深愛著莉莉卡，為什麼會拋棄她呢？

「嬸嬸怎麼會拋棄妳？別胡說八道。」

「但是、但是……」

她現在沒有用處了。

媽媽非常美麗，所以隨時都可以拋棄莉莉卡離開，因此莉莉卡才努力工作賺錢，保護媽媽。

如果我能更有用一些，如果我能更努力一些。

如果她需要我——那麼媽媽就不會離開了，她會愛我。

但現在有皇帝陛下在，皇帝陛下會保護媽媽，那就沒有莉莉卡的位置了。

媽媽不再需要她了。

媽媽會一直帶著一個沒用的孩子嗎？她是不是不會再受到媽媽疼愛了？

阿提爾一邊說「不會的」，一邊苦惱著該怎麼做。這是相當難解決的問題。

就在那時，從僕通道的門再次被打開。阿提爾抬起頭，眼睛瞪得大大的，撫摸她背部的手停了下來。

莉莉卡沒有察覺，繼續哭著。

這時，一隻冰涼的手撫著她的頭。

「莉莉，媽媽可以跟妳談談嗎？嗯？」

莉莉卡驚訝地轉過頭，看到穿著輕便睡衣的露迪婭站在身後。

她在回房間的路上遇到布琳，所以直接來到這裡。

「媽、媽媽。」

莉莉卡十分不知所措，阿提爾則悄悄拉開她的手說：「我失陪了。」

「謝謝，阿提爾。」

聽到露迪婭的回答，阿提爾點頭致意，然後迅速離開了臥室。莉莉卡手足無措地繞著手指。

「媽媽，您還好嗎？您睡不著嗎？」

看著女兒先抽抽噎噎地詢問自己的安危，露迪婭差點就哭出來了。
強忍著淚水的露迪婭用雙手輕輕捧起莉莉卡的臉頰。
當冷涼的手觸碰到因為哭泣而發熱的眼周時，感覺很舒服。從媽媽的衣袖中能感受到夏夜空氣的涼爽。

「莉莉，媽媽……」

露迪婭找不到合適的話語，只能凝視著女兒的眼睛。
妳現在不需要保護我了，媽媽沒事。
啊，不該說這種話，還要更加……更加……
露迪婭慢慢地說：「原來莉莉一直在保護媽媽。謝謝妳，莉莉卡。媽媽都不知道，對不起。」
莉莉卡倒抽了一口氣，眼淚再次流出眼眶。
露迪婭緩緩抹去一顆顆像珍珠不斷滾落的淚珠。看到溫柔的媽媽微笑，莉莉卡張開顫抖的嘴唇，只說出了一句話：

「媽媽……」

露迪婭猛地把她抱進懷裡。
「這樣啊，原來如此，辛苦妳了，寶貝，媽媽沒有好好了解妳，抱歉。嗯？」
將痛哭的女兒抱在懷裡，露迪婭一遍又一遍地重複著。
抽泣聲逐漸平息時，露迪婭擦拭著她的臉頰說：
「現在媽媽想保護妳，因為一直以來都是妳在保護我，所以今後就讓媽媽來保護妳好嗎？我的寶貝莉莉卡，我的寶藏。有莉莉卡在，媽媽就能振作起來。」
莉莉卡抽泣一聲後點了點頭。媽媽抱著自己的手感覺很溫柔。

撫摸著背部的手、溫柔的聲音。

得到認可的喜悅和不會被拋棄的安心感混雜在一起，莉莉卡一下子就沉入了夢鄉。

看著她那孩子般的模樣，露迪婭微笑著。現在女兒變重了，但是幸福就算沉重也很美好。

「媽媽……」

「嗯，媽媽在這裡。」

看著在懷裡嘟噥的女兒，露迪婭笑了。

確定莉莉卡睡沉後，露迪婭小聲地說：「莉莉，媽媽從妳身上學到了很多，但那時候我不曉得那是多棒的事，我一無所知地忽視、踐踏了那一切。」

通常，人們都不願意承認自己的錯誤，也不希望自己的選擇遭到否定，尤其是被自己忽視的人指謫，所以那時候她不知道。

不，即使知道也選擇了忽略。

「不只是媽媽在養莉莉，莉莉也在養育媽媽。」

露迪婭緊緊抱著懷中的女兒。

她是個愚蠢的人。不親眼看到女兒死去，自己沒被架上火刑臺就無法領悟的愚蠢之人。

『所以這次一定要做對。』

她不曉得為什麼會有這種機會，也許她還在被火焰焚燒，這一切都是幻覺。

即使如此也無所謂。無論是什麼情況，她都打算用盡全力做到最好。

這時，布琳輕輕走過來問：「皇后殿下，我來抱皇女殿下吧？」

「不，我直接把她抱到床上吧。」

「遵命。」

離開臥室時，阿提爾正在來回踱步。

「謝謝你，阿提爾。」

「不會。」

阿提爾搖了搖頭，他似乎覺得自己沒有幫上什麼忙。露迪婭輕輕一笑。

「不，正因為莉莉來找你，我才能聽到她的內心話。如果沒有你，莉莉可能會自己默默承受。有像阿提爾這樣的哥哥真是太好了。」

阿提爾害羞地閉上了嘴，別開視線。

露迪婭疑惑地心想為何自己讚美了他，他也一臉不高興時，門被打開了。所有人都轉頭看去。

阿爾泰爾斯環視了一圈房內的每個人。

除了他，一家人都在這裡。阿提爾慌張地想著該如何解釋時，阿爾泰爾斯走過來說：

「我來抱。」

「沒關係。」

「她也是我的女兒。」

露迪婭微微皺起眉，但無法反駁。她沒辦法在這裡說「反正是只有八年的女兒」。

莉莉卡不曉得睡得多沉，即使被轉移到阿爾泰爾斯的懷裡也沒醒來。

阿爾泰爾斯用一隻手輕輕揉亂了阿提爾的頭髮，阿提爾嚇得僵住身子。

「辛苦你了。」

「不會。」阿提爾僵硬地回答。

露迪婭明白為何阿提爾會用摸頭來表達愛意了。

『原來這個人就是這樣做的。』

但他不曾摸過自己的頭，露迪婭心想：『真是萬幸。要是他那麼做，我可能會咬他的手。』
她對阿提爾說：「你好好休息吧，對不起，打擾你睡覺了。」
「沒關係。」
阿提爾覺得自己一直在重複愚蠢的回答——「不會」和「沒關係」——但他很難給出更好的回答。
阿爾泰爾斯抱著莉莉卡大步離開，露迪婭跟在身後。
露迪婭不斷望向阿爾泰爾斯懷中的莉莉卡，她因哭泣而泛紅的眼眶讓人心痛。
『沒想到莉莉會有那樣的想法。』
她的心情莫名複雜。
她一直覺得自己必須保護莉莉卡，從未想過莉莉卡也在保護她。
『但仔細想想，莉莉卡確實在保護我。這是不爭的事實。』
因為有她，我才能堅強地活下去。努力善良地活著，努力當個好人。
她想成為莉莉卡的好媽媽。
她也曾認為莉莉卡是個負擔，直到被火刑臺上的火焰吞噬之前都是這樣想的。她是我的負擔，讓我受苦，所以我當然有權利從她身上得到什麼。
但莉莉卡也給了她一些東西，當時她不知道那是什麼。
露迪婭微微一笑。
阿爾泰爾斯低頭望向她。那是他從未見過的笑容。
一種難以名狀的情緒湧上心頭，然後消失。阿爾泰爾斯輕輕嘆了一口氣。
他說：「撇下我，和大家待在一起很開心嗎？」
「您非得那麼說話才開心嗎？」

露迪婭回答道，阿爾泰爾斯則直言不諱地說：「這是事實啊。」

扭曲的人。

露迪婭這麼想著。同時，也有點同情他。

與人類活在不同維度，呼吸著火焰與空氣，無比輕盈且偉大的龍。

——曾經是那樣的存在。

現在則擁有易碎的肉體、狂亂的情緒和狹隘的心靈。

『好吧，體諒他一下吧。』

露迪婭這樣想著，緩慢說道：「你也和我們在一起的話會更開心。」

阿爾泰爾斯瞥她了一眼，似乎在確認這句話是否屬實。露迪婭輕輕一笑。

「你最近對孩子們很感興趣呢？明明是前任皇帝交付的任務，任其自生自滅。」

「我只說過我會保護他。」

聽到阿爾泰爾斯像在辯解，露迪婭沉默不語。事實上，他培養出來的皇帝很不錯，就是性格有點問題。

不過，一個好皇帝不一定是個人格完美的人。

『未來可能不怎麼好，但我已經死了，所以不曉得。』

雖然當時是個令人厭惡至極的皇帝，但現在的阿提爾只是個孩子。

和自己的女兒一樣年幼的男孩。

「如果可以的話，請您也保護他的心靈。」

阿爾泰爾斯咀嚼了這句話後回答：「我會考慮的。」

竟然這麼坦率地答應了，他是怎麼了？露迪婭歪著頭。

走進臥室的阿爾泰爾斯將莉莉卡放到床上。

當露迪婭表示想待在女兒身旁看著她時，阿爾泰爾斯將她拖出房間。

「妳今天也累了吧。」

在大劇場經歷過那場大火騷動的人必須去休息。

「我會待在她身旁的。」

「您嗎？」

「是的。」

「……」露迪婭面露不悅地看著阿爾泰爾斯。

阿爾泰爾斯再次開口：「畢竟現在我是她父親。」

露迪婭猶豫了一下，嘆了口氣。或許自己真的會睡著，睡醒後早上再來看她會更好。交給他照顧一下應該沒問題。

「好吧，那我們早上再換班。」

說完，露迪婭輕撫了一下莉莉卡的額頭後離開。

阿爾泰爾斯坐在椅子上，茫然地望著莉莉卡的臉龐，沉浸在思考中。

『大劇場的火災啊。』

他知道巴拉特會露出獠牙，這並不奇怪。有野心就想爬得更高是人類的習性，而巴拉特本來就懷有強烈的嫉妒心。

他還記得第一位巴拉特。

『真是可笑。』

為何這些記憶至今仍然如此清晰呢？

這時，門邊傳來人的動靜。回頭一看，是阿提爾一臉困惑地打開房門，站在門口。

阿爾泰爾斯一邊揉著因為疲勞而揪起的眉頭，一邊問：「怎麼了？」

「沒什麼。」

「你半夜來這裡，卻說沒什麼？」他脫口說出像在逼問的話。

「那個……只是以防萬一。」

他怕莉莉卡會半夜醒來或作惡夢，才過來的。如果知道叔叔在這裡，他就不會來了。

「我先告辭了。」

就在他打聲招呼、準備離開時，阿爾泰爾斯招了招手，「過來。」

阿提爾頓了一下，然後關上門，站到阿爾泰爾斯面前。

阿爾泰爾斯說：「拿張椅子過來坐吧？」

「……好的。」

阿提爾拿了一張椅子過來，在他身旁坐下。氣氛非常尷尬又壓抑。

昏暗的燈光照亮莉莉卡沉睡的臉龐，兩人都注視著她，不過阿爾泰爾斯先開口說道：

「你父親當年來沙漠中找我時。」

「！」

阿提爾驚訝地轉過頭來。這是他第一次從阿爾泰爾斯口中聽到關於父親的事。

「我告訴他我不喜歡，讓他滾，但那個人十分執著。」

因為厭倦了人類，阿爾泰爾斯選擇在沙漠中生活。他隱居在逃亡者們生存的地方，阿提爾的父親卻能找到他。

皇帝要離開皇宮是相當困難的事，尤其是在巴拉特的嚴密監視之下。

「結果我被帶回宮中，遇到了年幼的你。」

阿提爾聚精會神地聽著。

「他求我保護你，直到你長大成為皇帝，而我也答應了。」

阿提爾遲疑了一下，然後說：「父親去世時，叮囑我要將叔叔當作父親看待。」

「他說過那種話嗎？哈！」

阿爾泰爾斯傻眼似的短嘆了口氣。他伸手摸了摸阿提爾的後腦，而阿提爾聳了聳肩。

「我不是個完美的人類。但看著你，我覺得我的成績並不差。」

根據露迪婭所言，心裡明白卻不努力成為一個好人是最糟糕的。

她說的是事實，所以他輕輕笑了笑。

為何我得成為一個完美的人類呢？我又不是自願成為人類的。

『但是……』

他從阿提爾的頭上收回手。阿提爾看起來像在壓抑著某些情緒，耳尖泛紅。

阿爾泰爾斯輕笑了一下。

最近他認為，當個人類也不是那麼糟糕的事情。

「……陛下……？」

可能是聽到笑聲而醒來的，莉莉卡張開眼睛。她睡眼迷濛地望著這邊，嘴裡咕噥著，阿爾泰爾斯說：「妳繼續睡吧。」

她半瞇著的眼睛四處游移，最終停在阿提爾身上。她咧嘴一笑，然後輕拍了拍身旁的枕頭。

「阿提爾。」

「……」

阿提爾不知道該如何是好，看著阿爾泰爾斯的臉色。

睡迷糊的莉莉卡很快就失去了耐心。

「阿提爾～」

她拉長話音，閉上眼睛，同時又拍了拍身旁的枕頭。

阿提爾從座位上尷尬地站起來，阿爾泰爾斯問：「這是什麼意思？」

「那個，就是……」

阿提爾吞了一口口水後說。感覺就像他和莉莉卡之間的小祕密被發現了。

「她要我跟她一起睡……」

「啊。」阿爾泰爾斯毫不猶豫地站了起來，「那樣也不錯。」

他躺到莉莉卡的身旁，然後對呆站著的阿提爾說：「你不躺下嗎？」

「不，我躺。」

阿提爾繞過床，從另一邊爬上床。

莉莉卡的床很寬大，能躺下三個人，但也不會相隔太遠。

「嘿嘿嘿——」

莉莉卡閉著眼睛，感受到床鋪晃了晃，多了一點重量後笑了。旁邊是阿提爾，那麼另一邊是陛下嗎？

如果是夢，那真是個美好的夢。

如果媽媽也在就更好了。

畢竟在現實中，她隨時都能和媽媽一起睡。

體溫和呼吸聲讓莉莉卡感到放心，再次入睡。

第二天早晨，來到臥室的露迪婭抱起雙臂。

『阿提爾怎麼會在這裡？』

還有，為什麼這三個人會睡在一張床上？

『這可是我的女兒。』

她不悅地心想。但看到安穩睡著的莉莉卡，她不想刻意喚醒她。

而且，這不是相當罕見的場景嗎？她甚至想叫畫家來，畫下這一刻。

她湊近阿爾泰爾斯，伸出手，卻被一把拉了過去。

「！」

她怕吵醒孩子，所以沒有發出聲音。

阿爾泰爾斯抱著她的腰問：「早上了嗎……？」

「還是清晨，您現在正躺在我女兒的床上睡覺。」

露迪婭輕聲細語後，阿爾泰爾斯閉上眼睛，像在整理思緒，片刻後坐了起來。

「真是的。」

他緩慢起身。側頭一瞥，看到阿提爾和莉莉卡仍在睡夢中。

他梳起頭髮，放開了露迪婭。

露迪婭忍住想逗弄他說「看來您睡得很好」的衝動，望向阿提爾和莉莉卡。

讓他們變得那麼親密沒關係嗎？但考慮到阿提爾是未來的皇帝，這麼好的人脈，怎麼能讓莉莉卡別和他走得太近呢。

將來莉莉卡卸下皇女身分時，阿提爾或許能成為她堅實的後盾。

「要換班了嗎？」

當阿爾泰爾斯站起來詢問時，露迪婭搖了搖頭，「如果阿提爾看到我在這裡，他可能會不知所措。」

「他可不行像這樣熟睡到連有人進來都不知道啊。」

「您有資格說這句話嗎？」

明明在我走過來之前，您都在呼呼大睡。

「因為我很強啊。」

聽到阿爾泰爾斯的話，露迪婭說：「所以他們才能難得放下心來吧。」

她的意思是，因為是和你一起睡，阿提爾才能安心地睡覺。

仔細想想，這句話並沒有錯。阿爾泰爾斯閉上了嘴，露迪婭接著說：「有時間的話，我們一起吃午餐吧。」

「好。」

阿爾泰爾斯離開了臥室。露迪婭望著女兒安詳的睡顏，片刻後也離開了房間。

CHAPTER. 4
皇女殿下的談心朋友

「迪亞蕾·沃爾夫？」

「那又是個驚人的選擇呢。」

共進早餐的阿提爾和派伊輪流說著。

莉莉卡來回看著他們兩個問：「她很有名嗎？」

「在沃爾夫家，她算有點名氣吧？竟然選她來當談心朋友？」

「皇后殿下有她的考量吧。」

派伊這麼說著，歪了歪頭。他看不出為何非得選迪亞蕾·沃爾夫來當談心朋友。

「為什麼這麼說？她是什麼樣的人？」

「嗯——」

阿提爾抱起雙臂要發表意見時，派伊揮了揮手。

「實際上我也只聽過一些傳聞。我認為親自見面，用眼睛確認是最好的。」

而且，這裡還有沃爾夫家的人。

拉烏布·沃爾夫默默地像影子一樣站著，但他的目光從未離開過莉莉卡。

該說他像一隻獵犬，看著手中拿著零食的主人嗎？無論是索爾還是沃爾夫，有忠誠之心這點是相同的，但本質完全不同，因此最好小心言辭。

聽到派伊的話，阿提爾露出不悅的表情，然後把自己的番茄放到莉莉卡的盤子裡，說：「妳自己看看，如果不行就說。」

莉莉卡不討厭番茄，所以她相對地分了一些喜歡的香腸給他。這次，阿提爾偷偷把青椒放到她的盤子裡。

這可無法接受。莉莉卡把青椒還給他，並心想：她到底是什麼樣的人呢？

她見過的沃爾夫家族的人都是好人，都很喜歡，因此，她對迪亞蕾也抱有一種模糊的好感。

『因為他曾提過談心朋友。』

菲約爾德也曾提出請求，希望她讓他成為談心朋友，莉莉卡也很樂意，但是……

她看向阿提爾。

「阿提爾。」

「說。」

「您為什麼不喜歡菲約爾德？」

有人急促地抽了一口氣。

阿提爾對這聲音感到惱怒的同時，回答莉莉卡：「因為如果我死了，那傢伙就會成為皇帝。」

「什麼？但他是巴拉特吧？」

他不是塔卡爾，卻能成為皇帝嗎？

莉莉卡疑惑地歪了歪頭，阿提爾解釋道：「除了我之外，皇室中地位最高的就是菲約爾德了。簡單來說，他的父親是我的叔叔。」

雖然已經去世了。

而且，巴拉特本身就與皇室有著深厚的血緣關係，所以以正統性來講，菲約爾德可能比阿提爾更接近純血，因為阿提爾的母親不是權族，而是屬於貴族最底層的人。

派伊聽到這句話，「哦？」了一聲，「仔細想想，現在已經不是這樣了吧？」

「什麼不是？」

「不是，繼殿下之後，是莉莉卡皇女殿下才對吧。」

阿提爾的刀叉頓了一下。

莉莉卡疑惑地問：「只要是塔卡爾就行了嗎？不是說需要權能嗎？」

之前坦恩曾說過這樣的話，但那時她對於權能一無所知。

「如果兩者都具備是最好的，但無論如何，首要條件是塔卡爾家的人。」

聽到派伊的解釋，莉莉卡點了點頭，「那就是我排第二了。」

這番宣言很有自信，讓阿提爾傻眼地笑了。

莉莉卡沒有什麼想法，反正她不可能成為皇帝，因為八年後她就會離開。但如果是真的塔卡爾家的人，應該要帶著自信行事。

派伊陷入了沉思。這是他之前從未意識到的事實，現在突然發現後，感覺有些複雜。

派伊擔心的是，皇后和現任皇帝之間會生下孩子。

雖然皇帝承諾過會將皇位傳給阿提爾，但如果有了自己的孩子，他隨時都可以改變心意。

但是還有莉莉卡。

派伊一開始沒有察覺到，但比起他，只關注皇位繼承的巴拉特家腦筋會動得更快。

『如果要讓菲約爾德順利上位，也除掉皇女最保險。啊，現在想想，讓菲約爾德和皇女結婚也不壞吧？既是塔卡爾又不是塔卡爾，巴拉特公爵若知道血統被汙染，肯定會氣炸。』

這是一個有趣的想法，但如果說出來，阿提爾不會放過他，所以派伊只在心裡想想而已。

如果皇帝是為了把莉莉卡當作這樣的棋子才收她為養女，那是一個非常出色的政治策略。

『那樣的話，巴拉特就會想要殺害我們的皇女殿下吧？』

他不希望發生這種事啊。這種單純的想法湧上心頭。

派伊決定將利用莉莉卡的計畫暫時從腦海中抹去。

畢竟，她對他來說是一個可以輕鬆對待的寶貴存在，而且有她在，阿提爾果然也往好的方向改變了。

『得保護她才行。』

這樣想著，派伊露出微笑，與他對上目光的莉莉卡也回以微笑。

派伊不由自主地再次微微笑起。

「那位迪亞蕾・沃爾夫對我們的皇女殿下來說，也不是問題啦。」

派伊・桑達爾罕見地誇下豪語。

迪亞蕾・沃爾夫是一位有著灰粉色長髮，加上深邃綠色眼瞳的可愛少女。她身高嬌小，體型纖細，使她看起來比同齡人年輕。穿著見習騎士的裝束，雖然騎士裝很適合她，但長袖的文官服更加合適她的長相。

同時，她的臉上也帶著固執。

在正午的花園陽光下，她的綠色眼睛宛如翡翠，莉莉卡一見到迪亞蕾就喜歡上了她。

「迪亞蕾・沃爾夫拜見皇女殿下。」

看到迪亞蕾禮貌地致意，莉莉卡也用開朗的聲音回應她，「我也很高興見到妳。」

迪亞蕾一臉疑惑。她瞥了一眼站在莉莉卡背後的拉烏布，然後問道：

「皇女殿下，我可以問一個問題嗎？」

「什麼問題？」

「您為什麼選我作為談心朋友？」

「啊。」

莉莉卡坦白地回答。大多數的問題都可以用誠實來解決。

「是媽媽推薦了迪亞蕾給我。」

「皇后殿下嗎？」

「嗯。」

「皇女殿下，您接受這個安排嗎？如果是為了與沃爾夫家交流，除了我之外，還有很多人可以選擇。」

面對這直截了當的問題，莉莉卡好奇地問：「迪亞蕾不想成為我的談心朋友嗎？」

「我有選擇權嗎？」

「有。」

聽到莉莉卡的回答，迪亞蕾緊抿起雙唇。之後她的臉上多了幾分固執，讓莉莉卡笑了起來。

莉莉卡認真地說：「我從來沒有談心朋友。雖然迪亞蕾比我年長，但這是我第一次在皇宮裡交朋友，所以我非常興奮。」

但是——莉莉卡深吸了一口氣。

「我不知道迪亞蕾是以怎麼樣的心情來到這裡的，但妳也有選擇權。」

受邀成為皇族的談心朋友是一種榮譽，也是一項無法拒絕的任務。

但現在，莉莉卡皇女卻說可以拒絕。

「為什麼呢？」

純粹的疑問脫口而出。從剛才開始，這一連串的對話若是旁人聽到，可能會大喊「沒禮貌」。

莉莉卡笑了，「因為我不想強迫別人和我當朋友啊。」

理由很簡單。

莉莉卡續道：「因為我是皇女，待在我身邊就可以得到好處、因為好奇皇女身邊會發生什麼事，或是因為喜歡我，任何理由都可以。出發點是什麼都無所謂，但我不喜歡和根本不想和我做朋友的人當朋友。」

這完全可以理解。迪亞蕾呆愣地看著比自己年幼許多的皇女殿下說：「皇女殿下為什麼認為自己是塔卡爾呢？」

終於忍不住的布琳大喊：「這是不敬！請注意妳的言辭。」

「布琳，沒關係。」

莉莉卡這麼說著，拉了拉布琳的裙襬並笑了。

她對迪亞蕾說：「因為陛下將我納入了塔卡爾家。」

迪亞蕾皺了皺眉，然後嘆了口氣。

「那皇女殿下呢？您喜歡我嗎？因為受到皇后殿下推薦，您就勉強選我為談心朋友嗎？」

莉莉卡直盯著迪亞蕾，說：「不，我非常喜歡迪亞蕾。」

聽到這句話，迪亞蕾臉紅了，看起來像在生氣。

「我非常清楚自己到現在為止十分無禮。」

「嗯，但妳是想誠實地表達出自己的想法吧？」

方法雖然非常笨拙，但最後的問題在某方面也可以視為擔心。

雖然說任何人都可以成為談心朋友，但如果可以，還是希望與真正想成為朋友的人當談心朋友。

迪亞蕾的問題很合理。

為什麼選擇她？為什麼給她選擇權？以及對方是否也在勉強自己做這件事？

這不是偽裝成誠實的無禮，迪亞蕾是在以她的方式顧慮莉莉卡。

聽到莉莉卡的話後，迪亞蕾垂下肩膀，「皇女殿下非常成熟呢。」

莉莉卡對此露出為難的表情，「所以妳不喜歡嗎？」

「什麼？」

迪亞蕾驚訝地回問後，莉莉卡輕嘆了口氣說：「因為有些人不喜歡成熟的人。這種話不像小孩子會說的吧。」

不像小孩。

令人作噁。

賣弄小聰明，狡猾的孩子。

小孩最好像個小孩。

莉莉卡聽過無數這樣的話。她噘起嘴。

「但如果表現得像個小孩，他們又不喜歡。」

不要以為只因為妳是小孩就會被愛。

自己的事情應該自己處理。

別人不會因為妳是小孩就對妳寬容。

工作就是工作，妳為什麼聽不懂？

她一直在這些人之中笑著生活，聽從大人的話，所以不曉得對同齡的朋友該怎麼做。

迪亞蕾打算開口的瞬間，有人從一旁跳出來說：「您不需要在意那些說這種話的人，皇女殿下。」

「拉特？」

出乎意料的人物出現，讓莉莉卡十分驚訝。拉特懷裡抱著一個大卷軸。

他露出笑容並問候：「拜見皇女殿下。」

莉莉卡也回應了他。她沒想到會在花園遇到拉特。

「偷聽是不好的行為。」

這時，迪亞蕾對拉特說。她甚至挑起眉毛，抱起雙臂，小小的身軀筆直地站著，顯得堂堂正正。但是對帝國宰相說出這番話，做出這種行動十分無禮。

拉特對這樣的她心想「果然如此」，然後笑了。

「我不是在偷聽，是我正在休息，妳們卻走到這邊來的。」

「你在休息？」

「是的，陛下胡亂使喚我，所以我就偷懶了一會兒。」

雖然看起來一點也不像，但既然他這麼說，莉莉卡就相信他，點了點頭。

拉特說：「總之關於剛才的話題，您不需要在意那些話。那些人只是對弱者隨口亂說罷了。」

拉特微笑著，「因為無法用邏輯贏過對方，所以攻擊對方的人格。真是卑鄙的行為。」

「卑鄙……」

「正是如此。皇女殿下，您當時所說的話及敘述應該沒有錯。因為您說的是對的，他們無法反駁，才會說您『賣弄小聰明』、『不像孩子』之類的話。」

拉特以惱怒的語氣說完後笑了。

「不過，聰明的我們只要稍微忍耐一下，之後成為高人一等的存在，再慢慢踐踏他們就好了。像是『因為禿頭，所以聽不見』這樣的話。」

莉莉卡一時笑了出來，因為對她說那些話的人真的是禿頭。

「請跟他們說，就是因為你的人格那麼差勁，你的頭髮才會逃跑。」

莉莉卡問道：「拉特，你曾這樣說過嗎？」

「是的，當然。」

拉特優雅地笑了。

看到他的笑容，莉莉卡覺得拉特既像派伊，也和眼前的迪亞蕾有幾分相似。

接著他沉靜地嘆息說：「麻煩的人來了，我就此告辭了，祝兩位有愉快的一天。」

問候一聲後，拉特急忙快步離開。

「麻煩的人？」

莉莉卡只認識一個人會被拉特稱作麻煩的人。

不久之後，坦恩果然出現了。他對莉莉卡輕聲打了招呼。

「請問兩位有沒有看到拉特？我明明看到他剛才從這邊經過。」

「嗯，他剛才走了。」

聽到莉莉卡的話，坦恩咂舌了一聲，然後對迪亞蕾伸出手，但她皺著眉閃開了。

「請不要摸我的頭。」

「啊，抱歉。」

坦恩收回手，然後看向拉烏布，拉烏布一臉嚴肅地說：「我不喜歡。」

莉莉卡笑了。

「我沒關係喔。」

聽到她的話，坦恩露出了笑容。

「在大家面前摸皇女殿下的頭，之後恐怕會被陛下或殿下責罵，所以不行。那麼，還請您多多關照迪亞蕾。」

迪亞蕾聽到這番話就皺起眉，坦恩「咿」了一聲，快步離開。

他離開後，莉莉卡問道：「妳不喜歡坦恩照顧妳嗎？」

「我不想依靠家主，想憑自己的力量獲得自己的位置。」

「那真值得敬佩。」

「真的嗎？」

迪亞蕾驚訝地問，莉莉卡點了點頭，「那當然。要靠自己獨立是很困難的事。」

迪亞蕾微微一笑，然後又變回嚴肅的表情，說：「皇女殿下，我不是純粹的沃爾夫。」

莉莉卡歪著頭問：「那是什麼意思？」

「我的父親是桑達爾。我的母親和他沒有正式結婚，生下我後讓我冠上沃爾夫的姓，所以我有一半是桑達爾，還是私生子。即使如此，我也能當您的談心朋友嗎？」

這是很重要的事情嗎？

莉莉卡感到疑惑，但這對迪亞蕾來說應該是個重要的問題。

莉莉卡認真地說：「我不介意。」

迪亞蕾笑了。

「那我也想成為皇女殿下的談心朋友。」

「哇！」

莉莉卡驚嘆一聲，緊緊抓住她的手。迪亞蕾笑著，害羞地補充說道：「我還有一個綽號。」

「是什麼呢？」

朋友之間，果然應該用綽號來稱呼對方嗎？

莉莉卡滿心期待地等著迪亞蕾的下一句話。

「我的綽號是『不屈的迪亞蕾』。」

沃爾夫家的城鎮總是熱鬧非凡。

「聽說她和皇女殿下成了朋友？」

「小豆子？喔，我們的小豆子出人頭地了。」

「別叫我小豆子，我殺了你喔！」

「妳就叫小豆子吧，哎呀。」

沃爾夫家身材高大的孩子們閃過了迪亞蕾的踢擊，紛紛逃跑。迪亞蕾則喘著大氣走上樓。

房間裡的擺飾很簡單，書桌、衣櫥、床。雖然只有這些，但這仍是她自己的空間。她拉出書桌椅，坐了下來。

『為什麼我這麼矮？』

她鼓起臉頰。

孩子們雖然沒有特別愛欺負嬌小的迪亞蕾，但總是輕視她。她也對被人摸頭的行為感到厭煩，也討厭別人說她可愛。

因為身材嬌小就覺得她可愛又脆弱，去死吧。

為了得到想要的東西，她必須比別人更努力執著。

每當這種時候，總會聽到「混雜著桑達爾的血液就是不同呢」這種評論。但相反地，桑達爾家的人看到這樣的她，會說「果然流著沃爾夫的血液」。

她的姓氏是沃爾夫，但因為身材嬌小，她很害怕自己其實應該屬於桑達爾，但她確定桑達爾家族中也沒有她的位置。

當她因此動怒時，大家不會感到害怕，會露出寫著「好可愛」的表情，這也讓她感到惱怒。所以她只能說話比別人粗魯，行動比別人粗魯。

不知不覺間，她被稱為「不屈的迪亞蕾」。

『令人感到恥辱的綽號。』

即使這麼認為，但她總是會壓抑不住，她的內心似乎總是充滿了憤怒。

雖然知道這是個滑稽的綽號，但她還是想向皇女殿下坦白。她很好奇皇女會怎麼說。

但是皇女聽完她的故事後，只是發出「嗯～」的疑惑聲，片刻後簡短地說了句「原來如此」。

莉莉卡對此沒有進一步評論。

『皇女殿下……』

迪亞蕾輕輕將臉頰放在書桌上。

她豐厚的棕色頭髮極為迷人，瞳孔是藍綠色，就像神祕的魯丁湖。

『就像樹之精靈。』

沃爾夫伯爵家的領地中有一片十分深邃的針葉林。在那片被稱為「黑森林」的針葉林裡漫步於古老的樹木間，會感受到敬畏之情。

那些樹木如同支柱，穩固地支撐著天空。

童話中的樹之精靈既聰明又美麗，並且帶著神祕的微笑。迪亞蕾認為莉莉卡恰好就像她想像的樹之精靈。

『不，如果再長高一點的話。』

如果再長高一些，棕色頭髮會長及膝蓋，那雙眼睛會變得更深邃。

就像從插畫中走出來的樹之精靈。

迪亞蕾每天都必須交出報告，但她無法寫下這樣的內容。她能寫的只有「成為了皇女殿下的談心朋友」這件事。

『皇女殿下明明也不是真正的塔卡爾。』

她怎麼能那麼有自信呢？

迪亞蕾從椅子上跳起來。這種溫和的幻想不適合她，對她來說，揮劍更合適。

『揮劍千次。』

一直揮劍到筋疲力盡後倒下，所有的煩惱和思緒都會被拋到遠方。迪亞蕾很喜歡那樣。

她突然想到了站在皇女殿下的身後，像影子一樣的拉烏布。

『我得變得更強。』

訂下了近期目標，她緊握起拳頭。

「皇領嗎？」

莉莉卡瞪大了眼睛。她在辦公室擦拭墨水瓶時抬起頭來。

阿爾泰爾斯就像之前隨手給她一堆金幣一樣，輕描淡寫地遞來一張羊皮紙。

「妳也是皇女，當然也得擁有自己的領地。好好做吧。」

領地？

皇領？

莉莉卡搖搖頭。她知道自己能做什麼，不能做什麼。

「不行，我做不到。」

「妳不想試試看嗎？」

「我不試也知道做不到就是做不到。」

要她管理一塊土地，無論怎麼想都不可能。阿爾泰爾斯嘻嘻一笑。

「知道自己做不到就夠了。」

「什麼？」

「妳知道自己做不到就夠了。」

他再次遞出羊皮紙。莉莉卡感到頭暈目眩。

「我做不到。住在那裡的居民該怎麼辦？我無法對他們負責。」

「什麼？妳也知道必須對人民負責啊。」

他用羊皮紙卷的一端戳了戳她的額頭。

莉莉卡倒抽一口氣，而旁邊的拉特開口說：「皇女殿下，您不必獨自一人負擔。」

莉莉卡轉頭看向他。

拉特說：「皇女殿下應該無法管理土地，所以請您仔細留意適合的人選，選擇可徵詢意見的人。」

莉莉卡就快哭了。她身邊有誰能求助呢？

「那就只有拉特了……」

聽到莉莉卡的話，拉特眨了眨眼，然後笑了。

「我也可以提供一些建議，而且您獲得的土地，您看了就知道，不是什麼重要的地方。」

聽到這片土地不是什麼重要的地方，莉莉卡鬆了口氣。

「即使管理不善，也不會造成太大的打擊。」
「就是啊。」
阿爾泰爾斯又用羊皮紙卷推了一下她的額頭，莉莉卡接了過去。
她的手在顫抖。
拉特看著她接過卷軸，嘴角浮現出微笑，「祝賀您，皇女殿下。」
不知為何，莉莉卡感覺這聲祝賀別有他意。
「拉特……」她開口說道。
拉特靜靜地等待著後續，而莉莉卡抬頭看著他。
「你明明不認為我能做好。」這麼說完，莉莉卡立刻「啊」了一聲，接著解釋：「不，我不是在責怪你。我是說那個，就是……」
莉莉卡努力尋找合適的解釋，但拉特眨了眨眼，露出微笑。
「因為很少人從一開始就做得很好，畢竟這是要從失敗中學習的事。」
這聽起來很有道理，但莉莉卡的心不知為何，並沒有被打動。
她仔細回想拉特說的話。
人委託他人做事時，都有其目的。有些雇主會不知道自己為何僱用別人，所以會說得很含糊。
這種時候，煩惱「為什麼僱用我？」也是莉莉卡的工作，因為如果無法弄清楚，就無法滿足雇主。
『但拉特感覺不會輕易告訴我。』
是否給了什麼暗示？
莉莉卡低吟著咀嚼拉特的話。
——請您選擇可徵詢意見的人。

「啊。」

莉莉卡轉頭看向阿爾泰爾斯，他臉上寫著「什麼?·怎麼了?·」。

莉莉卡嘆了口氣，雙手緊緊握著羊皮紙，「我還是應該向母親尋求建議。」

拉特微笑著，「那也是個不錯的選擇。」

『原來是這樣。』

意識到自己找到了答案，莉莉卡笑了。

阿爾泰爾斯說：「雖然不是非這麼做不可，但既然妳想這麼做，那也沒辦法。」

「各方面都是如此。」

拉特點了點頭。莉莉卡將羊皮紙妥善收進口袋，她還有工作沒做完，打算全部做完再看。

她仔細地檢查筆尖，將骯髒的筆尖用水清洗。

看到閃閃發光的彩色墨水瓶和雕刻細膩的筆尖都排列整齊，她非常滿意。

垃圾桶很乾淨，文件也很整齊，紙張和墨水都充足。

滿意地伸了個懶腰，莉莉卡脫下圍裙，拿著羊皮紙，歪著頭走向拉特。

「有什麼事情嗎？」拉特溫柔地問道。

「剛才我對你說了『你明明不認為我能做好』吧。」莉莉卡小聲地說。

拉特輕點了點頭。

「我並不是在責怪拉特。嗯，我知道拉特一直都在努力工作。」

他總是最早進宮，最晚離開。文件都迅速處理完，並附上詳細的說明。

「但是知道我沒有能力，還把工作交給我，讓我覺得很奇怪。因為如果待在這裡，就不可能不知道拉特很珍惜帝國。」

但他卻說出「就算搞砸了這塊土地也沒關係」這種話？還說要慶祝？
「所以我只是覺得奇怪而已。」
拉特聽到莉莉卡的話後，直視著她一會兒，然後笑了。
「怎麼辦呢？我不像坦恩會隨身攜帶糖果。」
「哦？不，我不是在求你給我食物。」
莉莉卡的臉色通紅。看到她的反應，拉特急忙舉起手說：
「不，我不是覺得皇女殿下是想得到糖果才這麼說的，是我想給您一些什麼，嗯……是這個意思。」
她感受到內心莫名變得柔軟。得知對方直率地看待自己，大力讚賞自己是一件令人愉快的事。地位越高，這種話會越近似於阿諛奉承，但莉莉卡並沒有這種感覺。
拉特．桑達爾久違地感受到純粹的快樂，同時也感到抱歉。
「謝謝您，皇女殿下。」他向她致謝後，轉頭對阿爾泰爾斯說：「皇女殿下都知道我日以繼夜地工作，但一想到陛下是怎麼對待我的，突然就想哭了。」
「給你放假怎麼樣？」
阿爾泰爾斯的話讓拉特的臉色扭曲起來。
「我想去，但是我能想像到自己回來之後會是什麼樣子，所以害怕得不敢去啊。」
「看來不相信主人啊。」
「是主人奪走了我的那份信任。」
看著兩人鬥嘴，莉莉卡輕輕地笑了。她悄悄後退幾步，然後體面地行了一個屈膝禮。
「那麼，我就先告退了。」
「我送妳。」

阿爾泰爾斯站起身來。拉特正要站起來，聽到這句話又坐了回去。

「我們走吧。」

阿爾泰爾斯走過來，將莉莉卡輕鬆抱起。對此，莉莉卡從很久之前就放棄抗議了，所以冷靜地被他抱著。

其實如果不會頻繁地被人抱著走，她並不討厭這樣。

『如果經常被這樣抱著走，可能最後都不會走路了。』

這是莉莉卡的擔憂。

離開辦公室時，拉烏布和布琳都像在等候兩人，跟了上來。

阿爾泰爾斯問莉莉卡：「妳和阿提爾相處得很好嗎？」

「是。」莉莉卡點了點頭，小聲補充道：「我覺得是啦。」

「妳認為相處得來就好。」

他們聊著無關緊要的話題並走過走廊，將她放在房間門前時，阿爾泰爾斯低聲說：

「今晚傍晚要上第一堂課。」

「！」

莉莉卡迅速接下他遞來的紙條。

「準備好物品，我晚上來接妳。」

莉莉卡無法說話，只點點頭。這是關於魔法課的通知。

看著莉莉卡臉頰泛紅，只顧點頭的模樣，阿爾泰爾斯勾起微笑，「那我走了。」

「喝杯茶再走吧。」

莉莉卡有禮貌地邀請，而阿爾泰爾斯簡短地回答：「我不喜歡喝茶。」

然後他就離開了。相較於手上拿著的羊皮紙，莉莉卡此刻更在意晚上的課程。

『魔法課，魔法課！』

她的心臟在胸腔深處快速跳動。莉莉卡珍惜地捏著羊皮紙說：「先去找母親吧。」

大劇院的火災是連日來報紙上的頭條新聞，插圖中描繪著露迪婭勇敢地從火海中救出一名年幼侍女的模樣，新皇后的人氣迅速飆升。

『**出身貧民區，了解民情，關心百姓的慈愛皇后**』

曾經的嘲笑對象現在變成了歡呼的焦點。露迪婭覺得這很有趣。

製作報紙需要資金，報導的內容大多是由提供資金的贊助者決定。

皇室也有援助一些報紙，其他貴族也是如此。但無論如何，最近最熱門的話題是關於露迪婭的事，也刊載了關於皇后殿下的時尚、克里諾林裙襯有多不方便、傷患都是穿著克里諾林裙襯的人等論調。

露迪婭淡淡地笑了。

『現在，貴族千金們會怎麼做呢？』

即使年長的貴婦人們堅持穿著克里諾林裙襯，但對流行敏感的人肯定會轉向巴斯爾裙襯。

露迪婭會從一開始就強推巴斯爾風格，不就是為了今天嗎？利用服裝區分出皇帝派和貴族派，使她對社交界的影響力變得清晰可見。

『如果現在大家都穿巴斯爾裙襯，那就是我贏了。』

這代表社交界將在皇后面前低頭。

她笑著折起報紙時，管家告知她莉莉卡來了。

「讓她進來。」露迪婭一邊收起報紙一邊說道。

不久後，莉莉卡以輕快的腳步走進來。

「媽媽。」

她討喜地行了屈膝禮，然後坐到媽媽身旁。

露迪婭自然地抱了莉莉卡一下，然後放開，莉莉卡笑著說：「若是平時，我也會抱住您，但今天我手裡有這個。」

「那是什麼？」

露迪婭好奇地問，莉莉卡就遞出羊皮紙。

「剛才陛下賜給我一塊皇領。」

露迪婭一瞬間僵住。周圍的人們也停頓片刻，然後同時看向羊皮紙。

露迪婭問：「他賜了皇領？給妳？這麼突然嗎？」

「是的，我也覺得奇怪……但我不太懂，所以想交給媽媽。我還小，應該可以交給您代為管理吧？」

莉莉卡將羊皮紙遞給露迪婭後，露迪婭粗魯地打開羊皮紙。

「天啊。」

蓋有皇帝印章的羊皮紙上，內容十分簡潔，寫著將皇領的一部分賜予莉莉卡。

露迪婭咬了咬嘴唇，問女兒：「宰相也在場嗎？」

「是的，拉特還祝賀我喔。」

莉莉卡的話讓露迪婭露出苦笑。她想馬上將羊皮紙揉成一團，但還是忍住了。

『不對。』

她再次仔細看過領地的名稱。這塊皇領如同其他皇領，是貧瘠的北方土地。

一般來說，無法期待有多少收穫。

「但是烏巴就快回來了。」露迪婭微笑著，「巴拉特公爵在會議上肯定會大吃一驚。」

露迪婭如此低喃。她常常做出會讓貴族派十分頭痛的事。

當然，她有自信能搶占先鋒，但是從不惜利用莉莉卡的事來看，該怎麼說呢？

『最好不要忽視拉特・桑達爾。』

叛徒。這是十分簡單又直接的批判。帝國的宰相蒙騙皇帝、協助叛亂者的意義重大。

『但我還是不曉得他的理由。』

那時候不曉得，現在也不曉得。

不管是叛亂還是什麼，她打算在阿提爾成年的那一刻抱著莉莉卡逃跑，但在那之前，還是得保命啊。

「莉莉，妳從拉特身上有沒有感覺到直覺的警告？」

「沒有，一點也沒有。」說完，莉莉卡認真地低語，「拉特也需要護身符嗎？」

「不，那他應該沒事。」

露迪婭微笑著，將羊皮紙扔到桌上。莉莉卡看了看那張羊皮紙，又將目光轉向露迪婭。

「媽媽，我有件事想問您。」

「嗯，什麼事？」露迪婭將管家端上桌的點心放到莉莉卡手裡並問道。

「我可以請菲約爾德來當我的談心朋友嗎？」

「妳說菲約爾德・巴拉特？當妳的談心朋友？」

「是的，可以嗎？」

莉莉卡的話讓露迪婭十分苦惱，目光看向羊皮紙。對方既然祭出這招，那我們也可以隨意而為。

「好，媽媽會寫封信去問問看。」

「真的嗎？」

「當然。」

「哇！」

莉莉卡大聲歡呼，緊緊抱住露迪婭，讓露迪婭笑了。

「就那麼高興嗎？菲約爾德有什麼地方讓莉莉這麼喜歡？但也對，巴拉特家的確原本就擁有魅惑人心的天賦。」

莉莉卡不解地歪過頭時，露迪婭拿著茶杯解釋：「巴拉特家的祖先據說原本是一朵極其美麗的花，會以甜美的香氣和外表誘惑人，然後將人吞噬。」

莉莉卡想起菲約爾德，她說：「但在我眼中，媽媽更美麗。」

露迪婭露出滿臉笑容，「哎呀，妳這孩子真會說話。」

輕笑著喝茶的媽媽，美得就像一幅畫。莉莉卡像被迷倒一樣看著媽媽，然後深深嘆了口氣。

『要是我也長得像媽媽就好了。』

如果自己是金髮，那該有多好。

聽到莉莉卡嘆氣，露迪婭看向她：「怎麼了？」

「沒什麼。」莉莉卡搖搖頭。

露迪婭微笑著問：「對了，迪亞蕾怎麼樣？妳喜歡她嗎？」

「喜歡。」

莉莉卡點了點頭，露迪婭簡短地說：「那就好。」

迪亞蕾・沃爾夫。

露迪婭被判處死刑，臨死前不久，迪亞蕾作為帝國中屈指可數的騎士聞名，她那任性的性格也同樣出名。

『她肯定是沃爾夫家的神器使用者，神器的名字是「尖牙」吧？』

古老的家族都擁有幾件神器，擁有多少神器，也是證明一個家族多偉大的證據。

從沉沒的本島帶來，至今仍留存於世的古代遺物中，有著名的也有神祕的。由於失去了魔法，再也無法製造出神器，因此每個家族都很珍惜神器。

其中也有神器的使用條件非常嚴格，「尖牙」就是這樣的神器。雖然知道它流傳於沃爾夫家，但使用者並不多。

迪亞蕾是「尖牙」最年輕的使用者。

『我也不太清楚細節。』

露迪婭只知道那是能增強身體能力的神器。她知道有這一位前途無量，與莉莉卡同齡的人才，所以不得不讓迪亞蕾待在她身邊。

雖然她已經被稱為「不屈的迪亞蕾」，但她還年輕，因此露迪婭認為讓迪亞蕾在莉莉卡身邊稍微建立一些人脈也不錯，才選擇了迪亞蕾。

「不過，妳心裡難受時一定要告訴媽媽，好嗎？」

聽到露迪婭的話，莉莉卡點頭回答「好的」。雖然迪亞蕾非常好，但莉莉卡更常想起菲約爾德。

菲約爾德聽到這消息，一定會很高興。

『但是阿提爾可能會生氣。』

不，他肯定會生氣。
莉莉卡忍住低吟。她應該怎麼向阿提爾解釋呢？
她滿心擔憂地嚥下甜點。這點心確實甜蜜，憂慮卻使它變得難以下嚥。
為了轉移注意力，莉莉卡從座位上跳起來。
「媽媽，我先走了。」
「這麼快就要走了嗎？媽媽要去量身訂做一套禮服，莉莉卡也做一套吧。」
「我就不用了。要是今天再做一套禮服，光是這週就做第二件了。」
莉莉卡搖了搖頭。其實她很想要一套公主風格的裙子，但因為母親只穿巴斯爾風格的洋裝，她無法提出請求。
露迪婭遺憾地親了一下女兒的臉頰。

CHAPTER. 5
祕密小屋

莉莉卡回到自己的房間，確實關上書房門，從口袋裡拿出一張紙條。

『準備物品：擺錘』

「擺錘？這是什麼？」

看著這個出乎意料的詞，莉莉卡呆站在原地。猶豫了一會兒，莉莉卡把紙條藏好，走了出去。

「布琳。」

「是，皇女殿下。」

「妳知道什麼是擺錘嗎？」

「是，當然知道，就是帶有繩子的錘。之前很流行，會用來尋找水脈，或在占卜中尋找方向。」

「！」

莉莉卡的眼睛一亮。布琳看到她的表情後，立刻明白了情況。布琳沉靜地低聲說：

「您需要嗎？要訂做一個給您嗎？」

「那個可以訂做嗎？」

訂做魔法道具？

「是，當然可以。您選一個想要的原石就可以製作一個。」

「但我今天就需要……」

「那今天我們就臨時製作一個可用的吧。」

「可以嗎？」

「是，我可是您的侍女布琳·索爾。」

布琳自信十足地說完，讓侍女拿來珠寶盒。

從盒子裡的飾品中拿出一顆原石的項鍊墜子，巧妙地用項鍊繩串起來。

「好了，這樣臨時的擺錘就做好了。您只需要這樣握住繩子的末端，這個墜子就會像錘子一樣移動吧？這就是擺錘。」

「原來如此。」

莉莉卡看著旋轉的墜子，然後看向布琳，「謝謝妳，布琳。」

「不客氣，我明天馬上就去找工匠。」

在貴族孩子之間，曾經很流行占星術和使用各種金銀寶石製成的擺錘，要找工匠應該不難。

『皇女殿下的擺錘一定要做得很可愛。』

布琳面帶微笑。

莉莉卡看著她，又開始躊躇。

布琳跪在她面前問道：「您還想要什麼東西嗎？」

「那個……」

今天是第一堂魔法課，所以她想要穿得正式一點。

莉莉卡現在知道在陛下面前必須穿得體體面面了，但是她無法一個人換衣服。

『之前聊起魔法書時，布琳說過沒關係的。』

莉莉卡這麼想著，小聲嘀咕：「我今晚要跟陛下見面，但因為服裝……」

「擺錘也是因為陛下才需要的嗎？」

莉莉卡輕輕點頭，布琳就不再追問，「我明白了，我會準備好漂亮的衣服。」

布琳能夠精確地察覺並說出自己想要的東西，莉莉卡對她非常感激。莉莉卡緊緊抱住她。

「謝謝妳，布琳。」

「不客氣，我才該謝謝您，皇女殿下。」

能受到主人信任到分享重要的問題，是親信的驕傲。能得到小皇女殿下這麼多的愛和信任，布琳也只能盡其所能做到最好。

在半夜由許多人準備衣服可能會很奇怪，所以布琳獨自一人準備好了衣服。

吃完晚餐後，她一件件地幫莉莉卡穿上準備好的衣物。

寬領的連身裙配上可愛的蝴蝶結，討喜的高筒襪和帶金色釦子的鞋子。連頭髮也堅固地盤起，方便活動，之後再戴上帽子就完成了。

單手拿著擺錘的莉莉卡在鏡子前發出驚嘆聲。

「我看起來好像學生。」

童話插畫中的動物學生是不是就穿著這種衣服？

感覺意就像自己馬上能學會並使用魔法了，莉莉卡的心情立刻變得很好。她在腦海中想像著自己帥氣地揮動擺錘，保護媽媽並打敗壞人。

「呵呵呵。」

嘴裡流洩出笑聲，她不禁有些害羞。

布琳小聲說：「那我先出去了。」

「嗯。」

莉莉卡點了點頭，布琳就靜靜地關上臥室門離開了。

莉莉卡坐在窗邊，乖巧地將雙手放在腿上等著。

『他不來了嗎？』

她不停瞥向窗外，覺得或許會有扔石頭的聲音，側耳傾聽著。

『可能很忙吧。』

這麼心想，她嘆了口氣時，背後傳來一個突如其來的聲音。

「妳已經做好學習的準備了呢。」

「！」

莉莉卡被嚇得站起來。或許是太過驚訝，椅子差點翻倒，被阿爾泰爾斯一把抓住。

「也變得像小馬一樣有力了。」

「您是怎麼……」

莉莉卡驚訝地嘀咕著，皇帝則聳了聳肩，「在這皇宮裡，沒有我進不了的地方。」

無論是物理上還是法律上。

聽到阿爾泰爾斯的話，莉莉卡十分佩服。

他伸出了手，「走吧。」

「好、好的。」

當兩人的手相握，一陣風吹起。她不由得舉起手遮住眼睛，然後一切都靜止了。

放下手，莉莉卡張大了嘴。兩人站在夜裡的花園中，沒有一絲光亮，只有月光靜靜地將花園染成銀色。

「哇……」

她不禁驚嘆出聲。目光掃過四周，也不知道自己身在何處。夜晚與白天完全不同，即使是在同一個地方也會感到陌生。

「妳對布琳說了什麼？」

被皇帝問起，莉莉卡舉起手回答。

「我說我要去見陛下。布琳說她會幫我訂做擺錘，還臨時用項鍊幫我做了這個臨時的擺錘。」她拿起擺錘說。

看著在月光下閃閃發光的藍寶石吊墜，阿爾泰爾斯說：「我知道了。」

他望著這個與他相比就像流星一樣短暫，非常嬌小的魔法師。

向星星許願，神的寵兒。

自己這樣的龍族要教導她讓阿爾泰爾斯感到諷刺，但總比放任她不管要好。

「魔法師需要注意三件事。」

不得褻瀆人心。

不得戲謔生與死。

禁止玷汙生命。

「注意意味著可以做到，過去確實有這麼強大的魔法師存在。」阿爾泰爾斯直視著莉莉卡，「我不知道妳能做到什麼地步，但……」

「我不會做那種事。」

莉莉卡輕輕搖頭。她不想做那麼可怕的事情。

「很好，那麼第一課，閉上眼睛，拿起擺錘。」

莉莉卡按照指示行動。

「想像心中的道路透過吊繩，連接到墜子上。」

「……」

心中的道路，心中的道路。

用魔法打造的道路肯定是由閃亮的小石子鋪成，就像輕快流淌的小溪一樣跑過上頭。

突然，握在手中的繩子感覺變冰冷。

「！」

莉莉卡感到驚訝，一隻大手搭在她的肩上，讓她安心。

「作為魔法師，首先必須學會的魔法是光。從心中取出光芒，然後透過吊繩，將光傳送到墜子上。光，是一種不發熱的光源。」

『不會發熱的耀眼事物。』

她很快就想起了在夜晚耀眼發光的月亮。

「當妳想像光聚集到墜子上時，就說『艾爾希』。」

「艾爾希。」

即使閉著眼睛，她也能感受到光芒。

「現在睜開眼睛看看。」

睜開眼睛時，擺錘正發出耀眼的光芒。

「哇！」

莉莉卡驚叫一聲，然後看向阿爾泰爾斯，卻猛地停住了。他的臉上沒有任何表情，沒有表情不單單是指面無表情，而是像插畫中看到的古老雕像，所有一切都風化了一樣。

『有些疲憊又落寞的表情……』

莉莉卡感到悲傷。

阿爾泰爾斯與她對上目光後，微微一笑，「妳明明成功了，為什麼卻哭喪著臉？」

「因為……」

因為陛下看起來很寂寞。這句話她說不出口。

一隻大手輕輕撫摸她的頭。

「知道隨時都可以取出光芒，就不會害怕黑暗，可以勇敢地走下去。」

莉莉卡馬上收起悲傷的心情，「但是，我一個人的時候還是會感到害怕。如果現在陛下不在，我也會很害怕。可是，我應該可以像陛下說的——向前邁進。」

儘管非常害怕，還是要向前走一步。

聽到莉莉卡的話，阿爾泰爾斯遲疑地說：「那樣也不壞。」

隨後他放開了手。

「那麼，今天的課程就到這裡。作業是學習古語，去找出『艾爾希』是什麼意思。對魔法來說，古語是必須的，妳最好先學會。那麼，下週這個時間見。」

轉瞬間又回到了房間裡。課程雖短卻強度十足，阿爾泰爾斯說：「妳在學魔法的事不要告訴任何人，連妳媽媽也不行。」

「好的。」

莉莉卡用力點了點頭後，阿爾泰爾斯輕敲了一下她的額頭，然後消失了。

他來到自己的房間。他不假思索地穿過夫妻的臥室，走進皇后的房間。

剛好吃完晚餐回來的皇后正在侍女們的幫助下，脫下衣服。

「都出去。」

聽到阿爾泰爾斯的話，侍女們迅速停下動作，安靜地退了出去。

露迪婭皺起眉問：「為什麼要特地讓她們出去？」

「我來幫妳脫就好了。」

聽到這般厚顏無恥的話，露迪婭露出傻眼的笑。

摘下婚戒放到銀托盤上，發出清脆的聲響。阿爾泰爾斯開始解開她的緊身胸衣。

只能聽見絲帶摩擦滑過的聲音。

「有什麼事嗎？」

露迪婭透過鏡子看到阿爾泰爾斯的臉色很糟。

他俯身在她耳邊低語：「我們不是能關心這種事的關係。」

「對，不是。」

她雪白的手指碰上他的下顎線和臉頰。透過鏡子，兩人的目光相對。

她說：「但我很好奇。」

那雙湛藍的眼睛像要射穿他一般望來。露迪婭總是這樣，望來的目光就像要射穿他人。

「妳不怕我嗎？」

「哪一個您？」

「作為龍的我。」

「不怕。」

「為什麼？」

「您不會殺我或傷害我吧。」

露迪婭回答得很輕鬆。無論他的性情如何，他都會遵守自己的承諾。他們之間有契約，所以露迪婭很安全。

「就這樣？」

「還有什麼更重要的嗎？」

緊身胸衣的帶子無聲地落到地上。他靈巧地幫她脫下緊身胸衣，露迪婭穿著一件純白的亞麻裙轉過身。

阿爾泰爾斯帶著微笑說：「對某些人來說，那可是最大的問題。」

露迪婭點了點頭。

「也許有這樣的人存在，那是理所當然。但你何不先將對人類的幻滅放到一邊，享受變成人類的美好之處呢？」

「什麼？」

露迪婭平靜地說：「吃美味的食物，穿漂亮的衣服。即使悲傷、痛苦和煩惱，但想到最終還是有快樂、平靜和幸福存在，就能勉強過去。」

她這麼說著，皺起眉頭，帶著苦笑說：「雖然我知道我沒資格說這些話。」

這是她不久前才意識到的事實。她望向眼前的龍。

帶著舊傷，不知該如何處理自己情感的人。

她非常清楚自己不是好人，不能對這樣的人給出建議，但還是說出了這些話，因為……

『我好像越來越像莉莉卡了。』

這樣想著，她的心情就愉悅不少。

在沉默中，無法得知阿爾泰爾斯在想什麼。他垂下眼，長睫毛投下了陰影。也許是因為他原本是龍，他的輪廓美得驚人，即使是熟悉的臉龐也讓人驚訝不已。

那異國情調的深色皮膚只增添了他的魅力，完美無瑕。露迪婭很清楚襯衫底下的赤裸身軀有多完美，一點贅肉都沒有，像雕塑一樣，不，是比雕塑還完美。那具身體看似堅硬，摸起來卻滾燙、柔軟又堅實到令人驚訝。

他的大手環抱住纖細的腰。

露迪婭稍微倒抽了一口氣。透過單薄的裙子，能感受到他滾燙的體溫。

「的確。」他的聲音低沉而深厚，「成為人類的好處，我知道一個。」

莉莉卡攤開古語書，環視了一下房間。確認沒有人之後，她從口袋裡拿出擺錘。

之前布琳找來的商人卑躬屈膝地請她說出想要的主題，莉莉卡想了想，最後想起了第一堂魔法課的內容。

月亮與心。

莉莉卡提出這兩個元素後，商人點點頭。莉莉卡看到布琳抓住他說了些什麼，不久後送來的擺錘完全符合莉莉卡的心意。

不知道用什麼材質製成的，粉紅色的寶石表面從這個角度看是金色的，從另一個角度看則閃耀著彩虹光芒。工匠用它做成新月的形狀，將燃燒般的鮮紅紅寶石加工成心形，掛在新月的一端。

新月的頭頂上，戴著一頂用金子製作的皇冠。

「因為這是皇女殿下的東西。」布琳親切地說。

鍊子特別使用了白金製作，也閃閃發亮。擺錘的末端為了方便抓握或套入手指，附有鑲嵌著各色寶石的圓環。

她拿起擺錘，目光落在旁邊的軟膏上。

「盧貝爾達。」

擺錘閃閃發光。光粉開始落在軟膏上。

莉莉卡急忙將擺錘放回去，注視著軟膏。能看到軟膏裡像加了石英粉末，閃閃發光。

她大膽地拿起一根尖銳的針，用力刺入指尖，鮮紅的血珠湧出。她吮了吮手指，輕輕抹上軟膏，傷口瞬間消失得無影無蹤。

『成功了！』

莉莉卡緊握起拳頭。今天的作業也完成了。

她將軟膏確實蓋好，闔上書本。古語書非常厚重，若要放回原位需要拉烏布幫忙。

『魔法真是神奇。』

莉莉卡哼著歌，手持軟膏走了出去。

「您學完了嗎？」

聽到布琳的問題，莉莉卡點了點頭。她的書房現在感覺很常使用了。

莉莉卡擔心地問：「媽媽今天有時間嗎？」

「她說有時間。」

「真的？」

「是的。」

聽到布琳的話，莉莉卡露出了燦爛的笑容。布琳接著說：「迪亞蕾大人也會來。兩位約好一起去騎馬對吧？」

「那我們可以一起去找媽媽嗎？」

「嗯，我問一下。」

一會兒後，侍女回來，布琳說：「皇后殿下說可以。」

「太好了。」

莉莉卡眉開眼笑的。要介紹迪亞蕾給媽媽，讓她十分興奮。迪亞蕾見到媽媽後，也一定會大吃一驚。

提早到達的迪亞蕾聽說要一起去見皇后殿下時很驚訝，但還是點了點頭。

「好的。」

莉莉卡笑咪咪地握住她的手，迪亞蕾的臉頰微微泛紅。

「我們走吧。」

「好的。」

露迪婭以燦爛的笑容迎接兩人。迪亞蕾不禁張大了嘴。

這是她第一次見到這麼美麗的人。而且周圍似乎在閃閃發光，彷彿空中飄著光塵。

最重要的是，她第一次參加大人的茶會。露迪婭溫柔地對待迪亞蕾，讓她覺得自己好像成了大人。

在過來之前，她還下定決心要問「為什麼選擇了我？」、「您看重我的什麼地方？」這類的問題……

但真正一起喝茶時，她就這樣看著點點光芒飄盪在空氣中，時間轉眼間就流逝了。

「莉莉就麻煩妳照顧了。」

「是，那是當然。」

迪亞蕾只能說出這樣的話。

走出銀龍室後走在走廊上，迪亞蕾深深嘆了口氣，喃喃自語道：「皇后殿下真的好美。」

「對吧？對吧？」

話不自覺地脫口而出。莉莉卡臉上露出滿意的笑容。

「是的，而且周圍的一切都十分華麗閃耀，我都慌了……」

迪亞蕾按著胸口，望向莉莉卡，想像著這位皇女殿下長大成人的模樣。

『肯定會成為美人的。』

雖然現在也很可愛，但未來肯定會更可愛。

「我更喜歡和皇女殿下共度的茶會時間。」

與莉莉卡共度的茶會時間也很閃耀，但沒有這種強烈受到震懾的感覺。

對於沒有免疫力的迪亞蕾來說，那樣就夠開心了。她握住莉莉卡的手說：「您以後也願意邀請我參加茶會嗎？」

「當然啦。」

「不，我是說以後。等皇女殿下長得更大，即使周圍有更多人圍繞著您時，也請不要忘記我迪亞蕾。」

沃爾夫特有的占有欲悄然抬頭。

現在莉莉卡的談心朋友只有迪亞蕾一個，但高等貴族們擁有許多談心朋友，因為談心朋友之間的人脈也不容忽視。

「我是您的第一個談心朋友。」

迪亞蕾如此強調後，莉莉卡點了點頭，「那當然，迪亞蕾永遠都是第一位。」

聽到這句話，迪亞蕾的臉上綻放出光彩。她珍惜地抱住小小的皇女殿下。

「謝謝您。」

莉莉卡微微一笑。

迪亞蕾輕快地說：「那我們現在去騎馬吧。」

沃爾夫家會讓孩子們在山間田野中奔跑。這是沃爾夫不開墾領地內的黑森林，小心翼翼地保護那片森林的原因之一。

相對地，能騎馬奔馳的廣闊平原不多。因此兩人來到能騎馬盡情奔馳的馬場時，迪亞蕾用盡全力快速前進。

莉莉卡的騎術也進步了許多，她也騎得很快。

「再跑下去，晨星會太累的。」莉莉卡喘著氣說，臉頰紅彤彤的。

迪亞蕾點了點頭，「那今天就到這裡，我們去吃飯吧。」

「好。」

兩人從布琳手中接過野餐籃，自己布置野餐地點。迪亞蕾向莉莉卡介紹了周圍的草、花及昆蟲，莉莉卡聽得津津有味，然後說：「迪亞蕾，我想要整理花園。妳願意來幫忙嗎？」

「花園嗎？」

「嗯，皇宮裡的祕密花園。」

輕聲細語的話語深深打動了迪亞蕾的心，「那當然，請讓我幫忙。」

「那個花園荒廢了很久，十分凌亂，整理起來一定會很麻煩喔。」

「沒關係。」

「好，那我下次一定會邀請妳去。」

「好的，我們說好了。」

莉莉卡因為又多了一個幫手，十分開心，迪亞蕾也很高興。

迪亞蕾揮手離開後，莉莉卡問布琳：「布琳，上次說要帶園丁來的事怎麼樣了？」

「已經準備好了。只要皇女殿下一聲令下，我們隨時可以帶他來。」

「真的？那明天可以嗎？」

「可以。」

布琳笑了笑，莉莉卡也笑著道：「有布琳幫忙處理所有事，我非常輕鬆呢。」

「那當然，我就是為此待在您身旁的。」

布琳自豪地抬起頭，像在表示「能幹就是我的存在證明」。

莉莉卡送給她的銀幣胸針閃閃發光。

莉莉卡馬上寫了一封邀請函，邀請迪亞蕾明天過來。

第二天，莉莉卡帶著一行人私下偷偷見到了園丁。布琳不知為何，知道許多很少人走的路徑，總是令人佩服。

園丁是一位看起來很有活力，皮膚曬得黝黑的四十多歲女性。

「我叫烏朗，很榮幸能見到皇女殿下。」

烏朗脫下帽子，放在胸前，深深鞠了一躬。

「很高興見到妳，烏朗。」

再次嚴肅地宣誓會保密後，莉莉卡用鑰匙打開花園門。

烏朗戴上帽子，並感嘆地說：「太驚人了，根本不像是皇宮的花園。」

「有這麼亂嗎？」

「不，不是這個意思。皇宮的花園有具體的格式和外觀，但這裡看起來是追求一種舒適沉靜的氣氛。」

「嗯，或許是因為這樣，所以我更喜歡這裡。」

將來離開皇宮，和媽媽兩人一起生活時，她想擁有這種花園，種滿香草和覆盆子的美麗花園。

『為了那個夢想，我現在得好好學習。』

烏朗拿出她帶來的農具給大家看，並說：「那我們先從除雜草開始吧。」

莉莉卡拿起一把鋤頭。

「這個道具的形狀真奇特。」

「這是新開發出來的道具，可以用它從根部挖起雜草。但長得那麼高的雜草……」

拉烏布拔出刀，「就由我來割掉它們。」

烏朗拿著鐮刀，哈哈大笑，「我們一起動手吧。那其他人……」

在烏朗的指揮下，一行人一起開始做起園藝工作，迪亞蕾也拿起耙子。

儘管體型小，不代表力氣也小。迪亞蕾用耙子把拉烏布割下來的草堆集起來。陽光十分炙熱，汗水開始不停滴落，她抬起頭。

『哇！』

剛才一看到這座花園，她還在想「這是什麼野生叢林？」，但開始割草整理後，很快就看到了改變的跡象。

『太驚人了。』

心裡非常滿足。

劍術訓練是無止境的。肉眼看不出成長，不知道是否有進步，是一條沒有盡頭的路，但園藝工作只要動手，就能立刻看到變化。

割下來的草香氣濃郁，亂石堆成的小徑顯露出來。

迪亞蕾比想像中還喜歡第一次的園藝工作。與劍術訓練相比沒那麼辛苦，而且能看到明顯的成果，讓她心情很好。

「大家來吃點心再繼續做吧。」

侍從帶來的籃子被布琳拿過來。莉莉卡歡呼著萬歲跑過去。

將一塊大布鋪在地上，上面擺著夾入厚切冷牛肉的三明治、用布包著，還保留著一些溫度的司康、凝脂奶油和果醬。最讓人高興的是，結滿水珠的冰茶。

每個人倒上滿滿一杯也還有剩，而莉莉卡是喝特別加了生薑的冷飲。

布琳一臉得意洋洋地說：「加了生薑的冷飲可以防止胃痛。」

雖然食物種類不多，但非常美味。布琳製作了涼爽的溼毛巾，圍上莉莉卡的脖子。

「好涼快～」

莉莉卡擦著汗，臉上洋溢著幸福的表情。布琳也把準備好的毛巾分給其他人，烏朗爽朗地笑了。

「除雜草是最辛苦也最有成就感的。不過，雜草會不斷長出來。您有考慮過想種植什麼植物嗎？」

「嗯，我希望它盡可能和現在一樣，又變得更加美麗。其實我對園藝並不了解，所以想聽聽烏朗的意見。」

「要讓它保持現狀嗎？」

「對，可以摘覆盆子，也能用草本植物烹飪。那個小屋也要修得很漂亮。」

「您想要一個既實用又美麗的花園啊。我明白了。」烏朗堅定地點了點頭，「那就照這樣準備吧。」

「好的。」

布琳幫莉莉卡擦掉嘴角的司康屑，並說：「小屋那邊還有一口井，雖然蓋子很舊了，但水應該還能用。」

「真的嗎？太好了。」

莉莉卡開心地笑了，看向忙著進食的兩位沃爾夫。莉莉卡吃一個三明治的時間，他們已經吃了四個。

布琳是怎麼用雙手提著裝滿三明治和水的籃子過來的？

莉莉卡對三人感到感激又抱歉。

「大家，真的很謝謝你們。這本來是我和烏朗要做的園藝工作，卻讓你們來幫忙。」

「不會。」

「您不用客氣。」

「不要緊的。」

拉烏布、布琳、迪亞蕾幾乎同時回答。莉莉卡想之後好好感謝他們三位。

園藝工作持續了一段時間。在此期間，布琳悄悄動員人手，拆除了舊小屋，建造了一個新的，並填滿內部。

莉莉卡走進明亮的小屋內，驚嘆出聲。

這寬闊的空間若稱為小屋太過可惜，有個附有壁爐的起居室，另一邊設有廚房。架子上整齊地擺放著盤子，牆上掛著閃亮的銅鍋和看似平底鍋的鍋具。廚房和起居室都有大窗戶，陽光充足，還有一個臥室，麻雀雖小，五臟俱全，爬梯子上去，甚至還有一個閣樓。宛如玩具屋十分精緻可愛，莉莉卡忍不住驚嘆。

皇宮雖然華麗，但總感覺有些遙不可及。但這個小屋正是莉莉卡一直以來夢寐以求的家。不會漏雨，陽光充足明亮，溫暖的家。

是莉莉卡夢想著將來賺到很多錢，想居住的家。

「布琳，真的很漂亮。妳是怎麼做到的？」

「索爾家族一定會完成交付給我們的任務。您滿意嗎？」

「嗯，非常漂亮。」

鋪設的木地板十分光滑，即使赤腳奔跑也不會被刺傷。

布琳帶莉莉卡到外面看側門，地下還有一個小儲藏室。儲藏室裡也有架子，可以存放果醬之類的物品。

「布琳才像個魔法師。」

莉莉卡連連發出驚嘆。走到外面，看到井也重新做了踏板，並蓋上沉重的蓋子。

布琳提醒莉莉卡：「獨自一人時請不要使用井水。我會在廚房裡準備充足的水罐，您可以使用那些水。」

「好，我知道了。」

花園逐漸改變，種植了樹苗和種子，烏朗說：「完美的花園是時間造就的，我們只是在幫助它而已。」

烏朗熱心地教導莉莉卡修剪技巧、種植球莖的方法，不斷說著關於花園的事。

莉莉卡決定離開這裡後，一定要擁有這樣的花園。

到了晚上，莉莉卡累到直接睡著了，但仍然不忘練習魔法。

藥膏已經通過測試，她還製作了其他物品。

能驅趕昆蟲的香草袋非常實用。掛在小屋或周圍，昆蟲就不會靠近。

莉莉卡製作出許多這種小東西，讓每個做園藝工作的人都佩戴。

「妳為什麼不直接使用魔法，要親手製作這些物品？」

面對阿爾泰爾斯的問題，莉莉卡仔細思考後回答：「以免被人發現我是魔法師。」

「對，絕對不能被發現，所以要將物品當作媒介。而且神器任何人都能使用，這也是一個優點。」

他們並肩坐在花園的石桌旁，裝在圓形玻璃瓶裡的石頭發出微弱的光芒。

那是阿爾泰爾斯帶來的神器。

「我對水晶賦予了魔法，讓它吸收白天的陽光後，在夜晚發光。」

「真神奇。」

「要這樣長期賦予魔法，需要用到魔法陣……」

他用筆迅速畫了幾條線，莉莉卡認真地看著。

最近感覺和陛下越來越親近了。他摸著莉莉卡腦袋的感覺很舒服，無論是讚美還是責備都很直接明瞭。

「陛下不是魔法師對吧？」

「對。」

「但您是怎麼知道這些的呢？」

「我以前認識一位魔法師。」

答案很簡短，但聲音中帶著不悅，使莉莉卡縮起肩膀，「對不起。」

「為什麼道歉？」

「我過問太多了……」

看著低聲嘟囔的莉莉卡，阿爾泰爾斯皺了皺眉。看到他用筆尖敲敲桌子，莉莉卡擔心昂貴的筆尖會受損。

「一般來說，父親會因為這種事對女兒生氣嗎？」

莉莉卡馬上看向阿爾泰爾斯。

他皺著眉頭繼續說：「如果我不想回答，一開始就不會回答了。我知道我沒有好好教導阿提爾，但我從未對他發過火。」

他只是警告過阿提爾，不要相信身邊的人。他說自己從未發過火，阿提爾應該也會同意。

莉莉卡的目光游移了一下，小聲說：「我不是怕您生氣……不，是也有點害怕，但……」

「那是為什麼？」

「我怕勾起您的不好回憶……」

「那妳是故意問起這些問題的？想讓我不爽？」

「什麼？不，不是的。」

「那是為什麼？」阿爾泰爾斯答道：「如果是其他人，不管是不是故意的，我會不管三七二十一就直接動手，但妳不一樣，首先，妳是我的女兒。」

莉莉卡的臉頰泛紅。一半是尷尬，一半是安心。

「妳試著想像看看，我因為這種事對妳媽媽生氣的樣子。」

「什麼？」

莉莉卡的聲音突然提高，眉毛也隨之挑起。任誰看到都知道是「你會因為這種事就對母親生氣？」的表情，讓阿爾泰爾斯笑了。

「對吧？」

他這麼說著，輕輕捏住莉莉卡的臉頰。既柔軟又溫暖。

是因為每天聽露迪婭說「我家莉莉卡是世界上最可愛、最迷人，總之是宇宙第一可愛的小寶貝」的關係嗎？

他捏著女兒的臉頰時，莉莉卡的嘴裡發出「咿呀咿呀」的奇怪聲音，讓阿爾泰爾斯笑出聲來。

看似脆弱得用力一按就會碎裂，卻意外地是個堅韌的孩子，這一點也讓他很滿意。

『如果我拚命調戲露迪婭，她會不會拿著掃帚追著我跑呢？』

一瞬間想像這個畫面，讓他微微一笑。

「所以，妳沒必要每次都為了這種事道歉，懂了嗎？」

他確認似的問道，莉莉卡乖巧地回答了「嗯」。這時，阿爾泰爾斯才收回手。

他的視線回到紙上。再次解釋完魔法陣後，他簡短地說：「魔法師背叛了我。說著愛我，卻背後捅了我一刀，讓我變得無比虛弱。」

一想到這裡，怒意就湧上心頭。
他吐出了一口氣。如果露迪婭知道了，肯定會生氣，還會說「這不是應該告訴孩子的事」。
「那不是愛。」
側眼一看，莉莉卡一臉憤慨地皺著眉頭。她緊握著拳頭說：「會背叛對方就不是愛，愛是一直把對方放在第一位。」
「是這樣嗎？」
聽到他語帶懷疑，莉莉卡低吟著說：「是的，因為我非常愛媽媽，所以我知道。嗯，陛下如果能愛上某個人，也會明白的。」
傷害對方只是因為自私。
說完後，莉莉卡覺得自己說了很成熟的話，挺起胸膛。
「愛啊。」
如果是其他人這麼說，他可能會不屑地冷嘲熱諷，但看到這年幼孩子認真的小臉，他無法這麼做。再加上他非常清楚，這個孩子有多愛她媽媽。
『愛啊。』
他沉思片刻後說：「我會參考的。」
「好的。」
他點了點頭，兩人又專注地上課。
像往常一樣，將莉莉卡送回白龍室後，阿爾泰爾斯回到自己的臥室。
他看到露迪婭正在銀龍室的書房專心寫信。聽說她最近在與市場上游的商人會面，以搶先獲得她製作的流行產品為條件，討論簽訂合約。

當他靠在門邊凝視著她時，她抬起了頭。露迪婭露出疑惑的表情說：

「來了就說一聲，為什麼就那樣站著？」

「沒為什麼。」

露迪婭笑了笑，「您最近經常晚上出去，如果要幽會的話，請您低調一點。畢竟我還得扮演一個受到寵愛的皇后。」

那番話讓他有些介懷。

簡而言之，就是不悅。

阿爾泰爾斯快步走過去，將手撐在桌上說：「有人要我試著愛上某個人。」

「什麼？有人敢在您面前說這種話嗎？」

嗯，妳女兒。

阿爾泰爾斯勉強忍住，沒說出那個即將脫口而出的回答，說：「是啊。看來我還不夠惡名昭彰。」

「難道是某位千金小姐對陛下一見鍾情後說的情話嗎？」

「不是那樣……總之我聽了那番話後思考了一下，覺得也不壞。」

「嗯～」

雖然無所謂，但皇帝夫婦的和睦關係對維持皇后的形象非常有幫助。

「如果要引進正妻……」

「我已經有妻子了，為什麼要？」

「什麼？」

「我不能愛我的妻子嗎？」

「什麼？？」露迪婭皺起眉頭，馬上看向皇帝說：「您在說什麼？」

「等等，妳現在是在說不願意嗎？」

「您覺得我會樂意嗎？天啊，我現在不需要男人，我已經厭倦了，我的人生中只要有莉莉卡就夠了。」

「什麼……等等，已經厭倦了？聽起來像妳不只遇過一兩個男人呢。」

「總之，您去找其他值得愛的人吧。」

露迪婭嫌惡地揮了揮手，反倒刺激到了阿爾泰爾斯。

「我不要。」

「什麼？」

「我說我不要。」

「不是，您這個人真是的……」

露迪婭傻眼地挑起了眉毛，但阿爾泰爾斯毫不在意。

「反正我們必須演繹一對相愛的夫妻啊，就算假戲真做也沒關係吧。」

「啊，嗯……好好好，隨您高興吧。」

露迪婭想要盡早結束這個話題，隨口回應後看向信件。

「……」

阿爾泰爾斯抓住她的肩膀，將披散著的金頭撩起，雙唇開始在她的頸項上磨蹭。

「……」

露迪婭試圖忽視他卻無法，因為已經熟悉他的身體先做出了反應。她轉過身，一把拉過他的襯衫領子。

兩人的唇貼近到快要相碰，她藍色的眼眸瞇起，「如果只有身體也可以，那好吧。」

「一開始就從這裡開始吧。」

阿爾泰爾斯嘶下從她唇瓣間流瀉而出的嘆息。

就在完全喪失理智的前一秒，阿爾泰爾斯心想：『必須先攻下莉莉卡嗎？』

露迪婭的世界是以莉莉卡為優先，不對，是只有莉莉卡，那就要先獲得莉莉卡的心。

就像無數愛上露迪婭的男人一樣，阿爾泰爾斯第一個想到的是這個方法。

莉莉卡滿意地望著小屋裡的架子。

架子上整齊地擺著用魔法製成的物品，從起初的一罐藥膏，現在增加到了三四個。還有會發光的石頭、發熱的穀物袋、能淨化水質的水晶等等。

這些水晶已經製作了好幾個，也扔進了罐子和井裡。

當然，驅蟲的花環也掛在牆上。

「在花園裡鋪設石路真是明智之舉，雖然鋪設時很辛苦。」

望在外面的迪亞蕾笑著說完，莉莉卡點了點頭。

從泥土路變成平坦的石路，不僅走起來輕鬆，鞋子也不會弄髒。

莉莉卡站在迪亞蕾旁邊。窗邊放有踏板，能讓莉莉卡一覽外面的景色。

拉烏布正在將鞦韆掛到小屋前的樹上。那是他親手製作的，莉莉卡稱讚他做得很好，迪亞蕾則噘起嘴。

旁邊還放了遮陽傘和桌子。

看著這些景色，莉莉卡輕輕嘆了口氣。

「您有什麼心事嗎？」迪亞蕾問道。

最近，即使在歡樂的時刻，莉莉卡也常常露出這種表情。

「那是因為……」
「請跟我說說吧。」
在迪亞蕾的鼓勵下，莉莉卡最後坦白說出自己的憂慮。
「我之前邀請了一個人來當我的談心朋友。」
「是。」
「但他一直沒有回覆我……」
「是他不願意嗎？」
「不是！」
莉莉卡堅定地說道。迪亞蕾眨了眨綠色的眼睛。
「因為是他先提出請求的。」
「嗯，那可能是他的家人反對。」
「是嗎？但如果是這樣，給我一個回覆就好了啊。我因此很擔心，寫了封信過去，但還是沒有回音。」
「那只是沒有禮貌吧。」
「哦？」
莉莉卡驚訝地轉頭看去後，迪亞蕾毫不留情地說：「皇女殿下明明這麼關心他，主動邀請他當談心朋友，他卻這樣對您，那就是沒禮貌吧？」
「迪亞蕾小姐，請注意言辭。」
聽到布琳的提醒，迪亞蕾「啊」了一聲，打了自己的嘴巴後說：「真失禮，太失禮了。」
「但是，菲約爾德……」
迪亞蕾突然頓了一下，然後反問：「是菲約爾德？那個菲約爾德嗎？巴拉特的菲約爾德？」

「嗯……」

「您說您想跟他當談心朋友？」

「嗯。」

迪亞蕾有很多話想說，但看到莉莉卡的表情，她勉強忍住了。

相對地，她說：「如果是巴拉特，那就有可能反對。」

「是嗎？」

「嗯。」

迪亞蕾點了點頭，壞心地希望菲約爾德不能成為談心朋友。

「不過……」

莉莉卡再次嘆了口氣。

迪亞蕾突然感到很不安，她是希望菲約爾德無法成為談心朋友，但莉莉卡會難過又是另一回事。她就像感覺到主人心情不好，不知所措的小狗一樣煩惱。

這時，窗外的拉烏布似乎已經掛好了鞦韆，拉了拉繩子確認。

「鞦韆好像掛好了！」

「啊？真的嗎？」

莉莉卡踮起腳尖，看到拉烏布正在收拾工具。她以十分開朗的聲音對迪亞蕾說：「我們出去看看吧。」

「好的。」

話題一轉，迪亞蕾悄悄鬆了一口氣，點了點頭。兩人打開小屋的門，爭先恐後地走向鞦韆。

「掛好了嗎？」

聽到莉莉卡的問題，拉烏布點點頭並微微一笑，「現在可以坐了。」

莉莉卡高興地把第一次坐鞦韆的機會讓給迪亞蕾。

「我嗎？」

「嗯，迪亞蕾先坐吧。」

「不，請皇女殿下先坐，來吧。」

聽到這句話，莉莉卡在鞦韆前躊躇不前，然後小聲地說：「其實我沒有坐過鞦韆，不知道該怎麼坐。」

「！」

迪亞蕾睜大了眼睛，然後迅速坐上鞦韆，「就像這樣，您看。」

她雙腳用力蹬地，身體向後倒後馬上向前傾。鞦韆越盪越高時，布琳抓住莉莉卡並向後退。當鞦韆盪到最高點，迪亞蕾「哈！」的一聲，從鞦韆上跳下來。

完美地空中轉了兩圈。

「！」

莉莉卡大吃一驚，布琳冷眼看著。

迪亞蕾完美著陸後，笑著說：「就是這樣坐的。」

「不是的。」

「不是那樣的。」

布琳和拉烏布同時開口，莉莉卡轉頭看向他們。

「不是嗎？」

「就是這樣啊。」

迪亞蕾委屈地說，布琳則溫柔地笑著對莉莉卡說：「最後完全不需要像那樣跳下來。」

「是的。狼們，不，經常……啊……」

拉烏布嘆了口氣，而迪亞蕾十分困惑，「不是這樣的嗎？」
最後不是要比誰從最高處跳下來後能飛得多遠，或是轉多少圈嗎？
「只要輕輕地前後擺盪，自然停下來就好了，請不要做那種危險的動作。來。」
布琳這麼說著，讓莉莉卡坐上鞦韆。莉莉卡坐下後緊緊抓住繩子。
樹木相當高大，繩子也相當長。
「請把腳抬起來，我來幫您推。」
「嗯。」
布琳輕輕推了一下莉莉卡的背，鞦韆開始前後擺盪。
隨著擺動速度加快，莉莉卡感到心跳加速，興奮不已。
她開懷大笑。
被風吹散的頭髮、在高處看到的風景都讓她感到愉悅。
聽著她的笑聲，迪亞蕾瞇起眼睛。
來花園裡度過的這段時光，不，作為談心朋友與皇女殿下共度的所有時光都十分快樂。
『皇女殿下真的很能幹呢。』
她驅使小小的身軀迅速勤奮地工作，轉眼間就把割下來的草堆從這頭搬到另一頭，就像咬著橡果移動的松鼠一樣快，烏朗也表示讚賞。
看著莉莉卡笑著勤快地工作，迪亞蕾也覺得工作變得很有趣。
和與其他人在一起時不同，心裡深處彷彿有條平靜的小河流淌著。
『原來如此。』
迪亞蕾恍然大悟，深深吐出一口氣。

『在皇女殿下身邊時，我什麼都不需要忍耐。』
皇女殿下不會強迫她做任何事，也不會試圖告訴她什麼是對的。園藝工作十分快樂。她感受到了純粹的喜悅。
沒有任何事能逼迫迪亞蕾。她的每一個努力都得到了認可，從未被忽視。
「像桑達爾還是狼族」的煩惱已經遙不可及。
待在比自己還嬌小可愛的皇女殿下身旁，會讓她想保護她。
感覺像找到了自己的位置。
『彷彿我是個有價值的人。』
不是屬於狼族或桑爾達的迪亞蕾，也不是被稱作「小豆子」、會被說「妳做不到，走開吧」而被排擠的那個迪亞蕾。她和莉莉卡一起做了所有事，莉莉卡也毫不猶豫地給了她身旁的位置。
「談心朋友……」
她不禁小聲低喃著自己的立場。
『今後她的談心朋友應該會越來越多。』
迪亞蕾很清楚，大部分的皇室成員都是這樣。而現在，莉莉卡和阿提爾特別缺少朋友。
但她希望一直這樣下去，希望莉莉卡一直是只屬於她的皇女殿下。
這種想法也浮現在心頭。
『菲約爾德・巴拉特。』
但既然莉莉卡說出了談心朋友候選人的名字，她就不能再停滯不前了。莉莉卡說過她是第一個，但迪亞蕾想憑自己的努力贏得那個位置。
她不想只當一個為了政治交流的朋友，而是真正的朋友。

她想成為莉莉卡真正珍惜的人。

『我明白拉烏布為什麼會選擇皇女殿下了。』

一直獨來獨往的他為什麼會乖乖待在莉莉卡身邊，迪亞蕾終於明白了。

這時，莉莉卡喊道：「我覺得我也能像迪亞蕾那樣跳下來！」

布琳說「太危險了」，但莉莉卡搖了搖頭。

「不，我覺得我能做到。」她飛快地盪過身邊，並說：「如果我掉下來，拉烏布會接住我吧？」

拉烏布毫不猶豫地回答：「那當然。」

他一回答，莉莉卡就像迪亞蕾一樣從最高處跳下來。

當然，她沒有在空中旋轉。

「皇女殿下！」

布琳衝了過去，但拉烏布搶先一步。

莉莉卡「咚」地掉進拉烏布的懷裡。拉烏布向後倒，減輕衝擊。

布琳跑了過來，「皇女殿下，這樣太危險了……！」

莉莉卡喘著氣。

她盪得比想像中更高，也更快掉下來。如果拉烏布沒有接住她，她肯定會傷到腳踝。但她覺得自己變得非常勇敢，開心得笑了出來。

這是平時她不會做的魯莽行動。

「雖然很危險，但我知道拉烏布會接住我。」莉莉卡這麼說著，問拉烏布：「對吧？」

拉烏布眨了眨眼，笑了。他真心的笑容非常罕見，所以莉莉卡感到非常高興。

他幫助她站起來，自己也站了起來。

「無論何時，我都會接住您。」

他的語氣堅定且充滿自信。

對於親信而言，還有什麼話比主君說願意信任他們更動聽呢？

不管她從任何地方墜落，他都會接住她。

他絕不願意退讓、放棄在懸崖邊得來的這個位置。

拉烏布的話讓布琳抱起雙臂，而莉莉卡笑了。迪亞蕾莫名覺得遭到了排擠，於是握住莉莉卡的手。

「？」

莉莉卡感到疑惑，但還是緊緊握住她的手。迪亞蕾毫無來由地感到害羞，別開視線。

布琳說：「那我們回去吧？剩下的園藝工作能由一個人獨自完成。」

「嗯，但還是要時不時整理一下。」

「就當作是一種嗜好吧。如果您一直這樣下去，手會變得粗糙的。」

對於布琳的擔心，莉莉卡說了句「是嗎？」，然後點了點頭。

她要趁現在努力學習，將來離開皇宮後，就得直接開始動手了。

保持手部肌膚白皙、滑嫩也是皇女殿下的工作。

『說到這個……』

提到白皙滑嫩的手，莉莉卡想起了菲約爾德。

『雖然迪亞蕾那麼說，但我覺得菲約爾德不會不回信的。』

發生了什麼事呢？

她真的不知道發生了什麼事。

擔心起來的莉莉卡決定再寫一封信。

莉莉卡不知為何，覺得門牙不太對勁。

『為什麼呢？』

早餐後，莉莉卡一臉嚴肅地對布琳說：「我的門牙感覺怪怪的。」

聽到莉莉卡的話，布琳說：「請稍等。」然後檢查她的門牙。

「恕我失禮。」

布琳搖了搖莉莉卡的門牙。

「！」

莉莉卡僵著身體，而布琳放開手後說：「您需要拔牙了。」

「拔牙？」

莉莉卡一問，布琳點了點頭。

「您的新牙要長出來了。必須拔掉晃動的牙齒，新牙才能漂亮地成長。」

「那、那是……但是……」

竟然要拔牙！

看到莉莉卡慌得手足無措，布琳又說：「請您張開嘴。」

莉莉卡張嘴後，布琳說：

「看來還需要一點時間。我們大約兩天後拔吧，到時候可以輕鬆拔出來，不會痛的。」

「真的嗎？」

「當然是真的。」

聽到布琳的保證，莉莉卡鬆了一口氣。總之不用現在拔牙，真是太好了。

莉莉卡立刻寫了封信給菲約爾德。這已經是第二封信了。

因為完全連繫不上他，也沒有收到回信，她擔心菲約爾德是發生了什麼事，但布琳說如果巴拉特的小公爵出事，他們會馬上得知，要莉莉卡放心。

這次她在信中寫下了滿是擔憂的話，送出去後出門散步。

天氣已經進入了盛夏，白天太熱，所以清晨或傍晚是散步的最佳時間。

莉莉卡探頭望了望有許多人進出的天空宮，回到了太陽宮。

阿提爾似乎經常到天空宮與低等貴族會面，但莉莉卡沒有自信能做到這種事。即使要見其他貴族，目前她也不知道該如何應對。

『但是，每天和玩偶辦茶會也……』

和玩偶辦茶會當然也很有趣，但如果能和朋友們一起喝茶，應該會更開心。

不是像迪亞蕾那樣的談心朋友也好，她有沒有能交朋友的方法呢？

帶著這樣的困惑，莉莉卡在花園裡散步，手裡撐著一把新陽傘。

媽媽為她做的新陽傘很輕巧，是清爽的黃色，莉莉卡很喜歡。花園裡繼許多玫瑰花後，鮮紅的鳳仙花和大朵的牡丹花也已經盛開了。

「好久不見了，小鳥皇女殿下。」

菲約爾德突然從灌木叢中出現，莉莉卡驚訝地看著他，「菲約爾德！」

她滿心歡喜地跑過去，然後突然停下腳步。

「菲約爾德，你沒事吧？」

他的臉色蒼白，嘴角明顯有被打的傷。這與他的華麗外表相襯，有種奇異感，硬要說的話，就是病態的美。

菲約爾德笑了，「是，我很好，皇女殿下，您過得如何？」

莉莉卡環顧四周，除了身後站著的拉烏布和布琳之外，沒有其他人。

莉莉卡想到了什麼，問道：「你一直在等我嗎？」

「稍微等了一會兒。」

莉莉卡慌張地靠近他，「發生什麼事了？你沒事吧？」

「是，我說我沒事。」

他臉上的笑容令人感到不對勁。莉莉卡不自覺地抓住他的手，之後顫了一下。

「菲約……爾德……」

手掌滾燙。

臉色這麼蒼白，手卻像會燙傷人似的炙熱。

莉莉卡也很快就發現了，這不正常。她板起臉來。

「菲約爾德，我們現在就去我的房間，然後……」

叫醫生來——莉莉卡正要這麼說，但菲約爾德斬釘截鐵地說：「我不要。」

「菲約爾德。」

「我真的沒事。」他深吸了一口氣，再次以柔和的聲音說：「謝謝您邀請我成為談心朋友，但是公爵大人強烈反對。原本是我先請您讓我成為談心朋友的，現在卻這麼說，我非常抱歉，但是……」

他緊緊握住她的手，用力到令人發疼。

「看來我無法成為您的談心朋友。」

莉莉卡焦急地跺腳，「沒關係的，菲約爾德，你不需要感到抱歉。比起這個，你真的沒事嗎？不，你明明就不好。醫生呢？你看過醫生了嗎？」

他眨了眨眼，彷彿完全沒聽到後面的話。他的手更加用力。

「您還好嗎？」

「我問您還好嗎？」

莉莉卡的表情扭曲時，拉烏布抓住了他的手臂。

「——！」

菲約爾德一把扭過被抓住的手臂，反抓住拉烏布的手腕，並用另一隻手打上他的手肘。

拉烏布也另一隻手抓住向他攻擊而來的手。下一刻，儘管菲約爾德什麼也沒做，拉烏布仍彈也似的往後退開，並將莉莉卡護在身後。

莉莉卡看到菲約爾德的眼睛失去焦點，朦朧不清。

沒有風吹過，他的頭髮卻飄揚起來，空氣令人發麻。

小石頭發出喀嚓聲響。

腦袋裡有警告聲大響。

「菲約爾德！」

莉莉卡大喊一聲，他突然停止動作，轉頭看向莉莉卡。

她的目光與他的目光相遇，莉莉卡直視著他那看似混亂的眼神。

他的頭髮慢慢落下，空氣再度變得柔和。

就像斷了線的木偶，菲約爾德當場倒地。莉莉卡大吃一驚想衝過去，但拉烏布攔住她。

等布琳出現並站到莉莉卡的身前，拉烏布這才上前查看菲約爾德的狀況。

「好像昏過去了。」
「把他帶去小屋吧。」
聽到莉莉卡的話，布琳問：「這樣好嗎？」
莉莉卡點了點頭，「不能讓其他人看到他，但也不能就這樣留下他不管吧。」
如果被阿提爾知道他們把菲約爾德帶進祕密花園，他可能會非常生氣，不，肯定會非常生氣。
『但我不知道還有什麼辦法。』
他們既不能把菲約爾德丟在這裡，也不能帶他去白龍室。
拉烏布揹起菲約爾德，而布琳說：「我明白了。那麼，這邊請。」
他們巧妙地避開人群，來到小屋。
拉烏布將菲約爾德放在床上。這時他剛才蒼白的臉色彷彿是假象，變得十分紅潤，呼吸也變得粗重。
拉烏布對莉莉卡說：「看來巴拉特小公爵受了傷。」
「受傷？」
「是的，有血腥味。」
布琳說：「那我們得先脫掉他的衣服看看。我和皇女殿下不方便，所以……」
布琳看著拉烏布。
拉烏布的目光落在莉莉卡身上，看到她不知所措的模樣，忍住差點就要吐出口的嘆息，「我知道了。」
片刻後，拉烏布一臉疲憊地從臥室走出來。在起居室等的莉莉卡立刻跳起來。
「怎麼樣？傷勢很嚴重嗎？」
「上半身都是傷痕，有新有舊，彷彿測試了各種武器，相當有系統——」
他看到莉莉卡臉色發白，止住了話。

布琳明顯對拉烏布皺起眉，然後說：「我先去拿藥和繃帶過來。做好基礎包紮了嗎？」
拉烏布點了點頭，布琳歪著頭說：「你不是說你會說話嗎？」
拉烏布咳了一聲，「我做過基礎包紮了，但是需要清洗傷口、擦藥並重新包紮。」
「好的，皇女殿下，您要一起來嗎？」
「不了，我在這裡等。」
莉莉卡搖搖頭。
「我知道了。」
布琳快步走出小屋，莉莉卡則哭喪著臉看著拉烏布，「看起來很嚴重嗎？」
拉烏布不知道該怎麼回答。坦白說，這件事對年幼的皇女來說太殘酷了，但他的個性也不會對主人撒謊。
當他猶豫著無法開口時，莉莉卡緊閉上眼睛又睜開。
「菲約爾德，不，巴拉特小公爵是很高貴的人吧？」
「是的。」
「那麼，能這樣傷害他的人……啊，也許是對練的傷痕？」
她想起菲約爾德以前提過的事，但拉烏布搖了搖頭。那是單方面造成的傷口。
「這樣啊，這樣啊。這樣的話……」莉莉卡咬著嘴唇，「我不追問細節了，菲約爾德應該不希望我知道，他剛才一直說沒事，我最好不要看傷口。」
拉烏布鬆了口氣，回答：「我也這麼認為。」
莉莉卡說：「現在只要清洗傷口就可以了嗎？不好意思，可以請你幫忙嗎？」
「當然可以。」

在布琳回來之前，兩人煮沸了許多熱水，並煮過毛巾。
雖然夏天很熱，但這點不適也得忍受。
拉烏布拿了許多溼毛巾進去，之後又出來，擦拭過傷口的毛巾沾著血，但莉莉卡連眼睛都不眨一下。
這時，布琳拿著繃帶和消毒藥回來了。莉莉卡把架子上的黃色藥膏整瓶交給拉烏布。
拉烏布用繃帶包紮傷口的時候，布琳又出去拿了一大塊冰回來。
「對於這麼大的傷口，冰敷比較好。」
「嗯。」
拉烏布正好從房間裡出來說：「全部包紮完了。」
「現在可以進去看看了嗎？」
「是的。」
拉烏布這樣說完，凝視著莉莉卡片刻。他知道她做了黃色藥膏，莉莉卡之前說那是用蒲公英做成的藥膏，但現在塗上去他才知道。
『傷口恢復得太快了。』
他曾想過也許是權族特有的自然治癒力，但果然不是。塗上藥膏之前，擦拭過的傷口還在流血，裂開的傷口也清晰可見。
『塗上藥膏後，血立刻就止住了。』
再過一下子，連小割傷都明顯癒合了。
『若說這是藥膏的力量……』
他不知道該說什麼。
莉莉卡從他身邊跑進臥室，又立刻跑回來。

拉烏布驚訝地問：「有什麼事嗎？」
「謝謝你，拉烏布。」
莉莉卡這麼說完，抱住了他。拉烏布就這樣僵在原地。
「也謝謝布琳！拉烏布，布琳拿了冰塊來，我們喝杯涼茶等等吧。」
看到皇女殿下又跑進房間，拉烏布垂下雙肩。
布琳問：「我不需要進去嗎？狀況安全嗎？」
「應該沒問題。」
布琳聽到這句話，瞇起眼後點了點頭。
接著她重新泡了一壺茶，俐落地用冰鑿將冰打碎，瞬間做好了冰茶。
「來，這是皇女殿下賜的冰茶。」
布琳這樣說著，遞上托盤，拉烏布禮貌地接過了茶。
布琳望向半開著的房門，「為了降溫，也許準備一些冰水會比較好。」
拉烏布直盯著這樣的布琳。當布琳對上他的目光時，拉烏布問：
「那個黃色藥膏是皇女殿下親自製作的嗎？」
「是的，沒錯。」
布琳表情挑釁地回答，臉上寫著「所以呢？你想怎麼樣？」。
拉烏布淡然地喝著茶說：「以後最好隱瞞藥的來源。」
「說是皇家祕方就夠了吧。」
布琳也不以為意地回答，但拉烏布聞言笑了笑。
「你笑什麼？」

聽到布琳這麼問，拉烏布輕咳了一聲，回答道：「我覺得妳將我當成自己人了。」

如果布琳把拉烏布當成外人，她應該會否認是皇女殿下親自做了藥膏，或者聲稱是源自塔卡爾皇室的祕方。但布琳坦率地說了出來，這意味著她認為拉烏布是莉莉卡的盟友，讓他莫名感到愉悅。

布琳哼了一聲，揮了揮冰鑿。

「這不是我自願的，是因為皇女殿下相信你。」

拉烏布走過來說：「這樣啊，那我來做冰水吧。」

布琳迅速藏起冰鑿，說：「這個我來，你去把水壺裝滿吧。」

「好的。」

拉烏布順從地答應了。在他去裝水的期間，布琳拿著裝滿冰水的銅盆走進房間。

莉莉卡坐在床頭，表情嚴肅。悄悄查看了一下情況，就如拉烏布所說，巴拉特小公爵看起來很安全。

『在那種狀態下醒來，他很難攻擊皇女殿下。』

「皇女殿下，我拿冰水來了。因為他發燒了，放在額頭上會涼一點。」

「謝謝妳，布琳。」

莉莉卡馬上弄溼毛巾，放到菲約爾德的額頭上，之後嚴肅地問：

「布琳，我今天可以在這裡過夜嗎？」

「這個嘛，要是皇后殿下和皇太子殿下知道了，或許會大吃一驚吧？」

「可能會吧？」

莉莉卡的眼珠拚命轉了轉，然後「啊！」了一聲。

「那我們去說聲晚安，假裝睡了再悄悄離開怎麼樣？」

布琳輕聲問道：「您就這麼擔心嗎？我留下來也沒問題喔。」

「嗯，但是……」

莉莉卡想起之前肚子痛時的事。媽媽整晚幫她揉著肚子，那不知道是多大的安慰。她想陪在菲約爾德身邊。雖然只有一點點，但有個認識的人陪在身旁也好吧？

當莉莉卡猶豫不決時，布琳微笑著說：「好的，我們一起想想辦法。」

「布琳！」

莉莉卡感動地緊緊抱住她。布琳微微一笑。

事實上，她是不太想和巴拉特扯上關係。

『但是……』

巴拉特的傑作，巴拉特的菲約爾德。

不管怎麼看，他都像對皇女殿下為之傾倒。

她一直很歡迎內部叛徒。

『當然，他應該一直監視著我們。』

巴拉特甚至可以偽造出這種傷痕來誘騙他人。所以，雖然布琳總是心存懷疑，但也沒有理由特意拒絕莉莉卡。

「我們先觀察情況再決定吧。」

「嗯，謝謝妳願意答應我任性的要求。對不起，布琳，最近我一直那麼任性。」

布琳笑著拍了拍皇女殿下的背。她那深紫色的短髮輕柔地流瀉而下。

「我很樂意讓您撒嬌胡鬧，而且這點小事也算不上任性。」

「但是我一直請妳去做很麻煩的事。」

「哦？我一點也不覺得麻煩喔。」

當莉莉卡抬起頭時，布琳笑了，「我只是聽從皇女殿下的請求而已。」

聽到這句話，莉莉卡瞪大了眼睛，然後露出堅毅的表情。

「嗯，我會負起所有責任的。」

如果阿提爾再生氣，也必須給他一拳。雖然如果阿提爾像打上菲約爾德那時一樣打了莉莉卡，她可能會被打倒。

莉莉卡緊握著拳頭。

「我會保護妳的，不要擔心，布琳。」

「是，皇女殿下。」

布琳咧嘴笑了笑。

菲約爾德感受到涼爽的風吹來，汗水黏膩的皮膚被溫暖的布擦過也很舒服。

「我來接手吧？」

「不用，沒關係。」

「您不累嗎？」

「一直坐著有點累。」

「一直坐著確實很累人呢。」

「是嗎？」

低聲說話的聲音傳來，他不禁睜開了眼睛。在朦朧的視野中，有什麼在來回移動。

等視野變清晰，菲約爾德才知道那是一支圓扇。
「啊，菲約爾德，你醒了？」
扇子停了下來，一張圓圓的臉出現。菲約爾德茫然地望著對方，問：
「這是夢嗎？」
「不是，很遺憾？不是嗎？嗯，總之不是。」
她說完重新開始搖動扇子。感受到風拂來，菲約爾德細想著她的回答，然後猛然坐起身。
視野不停旋轉，他抓住床沿。驚訝的莉莉卡從高椅上下來，迅速抓住他的肩膀。
「你還好嗎？燒是退了，但你還不能這樣激烈地活動。」
「這個地方，到底是——」
他斷斷續續地說著，莉莉卡解釋道：「這是花園裡的一間小屋，我們是在早上相遇的，現在是第二天清晨，還是半夜。」
接著，莉莉卡遞來杯子。
菲約爾德小心地接過杯子，喝光加了一點鹽的蜂蜜水後，莉莉卡讓他躺下。
「再睡一會兒，你的燒剛剛才退。」
「但是……」
他覺得十分混亂，記憶不太清楚。他可以留在這裡嗎？
「我會一直陪在你身邊的。」
聽到這句話，他一下子放鬆下來。
莉莉卡坐回高椅上，重新開始搖動扇子。
頭髮輕輕搖曳，窗外傳來蟲鳴聲，甜美的茉莉花香乘著夜晚的空氣，從窗戶飄進屋內。

新建成的小屋散發出新鮮的木頭味。床單是用棉質的，而非絲綢，所以能感覺到在陽光下澈底晒乾後的乾爽觸感。

「……」

最重要的是轉頭看去，小鳥正坐在高椅上。棕色頭髮上綁著紅色蝴蝶結十分顯眼。

即使是在夜晚，那雙藍綠色眼睛也美麗地閃閃發光。

兩人對上視線後，她說了聲「真是的」，加快搖動扇子的速度並說：「我叫你快睡。」

「我怕睜開眼睛後，會發現是一場夢。」

如果這是夢，他想盡量多待一會兒。

莉莉卡聞言，用扇子撐著下巴，然後走下椅子，像母親之前照顧她一樣爬上床。

「！」

她小心翼翼地拉過驚訝的菲約爾德的頭，讓他靠在自己的肩膀上後說：「這樣應該可以了吧？」

「……是……」

他嘟囔著，也不曉得這樣是否可以，慌張地轉過頭去。這時候，他看到一隻皇室的烏鴉站在一旁。

『還有狼。』

沒關係。

他這麼判斷後閉上了眼睛。雖然這是夢，但皇女殿下很安全，那他就可以閉上眼睛。

沒有人會傷害他，他也不會傷害任何人，這是一個安全的地方。

靠在圓潤的小巧肩膀上，感受到體溫，他又一次轉眼間就陷入睡夢中。

那一覺既深沉又安穩，他甚至沒有察覺到一滴眼淚沿著臉頰滑落。

莉莉卡伸出手想要擦掉那滴眼淚，但又收了回來。她不想打擾他入睡。

『我還以為來到這個年紀，我就是大人了。』

比她高大許多的貧民區男孩和女孩們，在她這個年齡就擔起了成年人的責任，所以莉莉卡看著那些大哥哥大姊姊，也希望自己能快點長大。

『也許不是那樣。』

真正的成年人應該是坦恩、拉特和陛下那樣的人們。

莉莉卡拿起扇子，再度開始搧風。看著他細長的銀髮在風中搖曳很有趣。

『好睏喔……』

菲約爾德在半夜時燒高燒，讓她不知所措，但溫度突然奇蹟似的開始下降，然後一切都好轉了。拉烏布說「看來是進入了康復期」，讓莉莉卡放下心來。

她一整夜都沒睡。

看到菲約爾德醒來，鬆了一口氣後，她開始感覺到睏意。

莉莉卡倚靠在菲約爾德身上，開始打起瞌睡，很快便睡著了。扇子從她的手中滑落，布琳趕在掉到地上前靈巧地抓住了扇子。

她將皇女的手放到床上，又替她蓋上帶來的毯子。

『雖然在外頭過夜令人很不安。』布琳咬了咬嘴唇，『在天亮之前回去吧。』

黎明時分，菲約爾德在習慣的時間醒來。躺著片刻，他開始釐清思緒，然後悄悄轉身看著莉莉卡。

看著熟睡的她，有種無法言喻的感覺湧上心頭。

他想永遠這樣躺著，但他不能。他慢慢坐起來，感覺出奇得清爽。他試著動了動手腳，確認沒有痛楚後，悄悄離開了床上。

他感覺到外面有人，下意識地找了個可以當武器的東西。

平靜地打開門進來的是皇室的烏鴉。她瞥了他一眼，完全不理會他，然後悄悄走近，開始叫醒莉莉卡。

「皇女殿下，請起床，該回白龍室了。」

「嗯……」

「皇女殿下。」

完全被忽略的菲約爾德杵在原地。過了一會兒，揉著眼睛醒來的莉莉卡打了個小哈欠，看到醒來的菲約爾德嚇了一跳。

「菲約爾德！你已經沒事了嗎？」

「是，我沒事了。」

莉莉卡開心地笑了，「太好了。」

看到她的笑容，他也只能回以微笑。雖然他很想詢問詳細的來龍去脈，但現在似乎不是時候。

就在這時。

「什麼啊，建了這間小屋又完全不跟我說——」

一臉愉悅地推開門走進來的阿提爾就這樣僵在原地，菲約爾德則倒抽了一口氣。

『太大意了。』

布琳也瞪大了眼睛。

拉烏布肯定在外面才對，為什麼？

她下意識地看向門外後，斜擋在莉莉卡面前。

從正面擋住會太過顯眼，這樣剛好合適。

「這是怎麼回事？」

阿提爾的臉上湧上震驚、背叛和憤怒。他大步走來，布琳還來不及攔阻，莉莉卡就馬上擋在帶著威脅性的阿提爾面前。

「阿提爾，稍等……」

「妳滾開！」

阿提爾一把推開她，但莉莉卡抓著他的手臂，「對不起，但是請先聽我說……」

「我叫妳滾開！」

阿提爾粗暴地一甩手臂。由於莉莉卡的體型比他嬌小許多，他的手狠狠地打上莉莉卡的臉龐。

換作平常，他會驚呼一聲後退讓。

若是平常的話。

莉莉卡的身體一僵，用手摀住了嘴。

咚！

一顆白色的門牙掉上掌心。同時，血從她的嘴角不停流下。

「皇女殿下！」

菲約爾德尖叫著跑過來。阿提爾因為太過吃驚，甚至來不及攔住他，莉莉卡也驚訝地睜大了眼睛。

『門牙？啊！』

這兩天搖搖欲墜的牙齒，原本打算在今天或明天拔掉。

她怕阿提爾會自責，所以趕緊說道：「偶沒事——」

嘴裡都是血，說起話來有些生硬。她說話的期間，血又不停流下來。

實際上那並非全是血，而是混雜著唾液，看起來像血，模樣相當悽慘。

只有完全了解情況的布琳保持鎮定。她走過來，遞來折好的手帕。

「皇女殿下，請用力咬著。」

「嗯。」

莉莉卡點點頭，想再次對阿提爾說話，又看向菲約爾德。他扶著她肩膀的手在顫抖，金紅色的眼眸因為急躁而震顫，莉莉卡輕輕拍了拍他放在肩上的手。

「偶沒似。」

因為咬著手帕，所以無法好好說話。她吞了一口口水。

「這……」

阿提爾緊緊握著拳頭，聲音顫抖。他向菲約爾德飛撲過去。

「這都是因為你！」

「打了皇女殿下的不是我，是您！」

憤怒的菲約爾德也立刻反擊。兩人抓著彼此的衣領，似乎隨時都會爆發衝突。

慌張的莉莉卡不知該怎麼辦，看向布琳，但布琳對她勾起微笑。

只要皇女殿下平安，任何事都無所謂。

她那清新的笑容讓莉莉卡不禁張大了嘴巴。

所以，這個時候，所以……

莉莉卡大聲喊道：「拉烏布！」

砰！

門被猛地推開。驚訝的眾人轉過頭，只見拉烏布站在那裡。

莉莉卡開心地抬起頭，又驚訝地瞪大了眼。

一眼看去，拉烏布就像跌入了落葉堆，他罕見地滿臉憤怒，大步走來後咬牙切齒地說：「殿下，開玩笑也該有個限度。」

莉莉卡搞不清楚狀況，來回看著阿提爾和拉烏布。

拉烏布轉向莉莉卡，一看到她就快步走過來，「皇女殿下！」

「對不起，我——」

她想說我沒事，但她想到自己不知道說了多少次，就笑著向他表示自己沒事。

然而，她的笑容對拉烏布毫無幫助。

牙齒掉了。

這一點他也能輕鬆看出來。要將人打到牙齒脫落，必須花費相當大的力氣。

在他離開的時候，他的主人受到了攻擊，甚至掉了一顆牙。

事實上，如果有人這麼大力地毆打莉莉卡，她現在應該沒辦法像這樣好好地站著，但拉烏布沒辦法考慮這麼多。

「到底……是誰？」

他說得斷斷續續，無法壓抑住憤怒，在體內流動的狼族血液沸騰。

他差點失去他的主人。

恐懼喚醒他的本能。他的瞳孔微微收縮，眼瞳顏色變得更明亮，微微張開的嘴唇間露出了獠牙。

莉莉卡吃驚地大聲喊道：「拉烏布·沃爾夫！」

手帕掉了，但她不在意。

「我沒事，我沒有遭到攻擊，冷靜下來。」

「可是……」

「是真的。只是到了要拔牙的時間，牙齒就掉了。阿提爾也嚇了一跳吧？我的牙齒之前就快掉了，所以才會這樣。」

說話時，血又不斷湧出來，莉莉卡緊閉上嘴。布琳拿出新的手帕擦拭她的嘴角，再讓她咬著。

莉莉卡解釋完情況，所有人都應該要說著「喔，原來如此，我還以為……」放鬆下來才對，但氣氛依然沒有放鬆下來。

為什麼？莉莉卡感到困惑的時候，布琳聲音輕快地給出了答案。

「但如果沒有發生這件事，皇女殿下的牙齒也不會掉。」

聽到這句結論，莉莉卡很是苦惱。她用手輕拍了拍菲約爾德，指向沙發，然後她小跑過去，抓住阿提爾的手。

她偷偷看了阿提爾的眼色，他沒有拒絕的意思。莉莉卡一拉過他的手，阿提爾就聽話地被帶著走，看起來完全失去了戰意。

牽著阿提爾的手走出小屋後，她看到先前一起挑選的兩名護衛騎士站在一旁。兩人看向這邊後一臉驚訝，然後苦笑著向她問候。

莉莉卡看到兩人悽慘的模樣很是驚訝，但也朝他們打招呼。

『比拉烏布凌亂的模樣還慘呢。』

她帶著阿提爾走到小屋前的桌子。

莉莉卡拿下嘴裡咬著的手帕，然後說：「對不起。我知道阿提爾很珍惜這個地方，也知道您討厭菲約爾德，我卻把他帶來這裡。」

「為什麼要道歉？」

「什麼？」

吃驚的莉莉卡抬起頭。

阿提爾咬緊牙關說：「為什麼，妳要，道歉？」

他一頓一頓地問著，讓她有些困惑，藍綠色的眼睛四處遊移。

這也使他感到不安，或是生氣，不，有一種他不曉得的情緒盤旋在心頭。

「因為我做錯了啊。」

「做錯了什麼？」

「就像我剛才說的……」

「這裡是我給妳的地方，妳想帶誰來都是妳的自由。」

「它不完全是我的，我們不是說好要平分的嗎？」

「即使如此，妳要帶誰來是妳的權利。」

阿提爾說完，再次感到無力。他們為什麼在為了這種事情爭論？

他想說的不是這些，他想說的是完全不同的話。

但是莉莉卡越道歉，他反倒越難開口。他抓住她的手，把手帕塞到她的手裡，他討厭她看著自己的困惑眼神。

他說：「為什麼不要求我道歉？」

她眨了眨眼。

她的表情彷彿她不曾想過這件事，讓他很憤怒。莉莉卡想說話時，阿提爾抬起她的下巴，把手帕塞進她嘴裡，打斷她說話。

「妳生氣也沒關係，妳可以生氣。即使我很激動，也不應該把妳打成這樣。我……」

他想繼續說下去，但是頓了一下，嘆了口氣。為什麼他必須解釋這一切？

我不想傷害妳。

這句話沒有說出口，反倒說出惡劣的話。

「明明是妳受傷了，為什麼要對我說沒事，還跟我道歉？不要表現得這麼卑鄙，就像妳的出身一樣。」

說出最後那句話的瞬間，他暗叫不好。莉莉卡的臉變紅，並把握住她下巴的手甩開，又將嘴裡的手帕吐出來。

「我一點都不覺得我的出身可恥！」

「我——」

「我也沒有要卑鄙！沒錯，我被您打到很痛，但您也嚇到了吧？您看起來很慌張，我的牙齒當時還在晃動，而且——呸！」

她吐出唾沫的動作讓阿提爾僵在原地。莉莉卡擦了擦嘴角，罵了聲簡短的粗話。

這是他從未聽過，像貧民區女孩的一句咒罵。

那簡短卻粗魯的話讓阿提爾倒抽了一口氣，直盯著他的莉莉卡眼中正燃著烈火。

她是貧民區的孩子，但她從未感到羞恥。那是她的驕傲和自尊。

「我知道您多麼討厭巴拉特，我還是決定這麼做。我知道您會生氣，還是帶他來了。」她的藍綠色眼睛閃閃發光，「所以我才道歉。我現在還是覺得非常抱歉，因為……」

剛才的阿提爾帶著十分期待的表情與聲音走進來。他讓兩名護衛引開拉烏布，溜了進來。

莉莉卡承諾過會把花園弄得漂漂亮亮再還回來，因此阿提爾不可能不知道花園裡有動靜。再說，也許他早上就發現了莉莉卡不在房間裡，所以立刻就跑到小屋來了。

他還以為莉莉卡肯定準備了什麼，像是驚喜派對來取悅他。但他卻看到莉莉卡和巴拉特在一起，他會有什麼感覺呢？

想必是遭到背叛的感覺。

儘管如此，阿提爾仍先對菲約爾德表現出憤怒，而不是對莉莉卡。

莉莉卡知道這是因為他很重視自己。

「因為我喜歡您啊。」

因為喜歡，她很擔心他剛才造成的傷口，也非常抱歉，覺得即使被打也是自己活該。

這是一句單純至極的話。

阿提爾鬆了口氣。他坐到椅子上，用雙手摀著臉。

為什麼這個脆弱的妹妹能流利地說出我說不出口的話？

這不可怕嗎？

妳不害怕嗎？

喜歡一個人就是讓對方抓到弱點。好感很容易被利用，不知道有多少人想要利用對方的情感得到好處。

那被留下的人，只會受傷啊。

「殿下？」

她再次喚了一聲，讓阿提爾十分害怕。從剛才開始，她都不是叫他「阿提爾」，而是「殿下」。

他猶豫地抬起頭，一張擔心的臉映入眼中。看到她依然擔憂時，心裡的話就輕易地流露出來。

「抱歉。」

他簡短地說完，莉莉卡勾起微笑，「我接受你的道歉，陛下。」

阿提爾一把拉過她的手，將她拉近。

他嘆了口氣後問道：「到底妳喜歡他哪裡？」

「嗯……長得非常漂亮，屈膝禮也做得很好——」
「臉？就是臉嗎？啊，也對，巴拉特除了臉，還有什麼好看的？」
雖然可以說巴拉特其他部分的壞話，但是外貌不能。阿提爾唯獨認同這一點。
阿提爾傻眼地看著自家妹妹，莉莉卡則紅著臉。
「啊，不是因為臉。而且，就是、嗯~有些地方讓我很在意。」
「所以就是臉啊。」
「啊，就說不是了。真的不是，世界上最美的是我媽媽！」
她突然毫無來由地如此宣言，讓阿提爾感到困惑。
莉莉卡洋洋得意地說：「所以要長得十分出眾才能打動我。」
他長得非常出眾啊。
阿提爾嚥下一句湧上喉頭的話。

菲約爾德感覺如坐針氈。他挺直背脊坐在沙發上，目光落在手臂上。當他捲起襯衫的袖子，可以看到手臂上纏繞著密密麻麻的繃帶。
他緊握拳頭又放開，也轉轉肩膀。全身上下都感覺不到痛楚。他無法看到自己的傷口，但他知道自己完全痊癒了，這些繃帶只不過是種形式。
『在一夜之間？』
那是他至少被折磨了一週的傷。

雖然感到疑惑，但他沒有表現出來，也沒有問。

如果是古老的家族，他們應該有一兩個祕密，或是一些藏起來的神器。

他擔心地瞥了一眼窗邊。他坐著看不到，但莉莉卡和阿提爾應該在某處交談。

『阿提爾‧薩烏‧塔卡爾。』

他閉上眼睛。

菲約德爾年幼時曾格外憎恨阿提爾，因為他認為阿提爾就是他像這樣受苦的原因，父親去世也都是阿提爾的錯。他從小聽周遭的人說著這些如毒藥一般的話長大，特別是母親——

一想到母親，他的肩膀就不由自主地縮瑟起來。母親一直努力想讓巴拉特站上最高的位置，總是盡心盡力。她嫁給直系皇族，與如此憎恨的塔卡爾融合血脈。

多虧了這樣的母親，他才成為了巴拉特最好的作品。

『真是好笑。』

但是阿提爾舉行的生日派對，打碎了她的心。

十歲生日是年紀進入雙位數的第一個生日，因此舉辦了盛大的生日派對，也是向所有人介紹孩子的場合，所以，菲約爾德第一次見到了阿提爾。他還記得母親的手指穿插在他的頭髮之間，固定著他的頭，轉動他的視線。

「那就是你的敵人。」

那輕聲細語的聲音仍鮮活地浮現在腦海裡。所以，他帶著仇恨瞪著阿提爾……

即使現在回想起來，菲約德爾都會笑出來。

阿提爾只是個孩子，一個懷著與自己相似的仇恨和不安，拚命瞪來的孩子。

和自己一樣。

他明白了，讓他痛苦的不是阿提爾，不是塔卡爾，而是將手放在自己頭上的人。

巴拉特。

想要成為塔卡爾，想要成為最高位者，不擇手段，即使痛苦到流淚，也要吞下眼淚。

想要站在那個位置的巴拉特的野心，這就是讓他在痛苦中哭泣的原因。

從那時起，菲約爾德就不曾恨過阿提爾。當對方瞪著他時，他只會露出苦笑。

他也非常理解阿提爾如此厭惡他的原因。看到巴拉特的所作所為，他應該也會口出惡言，如果他不是巴拉特的話。

但他是巴拉特，所以他總是在躲，總是在逃。

『但是……』

但他遇到了莉莉卡。

她的關心舉動。

溫柔的話語。

暖入心脾的友善。

無條件的好意。

她的所有舉動都十分微小，就如玻璃般閃亮的糖果屑一樣。但他感受到從未嘗過的甜美味道、香氣和繽紛色彩吸引，無法別開目光。

他想要靠近她。

他想要撿拾不斷掉下來的碎屑。

就像一生都不曾喝過水的人，嘴唇上滴落了一滴水。

一滴是無法滿足的。他感受到灼燒般的乾渴，陶醉地品味著甜蜜的味道。

然而，他無法伸手去拿桌子上的點心。無論再怎麼努力伸手，只能摸到碎屑。

他怎麼敢。

菲約爾德．巴拉特能期望莉莉卡．納拉．塔卡爾給予這些嗎？只要能得到她慷慨的憐憫碎屑，他就滿足了。

『不。』他苦澀地笑著改變想法，『我以為我可以滿足。』

如果真的這樣就能滿足，他就不會說想要成為她的談心朋友了吧。

他明知不能說出這種話，仍然這麼說了。後來收到信件，莉莉卡問他是否願意成為她的談心朋友時，他開心到跳了起來。

然而與他相反，母親不悅至極。

那個賤民竟敢如此。

這些令人不悅的話語傾洩而出。然而，菲約爾德還是挺身而出開口說：與敵人親近不是好事嗎？

那一刻，母親爆發了。她嘴上總是說著「這是為了讓你好好記住」，但實際上只是想發洩自己的情緒。

她平時作為巴拉特公爵，壓抑著所有情緒，所以一旦爆發，後果不堪設想。

承受完母親的憤怒後，菲約爾德嚥下呻吟聲，十分苦惱。

『我該對皇女殿下說些什麼。』

這是他先提出的要求，如果他拒絕了，肯定會讓她很傷心。他必須想辦法讓她知道這不是他自己的意思。

如果她大失所望又非常難過，他該怎麼辦？

他倒在原處許久，只擔心著這件事。最終，他勉強爬了起來。

他得盡快告訴她，他記得通往皇宮花園的路非常難走。

在等待莉莉卡時，他練習著說詞。
『之後我就記不起來了。』
他明明見到了皇女殿下，好像見過她，但之後的記憶亂成一團。
她有叫他嗎？還是只是錯覺？
他無法確定。
他明明暈倒了，但他不知道是什麼時候、如何倒下的。
他清楚記得的是他在床上睜開眼睛時，有人搧著扇子，催促他繼續睡覺，那道聲音十分清晰。
『我得小心一點。』
菲約爾德·巴拉特在毫無防備的情況下暈倒了，睡在一個陌生的地方。
這種事情絕不能再發生，但他心裡同時也感到無所謂。
——菲約爾德不是作品。
這句話突然浮現在腦海裡，菲約爾德笑了。
她怎麼總是能說出那麼甜蜜的話呢？真是太奇妙了。
然而，事情到今天也該結束了。皇太子殿下原諒了他一次，還會原諒第二次嗎？
如果因此對皇女那樣……
想起剛才莉莉卡口吐鮮血的畫面，他就背脊發涼，渾身起雞皮疙瘩。如果是他害莉莉卡受傷，他將無法原諒自己。
或者對莉莉卡來說，阿提爾更重要。
無論從哪方面來想，他都只有消極的想法。
就在這時，莉莉卡開門走進房間，菲約爾德跳了起來。莉莉卡用手做出書寫的動作，布琳就馬上拿來一塊石板，然後靈活地剪下昨天當作繃帶、沒用完的布條，遞給莉莉卡。
莉莉卡用石筆寫了些什麼，然後給拉烏布看。
『殿下道歉了，說他做得太過分了。我聽說他讓那兩位騎士攻擊你？』
拉烏布屏住氣息說：「這都要怪我受到了他人的動靜引誘。在這種時候，護衛更應該留在您身邊才對。」
『下次小心一點就好。』
即使對話持續了很長一段時間也不在意，拉烏布緊握著拳頭說：
「我不會再讓這種事不發生了。」
他這麼說著，努力露出笑容。
每當拉烏布像坦恩或其他沃爾夫一樣做出討好的舉動時，莉莉卡都覺得有點不自在。
但現在不是說這些的時候。
「嗯。」
莉莉卡簡短地回答後點了點頭。布琳問：「殿下是不是回去了？」
「嗯。」
「那麼，通常您在這時候會用餐……」
莉莉卡聞言，十分高興。其實她從剛才就很餓，以前不吃一餐或兩餐也無所謂，但現在每天都會吃飯的身體正大聲說著她沒吃早餐。
「嗯！」
莉莉卡的回答讓布琳笑了，又說：「非常抱歉，但您要等到傷口止血才能用餐。」
「！」

莉莉卡睜大了眼睛，然後垂下肩膀。

『也對。』

這種情況下似乎無法進食。莉莉卡指向菲約爾德，布琳就「啊」了一聲，詢問他：「巴拉特小公爵也餓了吧？我去準備飯菜。」

菲約爾德想要說「不用了」、「沒關係」，但這樣一來，他就沒必要待在這裡了，會馬上被趕出去。當他猶豫不決時，莉莉卡在石板上寫了一些字給菲約爾德看。

『**吃完再走。**』

菲約爾德輕聲回答：「好的，我很樂意。」

布琳問道：「恕我失禮。請問皇太子殿下還好嗎？」

「嗯。」

莉莉卡快速地將寫在石板上的字拿給大家看。

『**因爲我媽媽是世界上最美麗的！**』

「……？」

所有人的頭上同時浮現了問號，但莉莉卡像解釋完了，一臉自豪。

『就算客觀來想，我媽媽都是世界上最美的，沒錯。』

雖然很想了解這究竟是什麼意思，但是用石板對話很困難，現在最重要的是盡快準備食物。

布琳說：「如果您要和巴拉特小公爵一起用餐，那最好在這裡。我去準備餐點。」

『**對不起。**』

「沒關係的。」

她看到莉莉卡哭喪著臉寫著什麼，原來是要道歉。布琳笑著搖了搖頭，然後輕輕晃著裙襬，走出小屋。

沒過多久，布琳像施了魔法一樣拿著早餐過來。布蘭跟在她身後，幫忙放下東西。
他看著菲約爾德露出苦笑，然後稍微點頭致意，菲約爾德也點頭回應。
布蘭仔細觀察著莉莉卡的狀況，然後說：「對不起，皇女殿下。」
莉莉卡搖了搖頭，然後指著菲約爾德，皺起眉。
布蘭忍住著笑意。
『這都要怪我把菲約爾德帶來。』
沒想到她能完整表達出這句話。
「儘管如此，稍後還是請您到黑龍室來，我們會準備冰淇淋等著您。」
「嗯！」
莉莉卡笑著回答。布蘭離開後，布琳迅速準備好早餐。
這是非常簡單的餐點，吐司、奶油、果醬，還有一碗熱湯。
菲約爾德和莉莉卡面對面坐下後獨自拿起餐具，開始尷尬地吃飯。
莉莉卡在石板上寫了一些話，拿給他看。
『**你身體現在好多了嗎？**』
「是的，我已經恢復了。」
莉莉卡擦掉字後重新寫字。菲約爾德一邊吃，一邊等著莉莉卡。
『**我們無法當談心朋友，對嗎？**』
「……是的。」
他想發出若無其事的聲音，但他自己都覺得聲音聽起來十分沮喪。
莉莉卡輕聲笑著，再次不停寫字。

『**那麼，我們就單純做朋友吧。**』

菲約爾德睜大了眼睛。他一遍又一遍地看著石板上的字，但字跡沒有消失的跡象。

這些字不像經過訓練的字體一樣漂亮。它們看起來歪七扭八的，不規則的線條給人留下深刻的印象。

當他不停望著那些字，像要刻進心底時，莉莉卡把石板轉回來，又在下面寫了一些字。

『**你不想嗎？**』

答案一瞬間湧到了嘴邊，但菲約德爾頓了一下，然後優雅地微笑著回答：「我想。」

不會太黏人，也不會顯得太渴望。

莉莉卡微微一笑。

『**我也想和你當朋友。**』

CHAPTER. 6

狼、烏鴉和花 I

「牙齒竟然掉了。哎呀，連牙齒都這麼可愛。」
露迪婭感到十分新奇地看著掉了牙齒的女兒，然後很感興趣地看著小小的乳牙。
『我都不曉得會換牙。』
她想起自己的年幼回憶。但直到女兒換牙前，她都完全忘了這段回憶。
「聽說把牙齒丟到屋頂上，青鳥會來把它叼走，讓人長出漂亮的新牙。」
聽到女兒這麼說，露迪婭問：「是嗎？那妳要丟到哪裡？」
「我們第一次去的地方，就是跟媽媽第一次見面的地方。」
「啊，晨星宮。」
「對！丟在那裡的話，青鳥肯定會來的。」
「好，那我們去那裡吧。」
露迪婭的話讓莉莉卡十分高興，馬上向前傾身。
「媽媽也要一起去嗎？」
「當然，我們要一起去啊。」
她緊緊抱住女兒，女兒露出了燦爛的笑容。因為少了門牙，看起來更加可愛。
最近露迪婭一直很忙碌，打聽商人、了解貴族勢力、探查巴拉特的動向。
阿爾泰爾斯總說她比自己還忙，還咂舌。
『今後我要養活莉莉卡，當然必須勤奮工作啊。』
一個年輕女子要獨自撫養孩子，將會遇到比想像中更多的威脅。以前或許可以當作機會利用，但現在不行這麼做，她也不想這樣做。
被稱為「寡婦」，不曉得會被多少男人瞧不起。

『阿爾泰爾斯永遠無法理解吧。』露迪婭勾起嘴角，『所以為了保護莉莉卡，力量是必要的。』

她最接近的權力是金錢和地位。如果要保護她和她的孩子不受傷害，這兩樣是最為重要的，能躲開那群想傷害她們母女的豺狼虎豹，因此，她只能不眠不休地拚命工作。

諷刺的是，她與莉莉卡相處的時間因此減少了。

「莉莉。」露迪婭緊握著女兒的手說：「我能作為媽媽盡心盡力，都是多虧了妳。因為有莉莉像這樣守護著我們的家，媽媽才能外出努力。」

莉莉卡也緊握著她的手說：「我也是因為有媽媽在，才能努力下去。」

「嗯，但是很抱歉，媽媽沒辦法陪莉莉太久。我希望妳能知道，我一直覺得很抱歉。」

露迪婭小心地將女兒的頭髮勾到耳後，低聲說道。

莉莉卡聞言，搖了搖頭，然後抱住媽媽的腰。

懷中傳來一股香氣。

「不，沒關係，我知道您為了我很努力。請您別太勉強自己，因為就算您不這麼做，莉莉也愛您。」

「嗯，謝謝妳，莉莉。」

因為莉莉卡愛著她，露迪婭才能堅持下去。

她曾以為父母與孩子之間的愛是單向的，但幸好她現在發現了，這份愛其實是雙向的。

如果莉莉卡沒有死去，如果她沒有站在火刑臺，她會發現這件事嗎？

不，她可能永遠都不會發現。

她就是這麼愚蠢的人。

露迪婭苦笑了一下。她緊抱著女兒安撫著她，感受著她的溫暖。

莉莉卡身上散發出糖果般的香氣。

現在，她的乳牙很快就會掉光，然後會漸漸長大，成為十歲、十二歲，一眨眼就變成大人。

這次，她一定要親眼看見。

露迪婭的雙臂更使勁抱住女兒。

她一定，要看見莉莉卡長大成人後的模樣，不讓女兒停留在十六歲。

露迪婭吁了一口氣，馬上放鬆力氣。她不想過於感傷，不想心生動搖。

現在莉莉卡還活著，她不是正抬頭看著自己嗎？

「那麼我們現在就去吧，莉莉？」

「真的嗎？」

「那當然。」

「您不忙嗎？」

「沒事的。」

露迪婭笑著安撫莉莉卡。能久違地和媽媽一起外出，莉莉卡十分高興。

天氣風和日麗。

新皇后和皇女手牽著手，帶著侍女們走過花園的模樣吸引了所有人的目光。人們竊竊私語，似乎都在稱讚媽媽的美貌，莉莉卡聳了聳肩。

『看見了嗎？我媽媽很漂亮吧？』

她很是自豪地仰頭一看，看到像矢車菊一樣的藍色眼睛正看著自己，閃閃發亮。

「妳為什麼這樣聳肩？」

「因為媽媽是世界上最漂亮的。」

「哎呀，妳也很漂亮，莉莉也是世界上最漂亮的。」

媽媽笑著說，但莉莉卡覺得自己顯然沒有媽媽那麼美麗。
晨星宮就和第一次看到時一樣美麗，以帶著珍珠色和粉色的大理石建成，在陽光下閃閃發光。
看著高高的屋頂，莉莉卡喚了聲「拉烏布」並遞出乳牙，拉烏布就輕鬆地將牙齒放到屋頂上。
「那我們在這裡喝杯茶吧？莉莉卡就喝非常淡的茶吧！聽說孩子們喝茶會對身體不好。」
露迪婭皺著眉，告訴她最近得知的事。
莉莉卡歪著頭問：「是嗎？」
「是啊，所以最好喝泡到最淡的。」
說完她看向布琳，布琳點了點頭說：「皇女的茶已經泡得很淡了。」
「是嗎？那太好了。」
旁邊的侍女長接著問：「皇后殿下，今天天氣很熱，我想準備一些檸檬雪酪，您覺得如何？皇女殿下也掉了一顆牙，冷的東西有助於消腫。」
「啊，那就準備這個吧。」
露迪婭這麼說完，片刻後，裝滿雪白檸檬雪酪的漂亮玻璃容器端了上來。
用銀勺舀起一勺送到嘴裡，酸中帶甜的清新味道在口中擴散開來。
「好吃嗎？」
露迪婭詢問後，莉莉卡點了點頭。這是非常適合夏天的甜點。
「啊，是嗎？」
莉莉卡一邊不停舀動小勺子，一邊說：「對了，媽媽，菲約爾德說他不能當我的談心朋友。」
我就知道——她刻意不說出這句話。
「妳沒關係嗎？應該很難過吧。」

「嗯，所以我和他說那就不當談心朋友，當單純的朋友吧。」
「和菲約爾德．巴拉特嗎？」
「是的。」
說完，莉莉卡不自覺地觀察著媽媽的臉色。媽媽的最後一個問題帶著否定的意味。
莉莉卡不禁習慣性地縮起肩膀。
「不行嗎……？我擅自做了決定，對不起……」
「嗯，莉莉。」
露迪婭陷入了沉思。
菲約爾德．巴拉特會在十五歲去世。巴拉特最偉大的作品。
她對於他幾乎一無所知，只記得唯一一次在一次公爵家見到他時，他的表情十分陰沉。
『還有放蕩不羈的傳聞。』
別說讀書了，他還與品德敗壞的人為伍，喜歡打獵和賭博，所以成了令巴拉特公爵煩惱的兒子。
『在他去世後，雷澤爾特就出現了。』
所以人們猜雷澤爾特也許是私生子。
菲約爾德去世後，巴拉特公爵不得不收養這個當作私生子養大的女兒，並公開她的身分。
傳說她是在鄉下修道院接受教育的，但完全看不出來。她可以說是巴拉特的失敗作，連性格都十分扭曲又殘忍。
『所以才會死啊。』
露迪婭茫然地想著，然後看向女兒。莉莉卡正用緊張的眼神看著自己。
「莉莉，妳一定要和菲約爾德走這麼近嗎？」

「嗯……」

莉莉卡猶豫地移開目光。

露迪婭說：「過來，悄悄告訴媽媽。」

聽到這句話，莉莉卡站起來，忸忸怩怩地走過去。她確認了好幾遍，媽媽的臉上都看不出怒意，但這種時候她都會感到緊張。

「那個……」

「怎麼了？」

媽媽將耳朵湊過來，莉莉卡則用手摀住嘴，輕聲地說：「因為他……很美……」

「！」

露迪婭驚訝地睜大了眼睛，馬上轉頭看向女兒。莉莉卡的臉頰通紅。

「他嗎？」

露迪婭不禁笑了出來。莉莉卡一臉無措地緊緊握住雙手。

美麗。

這不是全部，但總體來說，只能這麼說。

在他銀髮上閃爍著的彩虹碎片、優雅的禮節、看起來有些不安定的金紅色眼眸、配合她的步伐以及稱她為「小鳥皇女殿下」……

這一切加總起來，就是「美麗」。

「嗯，那我們該怎麼辦呢？」

露迪婭輕笑出聲。

喜歡美麗的事物是人的天性。事實上，莉莉卡與菲約爾德融洽相處，在「策略」上不是一件壞事。

換作以前的自己，可能會澈底利用這一切，但過去是過去，現在是現在。露迪婭思索片刻後說：

「現在是沒問題，但如果菲約爾德之後惹出了問題……到時候，媽媽會不准妳見他的。」

莉莉卡點了點頭。

「那妳到那時候就不能見他了喔。」

「好的，我答應您。」

「好，那就說好了。」

莉莉卡握住媽媽伸出來的手，上下搖了三次。

「那麼，妳可以隨意和他見面。啊，還有。」媽媽在莉莉卡耳邊輕聲說道，「如果妳得知菲約爾德有其他兄弟姊妹，也跟媽媽說一聲。」

「好的。」

雖然感到疑惑，莉莉卡還是用力點了點頭。如果媽媽允許的話，這點小事沒問題。

露迪婭微微笑著，又輕聲對莉莉卡說：「大概下週烏巴就會回來了。」

「真的嗎？」

「嗯，讓我們一起期待他會帶什麼回來吧。」

聽到媽媽的話，莉莉卡的心一下子興奮起來。

『原來如此，幸好他能平安無事地回來。』

「雪酪要融化了，快點吃完吧。」

「好的！」

莉莉卡跑回自己的位置，努力地舀動銀湯匙。因為這酸甜又冰涼的檸檬雪酪，她的心情也愉快起來了。

聽著媽媽的話，莉莉卡不斷感嘆。

「我也想快點幫助媽媽。」

「莉莉已經幫了很多忙喔。」

「不，是更……嗯……我也想像媽媽一樣舉辦沙龍，見見人們。」

「那妳得先到十歲才行呢。」

莉莉卡輕聲嘆了口氣，「是啊。」

真希望快點長大。

露迪婭直望著這樣的莉莉卡，然後說：「妳有沒有想要的東西？要不要換新衣服？這次做一件披肩怎麼樣？」

「什麼？不，不用了。」

莉莉卡搖了搖頭。露迪婭繼續說：

「別這樣，妳應該也有想要的東西，媽媽一直都只做我認為好看的東西，妳沒有喜歡的嗎？」

露迪婭的話讓莉莉卡猶豫了。當她還在煩惱該不該說出來時，媽媽再次開口：

「妳想要什麼都可以，說說看。」

莉莉卡盯著空蕩蕩的玻璃碗，鼓起勇氣說：「我、我其實很想穿克里諾林風格的禮服。」

「什麼？」

這句出乎意料的話讓露迪婭不禁回問。她在腦海中想像了一下克里諾林裙襯。

『那種老土的禮服？完全過時的風格？我的女兒嗎？這怎麼可能！』

她差點說出「妳的審美眼光是不是有問題？」這句話，但硬生生忍住了。

我的天啊。

「比起那個，現在媽媽穿的禮服更漂亮吧？嗯？」

「是……」

莉莉卡點點頭，目光又落到空杯子上，讓露迪婭心裡煩躁不已。

要是她大喊著「不要，我要克里諾林裙襯！」大鬧──聽說其他孩子都會這麼做──那反倒好辦，但現在她這樣回答，讓人心裡很難受。

露迪婭清了清嗓子，問道：「我覺得克里諾林裙襯很不方便，妳為什麼喜歡呢？」

「……」

「沒事，我只是問問，我真的很好奇。」

她表示自己並不是要責怪莉莉卡後，莉莉卡小聲地說：「因為就像劇院海報上的公主裙子──」

「啊。」

露迪婭輕喊一聲，緊握起拳頭。

她不想讓莉莉卡穿上克里諾林裙襯。其他貴族派的貴婦們看到了會怎麼想？也許會認為皇后投降了。孩子喜歡什麼樣的衣服重要嗎？她現在穿的衣服比什麼都漂亮啊。

莉莉卡再長大一點後，可能會想穿時下最流行的衣服，但現在不一定要穿那種衣服──

「沒關係的，我現在穿的衣服也非常漂亮，我非常喜歡，媽媽。」露迪婭繼續沉默時，莉莉卡趕緊抬起頭，急忙說道：「對不起，因為我總是固執己見。我也覺得巴斯爾裙襯更漂亮，所以……」

巴斯爾裙襯是媽媽帶起的流行，要是讓媽媽傷心該怎麼辦？莉莉卡如此心想，搖了搖頭。

見狀，露迪婭無法再堅持下去。她緊抿著嘴脣，然後說：「所以，妳是想穿蓬鬆寬大的裙子嗎？」

「什麼？不是的，我喜歡巴斯爾裙襯。」

「不，我知道了，我會幫妳訂製的，我們今天就去量尺寸。」

「什麼？但、但是……」

「別擔心，不會是放了克里諾林裙襯的裙子，那太重了，也很難移動。但即使如此，媽媽還是會盡力讓莉莉喜歡的。」

露迪婭對管家招招手，吩咐她召設計師入宮。

「放心吧，媽媽一定會做出莉莉喜歡的衣服，設計交給媽媽吧。」

「好的。」

莉莉卡點了點頭。聽到媽媽這麼有把握，她更加期待了。雖然她嘴上說沒關係，但能穿上蓬鬆的裙子讓她很幸福。

露迪婭看到女兒臉上流露出幸福。

『被治癒了。』

最近因為阿爾泰爾斯說一些關於愛情的廢話而感受到的壓力，就像夏日的冰一樣消失了。

『那個人，不，那條龍真的……』

真不曉得他是從哪裡聽到這些奇怪的話的。

『他會寫奇怪的詩、送我花，還送我他親自挑選的寶石盒。』

露迪婭哼笑了一聲。

在這些奇怪的事情中，最奇特的地方是他朗誦詩歌時的聲音真的非常動聽，聽起來很像樣，花束很有品味，寶石盒中也不多不少，只選了幾個精品放進去。

所以，他的行為既滑稽又看似合理，就更是個問題。周圍的侍女們會羨慕地尖叫出聲，一起喝茶的貴婦們會嘆著氣，用羨慕的表情看著兩人。

『真是的。』

真是讓人頭痛的人啊。

露迪婭帶著笑意嘆了一口氣，看著莉莉卡。

莉莉卡感覺到她的目光，問道：「有什麼事嗎？」

「嗯，沒有，什麼事都沒有。」

不能跟莉莉卡說這種事。露迪婭搖了搖頭，問她：「那妳的裙子上有沒有想放什麼東西？」

走在迴廊上，莉莉卡嘆氣似的跟布琳說：「我真的覺得不要緊啊……」

這句話與其說是「真的不要緊」，聽起來更像是「我很喜歡，但是沒關係嗎？」的意思。

布琳笑了，「但是，皇后殿下是想把皇女殿下的心願放在第一位吧。」

莉莉卡的臉紅了起來。

「是這樣嗎？」

「是的，當然了。皇后殿下多珍惜皇女殿下啊。」

「嘿嘿。」

莉莉卡露出害羞的笑，緊緊抓著自己的衣領。能得到一件漂亮的裙子讓她非常高興，但比起這個，媽媽重視自己的喜悅更強烈。

感覺輕飄飄的，就像剛才吃的檸檬雪酪一樣，又酸又甜，在口中有點刺激，甜蜜又幸福的黃色。

這時，派伊從迴廊的盡頭走來。

「派伊！」

「皇女殿下。」

派伊快步走過來行禮，然後問道：「您要回白龍室嗎？如果時間允許，請到黑龍室坐坐，皇女殿下。」

「這麼說來，剛才布蘭有邀請我去吃冰淇淋，我也有一些話必須跟殿下說。」

派伊很快就察覺到了莉莉卡的稱呼，眨了眨眼睛。布琳也歪著頭問：

「對了，您從剛才開始就一直稱呼皇太子殿下為殿下呢。」

「嗯，因為殿下……」

莉莉卡招了招手，布琳就彎下膝蓋，莉莉卡小聲地說：「殿下說我因為我的出身，表現得很卑鄙。」

「天啊天啊天啊！」

布琳驚呼了三聲後，莉莉卡點了點頭，「所以我想我用名字稱呼他，他或許會不高興才故意這麼稱呼的。」

布琳捂著嘴輕笑，「我認為這樣很好。」

「對吧？」

看著兩位女士笑著，派伊嚥下了苦笑。即使輕聲說話，派伊也能聽到她們說的話。就算沒聽到，他剛剛才看到擔心的阿提爾——他本人當然絕對不會承認——派伊的思緒十分複雜。

『不過，他開始變溫和了，這是好現象。』

多虧了莉莉卡，阿提爾對他人的不信任感正在逐漸消失，這對作為談心朋友兼未來親信的派伊來說，是值得感激的事。

並不是非得相信他人，但如果阿提爾從一開始就完全不信任他人，那派伊應該會是最疲憊的人。

「不管怎麼說，殿下非常擔心您。」

派伊開口說。阿提爾絕對說不出這種話，所以作為談心朋友的他必須幫他傳達出去。

「是嗎？」

莉莉卡笑著往前走。派伊站在她身旁，布琳則退後一步。

「是的，他非常擔心，雖然他當然沒有表現出來。」

聽到派伊如此補充道，莉莉卡輕輕笑了笑。他們穿過走廊的陰影處後，遇到的人都會退後並彎下膝蓋。

當他們走過時，莉莉卡問派伊：

「派伊和殿下在天空宮會遇到很多人吧？我在太陽宮也會遇到人，但從來沒和他們交談過。」

「地位低下的人不能和高貴的人攀談。」

「嗯，這是值得慶幸，但我在想……這樣繼續忽視他們好嗎？」

如果對方主動開口攀談，到底會聊什麼呢？然而反過來想，繼續忽視他們也令人擔憂。

人們會怎麼看待自己呢？如果是一位出色的皇女，難道不應該積極交流嗎？

有時候莉莉卡也會看到一些年紀相仿的孩子——明顯已經超過十歲了——向自己問候致意。

「也有跟我年紀差不多的孩子。」

派伊笑了笑，「因為這樣皇女殿下或殿下比較容易對他們攀談。」

「哦？」

莉莉卡驚訝地看著派伊，他以輕鬆的語氣繼續解釋。那頭明亮的奶油色頭髮在迴廊的光影下閃爍，時明時暗。

「刻意帶著孩子進宮還會有什麼理由呢？就是希望皇女殿下看到他們，並主動搭話啊。」

「真的嗎？」

「當然。」派伊停下腳步，轉向莉莉卡。

他站在柱子的陰影處，對站在耀眼陽光下的皇女殿下低語似的說：「在皇宮裡沒有巧合。」

莉莉卡明亮的藍綠色眼睛驚訝地看著他。他慢慢豎起手指放到嘴邊，微笑道：

「也沒有完美的祕密。」他的手指往下移到自己的胸口，指了指自己後說：「只有藏在自己的心裡，才是完美的祕密。」

莉莉卡聽到這句話，十分在意口袋裡的吊墜。

『那麼我是一位魔法師的事也……原來如此，因為陛下知道。』

那他們兩人保守的祕密算是祕密嗎？

看到莉莉卡看似為難的複雜表情，派伊笑了。

「看來您有祕密呢？」

「嗯，嗯？」

莉莉卡驚訝得支支吾吾，派伊再次笑了，「還您盡量藏在自己心裡，皇女殿下。」

莉莉卡輕輕點頭後，派伊自然而然地露出溫暖的笑。

這位皇女真是太聰明了，若是我的弟弟們，可能會不滿地反駁我的話，或是說些不像話的話。

莉莉卡一步步走進陰影中，與派伊並肩而立。

她輕聲道：「但是，派伊。」

「是。」

「如果不分享祕密，就找不到可以信任的人了。」

派伊聽到那句低語，感受到沉重的衝擊。同時，他差點忍俊不禁，於是咬緊嘴脣。

『這位皇女殿下……』

她不是單純的天真或親切。

莉莉卡歪頭看著派伊，而派伊點了點頭。

「是的，這是辨別真心與否的方法。」

可以洩漏祕密找出背叛者，也有許多反過來利用的方法。雖然莉莉卡並不是在指這件事，但她的話代表了這個意思。

她的意思不是能透過洩露祕密找出背叛者，而是分享祕密，能找到值得信任的人。不是不識黑暗，而是充分了解黑暗後，才談論光明。

『也對。』

無論是地下的無盡黑暗，還是宮廷的璀璨黑暗，都一樣是黑暗。

「是我多嘴了。」

「不，派伊是擔心我才這麼說的吧。」

「非常感謝您這麼說。那我們快走吧？陛下正在等您，或許就快忍不住來找您了。」

派伊的話讓莉莉卡笑了，加快腳步，但小孩的步伐還是不夠快，因此派伊問道：「皇女殿下，如果您不介意──」

不需要再聽他下去，莉莉卡就點了點頭。

派伊要彎下腰時，拉烏布上前一步，「我來。」

他一把抱起莉莉卡。現在拉烏布能安穩確實地抱住莉莉卡了。

派伊顧及阿提爾，說了一句：「如果您想知道殿下想說什麼，還請詢問殿下。」

「啊，說得也是。」

莉莉卡點了點頭。他們快速地走到黑龍室前，門上雕刻的黑龍閃閃發亮，是用黑曜石雕刻而成的作品。

「放我下來吧。」

拉烏布放下莉莉卡後，派伊直接打開門，裡面的玄關門敞開著。

布蘭腳步輕快地走出來迎接。

「歡迎光臨，皇女殿下。」

「你好，布蘭。」

莉莉卡問候一聲後，行了屈膝禮，「您好，殿下。」

阿提爾聽到這個稱呼，眉毛微微一挑，但他沒有馬上開口，畢竟他犯了錯。

「坐吧。」

莉莉卡坐下後，布蘭馬上拿來一盤裝滿冰淇淋的玻璃杯。香草冰淇淋中間夾著糖漬的覆盆子，一層一層堆起，最頂層還放著用糖製成、覆盆子形狀的糖果。莉莉卡不由自主地驚嘆了一聲。

「哇——」

阿提爾的表情十分得意，他親自遞出一支長銀湯匙。

「吃吧。」

莉莉卡接過銀湯匙，阿提爾則解釋道：「輕輕打破最上面的糖果就可以吃了。」

莉莉卡聽了，用湯匙輕輕敲了一下覆盆子形狀的糖果。糖果碎裂開來，紅色糖漿從裡面流了出來。莉莉卡再次驚嘆不已。

因為天氣依然很熱，檸檬雪酪的涼意很快就消失了。一路走來時，莉莉卡流了一些汗，她開心地品嘗著淋了覆盆子糖漿的香草冰淇淋。

「這個真好吃。」

莉莉卡讚嘆著，而阿提爾輕咬著嘴唇說：「我就知道妳會喜歡。」

莉莉卡看向阿提爾。他果然在忍著笑容。

他們的目光相遇，阿提爾換上溫柔的微笑，「好吃嗎？」

莉莉卡順著回答：「是。」

因為好吃就是好吃！

「請您吃慢一點，皇女殿下。」旁邊的布蘭怕她會吃壞肚子，擔心地說。

莉莉卡的手慢了下來，她也不想肚子痛。

「血已經止住了嗎？」

「是。」莉莉卡點了點頭，看向拉烏布說：「拉烏布幫我把它扔到皇宮屋頂上了。」

「啊。」

阿提爾心裡想著「那是迷信」，但他沒有說出口。他覺得認真吃著冰淇淋的妹妹很可愛，所以算了。

他偷偷瞥了一眼布蘭，而布蘭微微一笑。

準備冰淇淋是布蘭的主意，阿提爾對自己親信的信任感自然而然提升了。

派伊坐下後，布蘭接著端出兩杯冰茶。莉莉卡問：「陛下，您不吃冰淇淋嗎？」

「不了，妳多吃一點。」

聞言，莉莉卡不解地歪著頭，然後用湯匙舀起滿滿一勺冰淇淋。

「但還是吃一點吧。」

阿提爾看著遞到他面前的冰淇淋，很是慌張，但還是乖乖地張開了嘴巴。他稍微嘗了一口，然後簡單地評價道：「還不錯。」

「好吃吧？」

莉莉卡笑了笑。這時，看到缺少的門牙位置，阿提爾笑了出來。

「噗！」

他勉強忍住笑意，肩膀卻在顫抖。

莉莉卡困惑地問：「哦哦？陛下，您嗆到了嗎？您沒事吧？」

阿提爾搖了搖頭。現在笑出來，後果可能會不堪設想，他咳了幾聲，壓抑住笑意。

「不，我沒事。咳咳！」

他清了清喉嚨，看著擔心的莉莉卡。他的目光移到玻璃杯上並說：「沒事了，繼續吃吧。」

「是，殿下。」

莉莉卡回答後一定會加上一聲殿下，讓阿提爾終於忍不住開口：「妳打算一直這樣叫我嗎？」

「您是指什麼呢，殿下？」

「就是那個『殿下』啦。」

「可是，像我這種出身的皇女如果不稱您為殿下，對您不禮貌吧？」

『話雖這樣說，但這只是一種稱呼，其實沒有什麼意義啊。』

阿提爾皺起眉頭，然後呼出一口氣。他必須在這時好好回答。

他思考了一下，然後說：「不管出身如何，我妹妹就是我妹妹。」

莉莉卡直盯著阿提爾，讓他十分焦慮。

片刻後，莉莉卡點了點頭，「如果阿提爾這麼想的話。」

『很好。』

他在桌子底下緊握起拳頭，咧嘴笑了笑。

第一個問題暫時解決後，派伊開口：「不過皇女殿下，我聽說您讓菲約爾德·巴拉特住在小屋裡？」

「嗯……」

莉莉卡輕點了點頭，但派伊搖搖頭，「不，我不是在追究您，我是好奇您為什麼這樣做。」

「那個……因為菲約爾德的身體狀況非常差。」莉莉卡低喃回應，並抬起頭，「我在花園裡見到他時，他突然暈倒了，還在發燒，但我們不能把他留在花園裡，也不能讓人知道他在這裡，最後只能把他送到那裡去。」

「原來是這樣啊。」

派伊點了點頭。如果菲約爾德・巴拉特是在見到皇女後突然倒下，對雙方來說都不是好事，皇女將他藏起來的決定是正確的，問題是她選擇的隱藏地點偏偏是那裡。

「他為什麼會暈倒呢？」

聽派伊問起，莉莉卡的眼睛轉了轉，然後回答：「因為他的身體不舒服。」

她不想提及他受了嚴重的傷。這問題關乎到菲約爾德的自尊心，他自己都假裝一無所知了，那在大家都在的地方討論這件事不好吧？

派伊揚起一抹微笑，「我知道了。」

派伊爽快的回答反倒讓莉莉卡十分吃驚。

派伊回答得十分平靜：「身體不適的話也可以理解。那現在，他沒事了嗎？」

「嗯，所以我們把他送回家了。」

這句話聽起來就像治療了一隻受傷的野生動物，之後放回大自然。派伊瞥了一眼阿提爾，派伊和阿提爾都聽說過關於巴拉特公爵的傳聞。

阿提爾抱起雙臂，而派伊問莉莉卡：「您打算繼續與他來往嗎？」

莉莉卡點了點頭，又「啊！」了一聲。

「我取得了媽媽的同意。她說如果傳出關於菲約爾德的糟糕傳聞，那時候就要斷絕往來，我說知道了。」

「這樣啊。」

派伊點了點頭，又看了一眼阿提爾。

莉莉卡也看向阿提爾。現在關於菲約爾德的問題，都由派伊代替阿提爾提問了。

阿提爾嘆了口氣，「既然嬸嬸會這麼說，應該有她的理由。」

若是關於莉莉卡的事，嬸嬸可是會從眼裡噴出藍色火焰的。如果嬸嬸同意了，那應該不會危及莉莉卡。那麼剩下的，就是他的個人情感了。

阿提爾的嘴角一彎。

「對未來的臣民寬容，是君主的美德嗎？」

之前發生的事讓他的頭腦冷靜了下來，察覺到自己的行動太急躁了，而且還是在菲約爾德·巴拉特面前。相比之下，菲約爾德顯得更加從容。這讓阿提爾十分不悅，那麼，他沒有理由不表現得寬容一點，雖然心裡很不爽。

他撐著下巴說：「妳想怎麼做就怎麼做吧。」

莉莉卡說了句「真的嗎？」，從座位上跳起來。

「我不會說第二次。」

聽到阿提爾的話，莉莉卡跑過來，撲進他的懷抱，「謝謝您。」

阿提爾捏住她的臉頰說：「但是別忘了，他是外人。」

我們是家人，在家譜上也是，與不在家譜上的那個人不一樣。這件事必須說清楚才行。

莉莉卡點點頭，「我知道了。」

「真的嗎？」

「是，一直都要以阿提爾為優先，對吧？」

莉莉卡露骨地說完，阿提爾就厚臉皮地點頭說：「知道就好。」

她笑著想離開他的懷抱，阿提爾卻說著「怎麼了？」然後抱起她，讓她坐到腿上，布蘭馬上拿來杯子和湯匙。

莉莉卡扭頭看著阿提爾，阿提爾則舉起湯匙問：「要我餵妳嗎？」

「不用。」

莉莉卡馬上搶過湯匙。叮叮噹噹，銀湯匙碰到玻璃杯的聲音十分清脆。

莉莉卡說：「對了，阿提爾。」

「嗯。」

「我們去天空宮會遇到人吧？那我們見到人後，要說什麼？」

「妳問要說什麼，就是單純地聊天啊。」

阿提爾簡單粗暴地回答完後，莉莉卡皺起眉頭。她小小的腳跟輕輕敲上阿提爾的小腿。

「哎呦，真是的，別這樣回答我。到底會說些什麼？我看到向我打招呼的人也想和對方打招呼，但那樣就必須和對方說話啊。」

「有必要打招呼嗎？」

「如果一直忽視對方，會打壞聲譽吧？」

「與其隨便應對，不如一開始就別理他們。反正過了十歲之後，妳還是必須應付他們。」

聽完阿提爾令人鬱悶的回答，莉莉卡經過一番思考後點了點頭。阿提爾說得對，現在的自己可能會被對方用一句「喔喔」敷衍過去。

『這兩年我要拚命學習。』

到了十歲，無論喜不喜歡，她都必須在公開場合露面。

『那時候絕對不能犯錯。』

雖然看到年紀相仿的孩子們用閃閃發亮的目光看來時，心裡會過意不去，但現在只能繼續這樣下去。

『反正我身邊有迪亞蕾和菲約爾德，也不會無聊。』

一想到迪亞蕾，她心裡就感到一股暖意。迪亞蕾總是很誠實，笨拙卻總是努力為莉莉卡著想，很可愛。最重要的是，莉莉卡覺得那豐盈的灰紅色頭髮是所有人都會喜歡的顏色。當然，如果只是因為外表可愛就朝她伸出手，可能會被狠咬一口。

「妳在想什麼呢？」

「啊，我想到迪亞蕾。」

「她欺負妳嗎？」

阿提爾的話讓莉莉卡笑了，「不是的。」

說完，她依偎在他的胸膛。

「但是如果我被欺負了，有人會來幫我，我覺得很開心。」

「妳不是說過很羨慕嗎？所以如果妳被欺負了就叫我，知道嗎？」

「是。」

莉莉卡點了點頭。在宮殿裡，應該不會有人欺負她就是了。

幾天後，就如媽媽所說，烏巴回來了。他的船滿載而歸，那些貨物引起了巨大的轟動。其中有一些植物和珍貴的物品，烏巴第一時間就去拜訪了莉莉卡。

「烏巴！」

莉莉卡笑容滿面地朝他跑去，單膝跪地等著她的烏巴也笑著，脫下帽子向她致意。帽簷上的羽毛依舊華麗。

「拜見皇女殿下。」
「嗯，我也很高興能再見到你！幸好你平安無事。」
聽到莉莉卡的話，烏巴伸出雙手要將她抱起，但被拉烏布攔了下來。
藍灰色的眼睛很凶狠，而莉莉卡就像說不出「我家有一條會咬人的狗」一樣，慌張地說：「拉烏布，沒事。烏巴，這位是我的護衛拉烏布，這位是我投資的探險者烏巴。」
拉烏布慢慢眨了眨眼，微微一笑向他致意。
「我是拉烏布．沃爾夫。」
烏巴也向他示意，「我是烏巴。」
『啊，感覺又有點不對勁。』
莉莉卡又覺得拉烏布的表情有點不對勁，卻說不出來是為什麼，因此決定再觀察一下。
烏巴笑了。
「護衛騎士確實該這麼做，等我的身分確定了再說吧。」
他遺憾地放下手後低頭，話語間充滿了禮貌。
「我一回來就來見第一位大手筆投資我的皇女殿下了，您是第一個挑選商品的人。」
「我嗎？不是媽媽嗎？」
「皇女殿下後面就是皇后殿下。」
烏巴站起來使了眼色，侍從們就快速擺放好物品。是裝在盒子中的礦石和小盆栽這類的東西。
「我們無法全部帶來，因此請您看看這張清單。」
烏巴遞來清單，布琳接下後打開。莉莉卡好奇地看著清單，又轉向實物。
「這個好漂亮。」

她指著閃閃發光、像雪球一樣的礦石，烏巴說：「點燃它時，會冒出美麗的藍色火焰，非常明亮又持久喔。」

「真的嗎？」

「是的。」

「太神奇了……」

她用手指戳了一下石頭，然後停下動作。奇妙而美麗的物品應該要給媽媽。

莉莉卡指著看起來只有幾片葉子的植物中，最樸素的一株，「這是什麼？」

「這下面的根就像蘿蔔一樣大，非常甜。」

「甜的蘿蔔？」

「是的。」

莉莉卡靜靜盯著植物。這個沒那麼花哨也不好看，就算自己拿走也沒關係吧？若是種在小屋周圍，就可以吃到很多甜食。以後買下自己的房子時也可以種吧。

「那我要這個。」

「好的。」

烏巴微微笑著，莉莉卡看著他說：「其實我也想聽冒險故事，但你等等要去媽媽那裡吧？」

「是的，如果您以後再邀請我來，我會把船上的甜菜都帶來給您。」

「嗯！」

莉莉卡點了點頭。烏巴又大聲問候了一聲後離開。

莉莉卡看著花盆裡的植物，「會很甜嗎？布琳，妳知道甜甜的植物嗎？」

「據我所知，南方會用種植的甘蔗來製作糖。」

「用植物製作糖嗎？」

莉莉卡吃驚地問道，布琳點了點頭。

「是的，如果您想知道，我們去查查百科全書吧？」

「嗯，好啊好啊。」

在莉莉卡準備去圖書館時，烏巴來到銀龍室，他載滿三艘船的貨物都是價值連城的商品。

露迪婭一一翻過物品，露出了欣慰的笑容。但是越看，她的臉色就越沉。

『沒有甜菜呢？』

在此次航程中，甜菜是獲利最高的。南邊是甘蔗，北邊是甜菜，因此白糖的價格比現在便宜，而且需求暴增，北方的領地也因此趕上了商機。

『而且，愚蠢的人只會種植甜菜，不會種小麥和黑麥。好極了。』

但是，必須從樹海中找到甜菜才能執行這個計畫。

『該滿足於咖啡嗎？可能是因為我介入了，所以後續發展改變了，他下次出航後應該能帶來。』

露迪婭微笑著說：「真的辛苦你了，烏巴。除了我要的那幾樣，其他按合約分配利潤吧。」

「這都是託皇后殿下的福。」

烏巴深深地低下頭。

幾天後，露迪婭得知莉莉卡在種甜菜。

「莉莉！」

「媽媽？您怎麼突然——」

話還沒問完，露迪婭就抱住了她。

「多可愛啊！」

「嗯啊？」

被跑來的媽媽緊緊抱在懷裡，莉莉卡雖感困惑，仍笑了起來。

「我女兒真是聰明，好聰明。」露迪婭不停讚美，笑著對莉莉卡說：「聽說妳從烏巴給的清單上選了甜菜？」

「什麼？是的。」

「分給媽媽一點吧。」

「嗯？」

露迪婭笑得開懷地說：「媽媽來找投資標的，有收益的話，我們一起分吧。」

「沒關係的，如果您需要，媽媽可以全部拿走。」

「哎呀。」露迪婭刻意皺起眉頭，用力捏了一下女兒的嘴脣，「即使是家人，也有必須分清楚的事情。」

莉莉卡輕輕笑了。看著女兒成熟的笑容，露迪婭不禁覺得她和自己好像角色對換了，那表情彷彿正說著她願意聽從媽媽的固執。

莉莉卡點點頭，「我知道了。」

露迪婭緊緊牽起莉莉卡的手，說：「甜菜在北方能發育得很好，莉莉有收到土地吧？媽媽覺得可以種在那裡。」

「啊！」

這才想起那塊土地的莉莉卡點點頭，露迪婭則淡淡一笑。

「那我們來仔細討論一下吧？」

「好的！」

由於是第一次簽合約，看到這些艱澀難懂的字令人非常頭痛，明明只要簽名就好了，媽媽卻認為這都是一種經驗，要她看過合約。

「協議？合意？」

布琳在身旁親切地解釋：「協議是詢問對方的意見，合意則是必須與對方意見一致。合意對我們會有利許多。」

「看起來差不多啊！」

「這兩者並不一樣。」布琳微笑著說，「還有，請看這邊。這裡寫著『永久』、『完全歸屬』、『所有權利』、『轉讓給第三方或指定的人』，這些字句都必須刪除。」

莉莉卡委屈地看著媽媽，媽媽只是笑了笑。

「有布琳在旁邊幫忙看是很幸運，不過看來也需要一個幫忙確認的人。」

「所以每個家族都會有法律顧問。」

「真的嗎？」

「是的，當然。不過有基本的了解會比較有利，因為貴族們也很常進行口頭約定。」

「好像需要老師……」

莉莉卡嘀咕說完，露迪婭說：「要不要媽媽找一位老師來？」

「好的。」

莉莉卡猛點頭。她伸出兩根手指。

「再過兩年，雖然還是會收到正式的問候，但我覺得我已經從格倫德琳夫人身上學到所有東西了。」

「好好好。」露迪婭帶著迷人的笑容打開扇子，「找印露家族的人吧。」

這句話讓布琳吃驚地抬起頭，拉烏夫也眨了眨眼睛，莉莉卡感到驚慌。

「印露？」

看兩人的反應，好像是很有名的家族，但她從來沒聽過。

布琳解釋道：「花之巴拉特，雪之印露，他們是帝國的公爵家之一，不過完全退出了中央政治，也不會參與……」

「嗯，是啊，不過很適合當莉莉的老師吧？」露迪婭對莉莉卡自信十足地說：「就交給媽媽吧。」

「好的。」

相較於對社交圈一無所知的自己，媽媽應該懂更多。

莉莉卡只感到很奇怪，她一直、一直、一直以為自己必須保護母親。

『現在卻換媽媽保護我了。』

臉頰熱呼呼的，笑容不由自主地浮現。

「嘿嘿嘿——」

她一笑，媽媽就再次緊緊抱住她，說著「哎呀，好可愛！」，真的認為自己很可愛的想法一直湧上莉莉卡的心頭。

「那就讓他們修改好合約再拿過來，利潤比例是莉莉卡四分，我六分。」

「好的。」

因為全部都交給媽媽處理，這個比例對莉莉卡來說已經足夠了，反倒甚至覺得給太多了。

媽媽輕輕笑著說：「對了，要不要介紹給莉莉卡認識呢？」

「介紹誰？」

「烏巴帶來的，做生意的高手。」露迪婭輕輕笑了笑，「雖然是來自沙漠，但實力值得信賴。」

「來自沙漠？」

沒有一個人去了沙漠還能回來，因此，沙漠對他們來說是與樹海完全不同意義的開拓地。

帝國的罪犯們經常逃到沙漠裡，所以住在沙漠裡的人都被認為是騙子。沙漠民族帶有日晒晒成的深色皮膚，混雜著金黃色，總受人輕視。這也是為什麼對於擁有類似膚色的皇帝阿爾泰爾斯的出身，人們總是指指點點。

「我想見見他。」

莉莉卡說完，媽媽笑著點頭，說了一聲「好啊」。

解決了合約問題後，媽媽親了一下莉莉卡的雙頰，然後離開房間去消化忙碌的行程。

「媽媽好像很忙的樣子？」

「皇后殿下最近在開展新生意，光我知道的就有三四個，所以當然很忙。」

「生意？」

「是的。」

看到布琳的笑容，莉莉卡開始擔心起來。

『是什麼生意？』

在貧民區，有很多人是因為做生意失敗而破產，但現在媽媽也要開始做生意了。

『我必須好好努力，就算媽媽失敗了，我們也不用擔心生計。』

她絕對不會把錢投入會失敗的生意裡，但一旦失敗了，也必須維持生計。

這是比平常還大的滿月。

夏夜的空氣中充斥著各式各樣的氣味，令人窒息。拉烏布躲在陰影中喘著氣，即使努力不去看月亮，視線還是會一直被吸引過去。在體內流動的血液逐漸沸騰，隨時都會爆炸。

他的任務是護衛，他知道自己不能離開崗位。雖然明白，但還是忍不住。

本以為離開石牆遍布的城堡，來到花園會好一點，但一點也沒有改善，坐在冰冷的大理石椅子上也於事無補。

沙沙。

輕微的腳步聲響起，他抬起頭看去。即使不抬頭，他也知道是誰，但還是不得不抬頭看去。

拿著燭火的夜鴉站在那裡。那搖曳著紫色光芒的提燈，肯定是索爾家族傳承下來的神器。

拉烏布這麼想著，看向布琳。

布琳毫不猶豫地走過來，將提燈伸到他面前。燭火不熱，反而很冰冷。

「你是不合格者，對吧？」

布琳說出口的話語冰冷如火焰，讓拉烏布無言以對。沉默無異於承認，但烏鴉猜得到他的回答。

狼從火焰別開視線，微微點頭。

「那個該死的塔恩·沃爾夫！」

布琳咬牙切齒，聲音尖銳而細小。皇后肯定也知道，竟然還允許這件事！

「你還好意思站在這裡？」

「皇女殿下──」

「你作夢也別想利用皇女殿下的無知。」

拉烏布轉過頭，凝視著布琳。那是野生動物特有的冷漠表情，布琳嗤之以鼻。

「如果你打算殺了我再把我深埋起來，勸你省省吧。」

「……我沒有那種打算──」

「你肯定稍微想過。」

「……」

對，他稍微想過，但他不可能傷害皇女殿下看重的貼身侍女。

「不合格者就是這樣。」

布琳瞇起眼睛。

拉烏布瞪著厚顏無恥地碎念著的烏鴉。

妳懂什麼？生來就是正常人類的妳──那些話語湧上喉頭。

想要壓抑住血液中的野蠻、野獸的吼叫、殘暴的欲望，以及為了壓制這一切而耗盡力氣及其他一切的無力感，妳懂嗎？

即使如此，還是會被貼上標籤。他知道這無可厚非，但即使拚命努力，還是聽到別人說「你不能在這裡」時，他十分心痛。所以當年幼的皇女殿下提出邀請時，那隻手感覺就像從懸崖邊伸出來的手，他不得不抓住。

「皇女殿下說這裡不危險。」

他說出口的話十分膚淺，像在找藉口，連自己也覺得可笑。布琳也有同感。

「別說得好像『我家的狗不會咬人』一樣，真令人無言。」

布琳只用一個動作就拿出一把槍，抵上拉烏布的額頭。拉烏布往上瞥了一眼槍口，又看向布琳。

魔擊槍。

這個神器既常見又不常見。這是弱點在於射擊次數有限，用完後需要經過一天才能使用，而且有能阻擋魔擊的護身用神器。因為這些問題，它不常作為武器使用，偶爾會用來防身。

拉烏布問：「妳打算開槍嗎？」

「與其把一個不合格者留在皇女殿下身邊，不如深埋他會更好吧？」

拉烏布笑了。

「妳扣下扳機的速度，和我將槍口撥開，再折斷妳脖子的速度，哪個更快呢？」

「……」

「您也清楚家主——坦恩大人有多強，他連鋼鐵製的槍桿都能折彎，那麼不同尋常的我呢？」

他一直都在壓抑一切。

血中的怪物深感有趣地笑著。

要試試看嗎？

拉烏布看到放在扳機上的手指微微扣動。

當所有聲音和顏色彷彿都被吸入緊張之中時，一道聲音傳來。

「你們兩個都在外面幹嘛？」

烏鴉和狼都驚訝地轉過頭來。莉莉卡單手拿著擺錘站在那裡。

擺錘發出微弱的光芒，明滅不定地照亮莉莉卡。事情發生得太突然，兩人目瞪口呆，莉莉卡卻看著他們長嘆了一口氣。

看到主人嘆息的樣子，兩人都不知所措地垂下視線。

「皇女殿下，您怎麼能在晚上獨自來這種地方？」

布琳隨手把槍收起來後說。

莉莉卡鼓起臉頰，皺起眉頭，「因為陛下……」

她頓住了。

——因為今天的滿月比以往還要大，所以要好好盯著拉烏布。

如果不是阿爾泰爾斯在課堂上說過這句話，她應該不會知道這兩人會發生這種情況。

莉莉卡問：「你們兩個都有話要對我說吧？」

她看了布琳一眼，又看了拉烏布說：「布琳先說，然後再聽拉烏布的。」

布琳瞥了一眼拉烏布。看著他蒼白的臉色，她「哼」了一聲，走向莉莉卡。

莉莉卡對布琳微微皺起眉頭，說：「我們去那邊談吧。」

「是，皇女殿下。」

莉莉卡坐到被樹木遮蔽住的石桌旁。她把小指上的絲線戒指摘下來放到桌子上後，四周一片寂靜。

布琳驚訝地望著戒指，莉莉卡說：「這是今天陛下賜給我的，據說可以防止聲音外洩。」

事實上是她自己做的。

陛下是不是預見到了這種情況才讓她做的呢？莉莉卡看著戒指，然後抬起頭。

「所以呢？」

「首先，請原諒我擅自離開崗位。」

「嗯，然後呢？」

莉莉卡的問題讓布琳輕嘆了口氣，然後把提燈放在桌子上。紫色的火焰已經熄滅了。

「我之前告訴過您各個家族的起源，對吧？」

「嗯，就是和怪物混合在一起的故事吧？」

「是的，而且就像在證明這一點，各家族中會出現一些凶殘的人，我們稱他們為不合格者。」

「不合格者？」

「是的，意思是不適合與人類相處。」

莉莉卡抱起雙臂。小小的皇女殿下這樣做很可愛，但布琳稍微垂下了目光。

無論如何，她是自己的主人。

布琳解釋道，她很清楚這麼做會讓皇女殿下不悅。

「但是，不能讓這樣的人擔任皇女殿下的護衛，也不曉得坦恩閣下是怎麼想的。」

「嗯。」

莉莉卡看著布琳，心想：當時響起的警告是指這個嗎？

接著她對布琳說：「那麼，妳剛才打算做什麼？剛才抵在拉烏布頭上的是什麼？」

「那是一個名叫魔擊槍的神器。當然，我並不打算攻擊他，我只是想明天告訴皇女殿下真相。」

「真的？」

「是，他畢竟是皇女殿下親自挑選的護衛，我還能怎麼辦呢？」

莉莉卡聞言，點點頭問道：「妳說的不合格者，有那麼糟糕嗎？」

「他們就像隨時都有可能爆炸的不良神器。即使是馴養得再好的狗，野獸就是野獸，都會有無法克制自己的時候，但我希望那個『時候』，別在他待在皇女殿下身邊時來臨。」

這句話十分沉痛，因此莉莉卡稍微倒抽了一口氣。

「總之，我知道了。」莉莉卡點點頭，然後說：「妳可以去叫拉烏布過來嗎？」

「現在這種時候，讓兩位獨處……」

莉莉卡拍了拍自己的擺錘，說：「不會有事的。」

「好的。」

布琳有些猶豫地離開，然後叫來拉烏布。拉烏布慢慢走到石桌旁，莉莉卡讓他坐下。

他無法坐到石桌旁，在她面前單膝跪下，因為他很肯定布琳跟她說了什麼。

「拉烏布，我大概聽布琳解釋過了。她說你是不合格者？」

她的聲音很溫柔，內容卻使他繃緊下巴。

「是的，沒錯。」

那聲回答像聲嘆息，流瀉而出。

莉莉卡露出苦笑，「你一定很辛苦吧。」

拉烏布突然抬起頭。

莉莉卡微微一笑，注視著他顫動的藍灰色眼眸。

「所以你的本能比其他人更強吧？壓抑起來也不容易吧？」

他的目光落下，希望自己的聲音不會顫抖，坦率地說：「很……辛苦……」

他第一次向某人訴苦。因為他怕自己抱怨辛苦，其他人會更疏遠自己，所以連這種話都說不出口。

他露出經過一番努力練習，狼族特有的親和笑容。

「但我能堅持下去。」

『啊。』

莉莉卡知道那股不對勁的感覺從何而來了。對其他人來說是很普通的事，對他來說卻需要努力，而且即使努力，也無法澈底變普通。

「原來如此。」莉莉卡點點頭。她盯著自己的擺錘，並說：「總之，我知道了。」

拉烏布的眼睛瞪大。

莉莉卡看到他的表情，微微勾起笑，「你能告訴我你的症狀嗎？」

「那個……」

雖然猶豫，但拉烏布很快就有種莫名的確信，就算自己坦白，莉莉卡也不會拒絕自己。

他依舊低下頭，描述了他的症狀。

在滿月時會更難以忍受、體溫升高、情緒變凶猛、無法控制的憤怒、想要嚎啕咆哮的風暴在全身上下肆虐等等。

令人驚訝的是，坦承所有事情後，他的心感覺比隱瞞事實時更加自在。

莉莉卡仔細地聽完他的敘述後說：「我知道了，我會去查查看，也許會有可以緩解這些症狀的神器存在。」

拉烏布微微一笑。如果有這樣的神器，狼族肯定會努力想第一個獲得。不，不僅是狼族，連熊族也是如此。即使如此，考慮到時常發生不合格者引發的問題，這樣的神器並不存在。

不過，她說「會去查查看」的那句話也讓他感到非常暖心。

他不回應，靜靜地坐著。他的頭又低了一些，對於自己想要的東西，他覺得挺好笑的。

彷彿察覺到了他的心思，一隻小手小心翼翼地摸了摸他的頭。一想到自己被年齡不到自己一半的孩子摸著頭，就覺得很可笑，但若是被自己的主人摸頭，就完全是另一回事了。

狼族的人們喜歡互相碰撞、推搡的肢體接觸。父母摟著孩子、親吻他們，即使只是錯身而過，父母也會隨意摸摸他們的頭。

對於拉烏布來說，這部分完全是一片空白。即使孩子長大了，父母摸著比自己還高大的孩子的頭，這在沃爾夫家中是常見的景象。

最重要的是，被自己認可的對象——自己的主人讚美和觸摸更是特別。

因此得到的安心感對狼族來說，是只有作為人類才能感受、表現出來的。

他滿足地吁出一口氣。

感覺到主人在頭上輕輕笑了，拉烏布有些害臊。她把手收回後，拉烏布立刻站了起來，莉莉卡則轉過頭來。

彬彬有禮地保持著適當距離的布琳看起來十分不悅，是她的錯覺嗎？

莉莉卡向她招手，示意她過來。莉莉卡重新戴上戒指時，布琳走了過來。

「兩位談完了嗎？」

「嗯，談完了。我們回去吧。」

布琳像一個忠實的侍女，沒有再提及拉烏布的事情。相反地，她看了一眼月亮說：

「時間已經很晚了，您可能有點餓了吧？要我去拿點零食來嗎？」

「不，不用了。」莉莉卡微笑著，「謝謝妳，布琳。」

「別客氣。」

「那我們回去吧。」

莉莉卡輕輕握住布琳的手後說道，布琳的嘴角勾起笑容。

「是，皇女殿下。」

莉莉卡用筆尖畫了好幾個圓圈，形成魔法陣。

「嗯～控制……束縛，不對，不對，這都不是我想做的。」

莉莉卡在紙上劃了個大叉叉，望向窗外。陽光充足的書房窗戶大開著，潔白的亞麻窗簾在風中搖曳。

如果沒有涼爽的風，夏天會更難熬。

『真想做個會變涼爽的神器。』

莉莉卡撕掉寫著魔法陣和古語的紙，扔進垃圾桶，並熟練地點燃了它。不管怎麼說，要製作神器的話，最好還是問得詳細一點。

「嘿！」

她輕巧地從椅子上跳下來，迅速走出書房，「布琳。」

「是，皇女殿下。」

「準備好晨星，我得去見坦恩。」

「好的。」

在太陽宮內禁止騎馬，每個人都得徒步走到天空宮前。

所以在太陽宮內，能騎著奶油色鬃毛閃閃發亮的棕色馬匹走動的女孩，只有一個。

莉莉卡・納拉・塔卡爾。

皇帝的養女。

大家都好奇地抬頭看著。她輕輕搖曳著棕色頭髮，索爾和沃爾夫跟隨在身旁。

有些人噘起嘴來。

「一邊是索爾，一邊是沃爾夫，得意得像真的成了塔卡爾人呢。」

「噓，安靜點。你知道現在太陽宮真正的主人是誰嗎？」

「就算如此，她也是個出身不明的外來者，能被善變的皇帝寵愛多久呢？」

有些人點頭，有些人沉默。

「總之。」看著漸行漸遠的皇女，第一個開口的人哼笑了一聲，「真是不像樣。」

在所有人都必須步行的太陽宮裡騎馬前行的樣子十分招搖。

惡意雖小，卻逐漸增加。

「坦恩！啊，拉特也在？」

不知為何，拉特坐在騎士團長辦公室裡。他站起身，有禮貌地打招呼。

雖然一如往常地勾起溫柔的微笑，但莉莉卡很快就感覺到了負面情緒，小心翼翼地開口：

「我打擾到你們談話了嗎？」

坦恩皺起眉，拉特則溫柔地笑了笑，「沒有。」

「感覺不太對勁呢……」

莉莉卡低聲喃道，注視著坦恩和拉特說：「但我也是來和坦恩談重要事情的，請拉特見諒。」

兩人聽到莉莉卡堅定的話，看似驚訝地看著她。很快，拉特笑著順從地點了點頭。

「好的，那我先告辭了。」

「喂，我們以後必須再談談啊。」

坦恩說完，拉特只是笑了一下，然後離開了騎士團長辦公室。

坦恩勸莉莉卡坐下。布琳和拉烏夫都在房間外等著，因此裡面只剩下兩人。

「請問發生了什麼事?您說有重要的事情。」
坦恩溫和地笑著問完，莉莉卡反問道：「什麼是不合格者?」
坦恩瞬間倒抽了一口氣。莉莉卡盯著他的表情，然後深嘆了一口氣。
「坦恩。」
「是，皇女殿下。」
「你就那麼相信我的直覺嗎?」
坦恩露出了苦笑。
莉莉卡續道：「我知道沃爾夫家對坦恩來說很重要。因為你是家主，負責照顧大家就是你的職責吧?」
坦恩靜靜地聽著皇女殿下說話。
「我知道這對你來說非常辛苦，也知道你會被迫站在選擇的分叉口。」
現在莉莉卡才明白，坦恩聽到拉烏布要擔任護衛時，說「會提供所有援助」是什麼意思。如果知道不合格者的意思——不，即使事先得知，莉莉卡肯定也會選擇拉烏夫擔任護衛才對，但是如果能事先知道會更好。
即使如此，她仍然有疑問。
「坦恩，對你來說，拉烏夫比我陷入危險更重要嗎?」
「!」
坦恩的身子顫了一下，然後眉頭緊皺。他慢慢地開口：「不是的，但是從這情況看來，或許也不能否認。」
坦恩注視著莉莉卡。從理性的角度來看，將拉烏夫托付給這個年幼的皇女殿下確實萬萬不該。然而，他出奇地感覺不會有問題。他的直覺，他的心都這麼說。

坦恩坦率地說：「當時我覺得那是最好的選擇。因為我覺得就這樣讓拉烏布回故鄉，他可能會自取滅亡。」

他沉默下來，嘆了口氣後立刻把目光轉向莉莉卡。

「他惹出了什麼問題嗎？」

「沒有啦。」

莉莉卡看到坦恩十分擔憂，搖了搖頭。一眼看去也能感覺到坦恩的雙肩放鬆下來。

莉莉卡說：「當時我也這麼覺得，所以我才讓拉烏布留下，但如果當時能詳細地告訴我他有多辛苦就好了，我完全不知道他這麼辛苦。」

最後一句話令人十分意外，因此坦恩望向皇女殿下。

深邃的藍綠色眼眸凝視著坦恩。他深吸了一口氣，然後回答：「非常抱歉，都是我的疏忽。」

莉莉卡聽到他真誠的道歉，微微一笑。

「我接受你的道歉，但第一個問題仍然有效。不合格者是什麼？我知道是狼族的血脈比較濃。」

莉莉卡從拉烏布口中聽到的是症狀，從布琳口中則聽到責難。作為家主的他，應該知道更多資訊吧？

坦恩的目光悄悄看向門口時，莉莉卡馬上摘下戒指，放在桌上。

坦恩露出驚訝的表情。

「這是神器啊。」

「嗯。」

莉莉卡立刻回答。而坦恩點了點頭，心想「也許是陛下賜予的」。

聽說塔卡爾家的倉庫中堆滿了神器，只看清單也很驚人。

「不知道該從何說起。總之，關於拉烏布的事，我曾跟您說過他是我的遠親吧？」

「嗯。」

「他不是在沃爾夫家出生的。有時候就會發生這樣的情況，外界會突然出現流著濃郁家族血脈的人。我們家族聽到傳聞，就將拉烏布帶回來收為養子。」坦恩刻意不提他們為了帶回拉烏布而經歷的艱辛，反倒簡單地說：「所以拉烏布花了一番功夫才適應沃爾夫家。」

在這簡短的一句話下，莉莉卡點了點頭。

坦恩在他的背後拔出劍，並說：「所以，我們的武器也不一樣，因為他年幼時在其他地方學了劍術。沃爾夫家是使用劍，但拉烏布是使用刀。」

「對耶！沒錯，而且拉烏布背上還揹著武器。」

坦恩露出苦笑，「那是因為拉烏布不是騎士。不是騎士的人，是不能把劍掛在腰間的。」

「嗯？」

莉莉卡感到困惑，坦恩就抱起雙臂。

「如果不是騎士，就不能在腰間帶武器。雖然法律禁止非騎士者任意隨身攜帶武器……」

「但是沒有用啊。」

莉莉卡的評論讓坦恩笑了。

「是沒錯，但是將武器掛在其他地方會很不方便。」

「是嗎？」

「是的，您看拉烏布，他不是用刀鞘，而是掛在懸帶上。」

莉莉卡沉思片刻，然後點點頭。

坦恩確定她完全理解了，才續道：「狼族的血脈越濃，力量就越大，但衝動會更強烈，情緒波動也會更加劇烈。」

「但是拉烏布完全不是這樣嗎？」

聽到莉莉卡的話，坦恩點了點頭，「他接受過情緒控制的訓練。」

「情緒控制的訓練？」

莉莉卡問道，坦恩點了點頭。

「原本沃爾夫在年幼時，就會透過活動身體來消耗力量，然後學習情緒控制。廣闊的森林是他們的遊樂場，但拉烏布沒有接受這樣的教育，所以他只能學習壓抑所有情緒的方法。」

「我明白了。力量強大，但不太會控制情緒？」

「是的，他缺乏抑制衝動的能力，到滿月時會更加嚴重。」

「坦恩也是這樣嗎？」

莉莉卡的問題讓他輕輕笑了笑，點點頭。

「是的，沃爾夫家的人在滿月時，身體都會開始躁動。但狼族的血脈越濃，這股衝動會越強。拉烏布也曾在滿月時失控過兩次。」

他不是無緣無故變成不合格者的。坦恩說。

莉莉卡點了點頭說：「我可以稍微記下來嗎？」

「如果您願意保密，想怎麼寫都沒問題。」

「嗯，真正重要的部分我不會寫下來，而且絕對不會說出去。」

「好的。」

得到許可後，莉莉卡迅速拿出筆。看到她準備寫下來，坦恩開始更詳細地描述。他也談到了過去的記錄和事件。莉莉卡只記下輕鬆的部分，沉重的事只記在腦海中。

那一連串漫長的故事，使莉莉卡的表情變得嚴肅。

她看著寫下來的字句問：「這只是沃爾夫家才會發生的嗎？還是……」

「其他家族也經常出現不合格者。」

「原來如此……」

感覺非常辛苦。一想到自己的孩子可能是不合格者，父母應該會害怕吧。

「感覺很辛苦。」

莉莉卡這麼說後，坦恩微微笑了，「所以我們才要服侍塔卡爾，所以才想將塔卡爾……除掉吧。

他勉強止住湧上喉頭的話。他說錯話了。

坦恩瞄了一眼莉莉卡，她用調皮的表情將食指放在嘴邊。

「今天說的話都要保密喔。」

「當然。」

坦恩勾起了笑。

這位皇女殿下真的很特別。拉特說「在皇女殿下面前會莫名放鬆，真令人頭痛」的意思，他也明白了。

『保有許多祕密的桑達爾會更頭痛吧。』

若說皇后是用那華麗的外表、機智、銳利的口才和莫名豁達的態度讓人們著迷，那麼皇女殿下可完全不同。

「如果拉烏布表現得很好，請您摸摸他的頭。」

「摸頭？」

「是的，他肯定會非常喜歡的。」

聽到坦恩笑著這麼說，莉莉卡恍然大悟地點了點頭。

看到她有點頭緒地點點頭，坦恩問：「您摸過他的頭嗎？」

「嗯。」

「哎呀——」

要摸到一個高大成年男性的頭可不容易，但是因為皇女殿下十分落落大方啊。

「他應該非常喜歡吧！以後也請您常常摸摸他的頭。他小時候不曾和人這樣相處過……而且他也不認可我。雖然在群體中，他其實滿穩定的，但拉烏布偏偏是從外面來的……」

「他不認可坦恩嗎？但坦恩是家主，應該要聽從你的命令行動吧？」

「啊，我的確是家主——但那只是表面上，他內心深處並不服從我，這樣的話就沒有用了。」坦恩笑著指著莉莉卡，「但是他將皇女殿下清楚地認定為主人，因為您硬是收留了他，這樣好多了。」

「原來如此……」

沃爾夫真是奇怪。莉莉卡點了點頭。

『看來以後也得常常摸摸他的頭。』

看著自己的手掌，莉莉卡調皮地做出揉摸的動作並問：「坦恩也喜歡被摸頭嗎？」

坦恩瞬間猶豫了一下。因為他想起了那頭像月亮一樣耀眼的金色頭髮，和雪白的手。

他慢慢地，注視著莉莉卡那雙與某人極為相似的藍綠色眼眸，笑道：

「是的，我喜歡。」

阿爾泰爾斯看著今天也來回走動的莉莉卡。她就如之前所說，似乎稍微長高了一點。

『不是嗎？』

他歪著頭向她招手。當莉莉卡走過來，他又拿出一把寶石給她。

「拿去吧。」

「謝、謝謝……」

她結結巴巴地說著，但沒有拒絕，張開雙手接過來的模樣很可愛。

「好乖好乖。」

他又毫無來由地摸了她的頭，帶著「多向妳媽媽讚美我」的心思。

莉莉卡把寶石放進自己的錢包，並悄悄往四周看了看。

布琳和拉烏布都不能進辦公室，甚至……

「今天拉特不在呢。」

「他休假了。」

「拉特嗎？休假？」

「他家好像出了一點問題。」

說話的語氣緩慢，臉上的微笑像是嘲諷，「真有趣啊，所有一切都因為一個小存在而產生動搖。」

他的目光定在莉莉卡身上。吞了一口口水，阿爾泰爾斯咧嘴一笑。

「妳媽媽真是有趣，沒想到還不到一年，就能引起這麼大的震盪。」

莉莉卡感到不安，「媽媽出了什麼事嗎？」

「不，她是想要掀起一些風浪，還意外招惹了……」阿爾泰爾斯對莉莉卡說：「好好照顧烏鴉和狼吧。」

莉莉卡知道那是指布琳和拉烏布，點了點頭。雖然無法細問，但她知道那句忠告的意思。

小心安全。

就是這個意思。

說到小心安全，她想起了一件事。

「陛下，我有個問題想問您。」

「什麼問題？」

「魔擊槍是什麼？」

「發射魔彈的武器。」

聽到這簡單的解釋，莉莉卡歪著頭，阿爾泰爾斯補充道：「讓妳媽媽給妳看看吧？」

「我媽媽？」

「對啊，她應該有好幾把魔彈槍。」

不曉得是打算用來射誰的。

阿爾泰爾斯皺了皺眉，又補充道：「別跟她說是我說的。她可能又會跟我大鬧，說我教妳這麼危險的事。」

聞言，莉莉卡輕笑起來。

「笑什麼？」

「因為你們看起來感情很好。」

「因為我們會吵架嗎？」

「是因為你們能吵架啊。」

莉莉卡笑著說，阿爾泰爾斯則似懂非懂。一個比自己小的孩子說出這麼有理的話，讓他覺得很奇妙，毫無來由地推了一下莉莉卡的額頭。

「啊啊！陛下。」

莉莉卡用雙手摀著額頭，哭喪著臉，阿爾泰爾斯就笑了笑。

『陛下和阿提爾真的好像。』

莉莉卡在心裡嘀咕時，阿爾泰爾斯說：「不對，阿提爾應該也有一把。」

也可以問問看他。聽出了這個言外之意，莉莉卡順從地點點頭。畢竟即使去問媽媽，她也有可能會說武器很危險，不肯拿給莉莉卡看。

『但我很好奇，』莉莉卡心中又冒出一個問題，『阿提爾為什麼會有魔擊槍？』

如果像陛下一樣有力量，應該不需要任何武器。

她整理好文件，準備離開時，阿爾泰爾斯招了招手。她小心翼翼地走近後，他一把將她抱起來，讓她坐在書桌上，然後問：

「聽說妳和巴拉特在交往？」

『陛下的表情根本就像個興奮的小孩。』

周圍的人們聽到巴拉特的事情，會感到困擾或憤怒，但阿爾泰爾斯不同。

『他不像阿提爾那樣討厭巴拉特。不對，應該說他對這件事很感興趣？』

他總是能站在不可撼動的位置翻轉局勢，所以就像在競技場上開心觀賞的人一樣。

『與其說是人……』

是龍。

莉莉卡原本覺得他像阿提爾，但她發現兩人在這方面有根本上的不同。

『嗯～』

為什麼這樣的人會和媽媽結婚呢？

簽訂契約是為了什麼？

『背叛。』

他們曾說過這種話。陛下看起來絕對不會被背叛啊。

『搞不懂。』

小小的腦袋陣陣發麻，莉莉卡搖了搖頭。

『不知道！總之，先做能做的事情吧。』

當腦袋裡擠滿太多事情時，把事情分門別類地區分開來是最好。一口氣思考所有事情的話，光思考就會讓人筋疲力盡。清掃時要從上往下，所以現在要從櫥櫃開始！

回想起打掃時的事，莉莉卡睜大了眼睛。她拿起一張紙從書桌上下來，在紙上畫一個完整的魔法陣。

『還有這個。』

莉莉卡從陛下給的寶石中，拿出一顆最接近拉烏布瞳孔顏色的寶石，小心地放在書桌上，然後拿起擺錘。她再次檢查手中的魔法陣，然後看向寶石。

擺錘開始發出耀眼的光芒，莉莉卡慢慢念出咒語。

「呼啊納洛卡迪里希。」

擺錘畫出一個大圓圈，她製作的魔法陣飄浮在空中。透過手裡的線，她感覺到魔力像冰冷的水流一樣源源不絕地流出。

不停旋轉的魔法陣光芒反射在寶石上，閃閃發亮。一瞬間，所有事物都像被吸入寶石中心的某一點。

喀噠！

震動的寶石停了下來。

「呼……」

莉莉卡不禁嘆了口氣。她第一次將這麼長的咒語和魔法陣一起使用，但似乎順利成功了。

莉莉卡把擺錘塞進口袋，然後急忙拿起寶石。

『好冰。』

感到舒適的涼意。莉莉卡微微笑著，馬上跑出去。

「拉烏布，拉烏布！」

站在入口待命的他歪著頭走過來，「請問有什麼事？」

「手！」

聞言，拉烏布毫不猶豫地伸出手。

莉莉卡握住他的手，翻轉過來，將手心朝上，將寶石放到他手裡。

「——！」

拉烏布的身體顫了一下。

在體內流竄的熱度彷彿在轉眼間被吸入寶石中，消失了，涼爽又清新的感覺填補了其空缺。

沸騰的衝動和低語聲消失了。

愉悅的寧靜和沉默。

有生以來第一次，猶如下雪冬夜的靜謐降臨。

他顫抖著目光，定格在主人身上。那雙藍綠色的眼瞳靜靜地與他對望，然後笑了。

「看來很有用，太好了。」

「您是怎麼……」

手。

「我花了一點力氣。」

看著刻意輕咳一聲，挺起胸膛的皇女殿下，他的眼眶開始發燙，因此緊緊閉上眼後睜開。

「謝謝您。」

他第一次埋怨自己不善言辭，但只聽到這句話，皇女殿下就像明白了所有心意，笑著踮起腳尖伸出手。

拉烏布下意識地彎下身體。感受到撫摸自己的手，自然而然勾起了笑。他並不討厭。

但是……又感受到銳利的目光。

不，不僅是銳利，那道目光就像銳利的刺。拉烏布清楚知道它是從何而來，但他刻意不回過頭。

莉莉卡摸完他的頭後轉過身。

「布琳。」

「是，皇女殿下。」布琳佯裝淡然地回答。

莉莉卡輕笑著說：「布琳也伸出手來。」

「……！」

布琳快步走過來。莉莉卡輕輕地在伸出手的親信侍女手中放上一顆紫水晶。

這是在製作拉烏布的神器前就做好的。

布琳著迷地低頭看著猶如鑽石閃爍的紫水晶。

莉莉卡補充道：「這是在夜晚也能看清楚的神器。」

莉莉卡覺得加入一些閃爍光芒的魔法，比單純地刻入魔法好，所以也施加了各種閃耀光芒的魔法。

看著布琳的表情似乎很滿意，莉莉卡十分滿足。

「很漂亮吧？」

布琳被這個不同於其他，散發著多彩光芒的紫水晶迷倒了，聽到莉莉卡的話，她點了點頭。

「我非常喜歡，皇女殿下。」

「太好了。」

布琳帶著隨時都會哼起歌的表情，踩著像在雲端上的輕盈腳步，小心翼翼地將寶石放進口袋後說：

「剛才阿提爾殿下的使者來過，說是時間到了。」

「那我馬上過去。」

「是，皇女殿下。」

「啊，等一下！我整理一下書房就好。」

皇女殿下飛快地走進書房後，布琳馬上拿出紫水晶仔細端詳。

「真漂亮……」

不禁吐出夾雜著熱情的嘆息。她覺得自己是十分幸運的親信侍女。除了皇女殿下，沒有人比她更幸福。

看著耀眼的紫水晶，布琳說：「拉烏布大人。」

這是時隔許久的恭敬稱呼。狼只轉過視線看來，布琳則微微一笑。

「我幫您加工那塊寶石好嗎？」

「……」

看到拉烏布悄悄將握起的手藏到背後，布琳皺了皺眉頭。

「我不會搶走您的寶石。是因為我現在心情好，才對您展現一些好意，因為索爾家有很多工匠。」

正因這個家族喜歡閃亮的東西，與這方面的工匠們也有深厚的關係。

「不用了。」

聽到拉烏布的話，布琳說：「那隨便您吧。」然後小心地把紫水晶收好。

要做成胸針嗎？不，做成頭飾或髮帶也不錯。

只是想像都讓人快樂。

瞥了一眼呵呵笑著的布琳，拉烏布問：「那麼，我們和好了嗎？」

「什麼？我們什麼時候吵架了？」

「……」

看到拉烏布悄悄拋來說著「妳前幾天才用魔擊槍抵著我的腦袋不是嗎？」的目光，布琳笑了笑，「啊」了一聲。

「那不算吵架吧。」

「那是什麼——」

「是我單方面威脅您。」

看到布琳笑著，像在說「那哪算吵架，才不是吵架」，他一時說不出話來。

就在這時，莉莉卡打開書房的門出來了，「整理好了，現在可以走了。」

「是的，皇女殿下。」布琳有禮貌地回答。

莉莉卡察覺到空氣中的氛圍，來回看著兩人。

「你們兩個是不是——」

「不是的。」

「不是的。」

兩個人同時回答，莉莉卡微微一笑。

阿提爾帶著莉莉卡來到祕密花園，要展示自己使用魔擊槍的模樣。

『今天好像人特別多。』

視線十分刺人。

一進入花園，感覺就好多了。阿提爾低聲說：「沙漠老鼠正聚在一起呢。」

「沙漠老鼠嗎？」

「就是南方的鄉下人。」

阿提爾這麼說著，將魔擊槍遞給莉莉卡。莉莉卡小心翼翼地接過槍。

十分冰冷，又比想像得沉重。

阿提爾說：「看回去的情況，妳也要帶著一把……不對，妳就跟那傢伙一起行動吧。」

他瞥了一眼拉烏布說完，莉莉卡就拿著槍問：「您是指什麼情況？」

阿提爾皺起眉頭，「妳不知道嗎？」

「是的……」

莉莉卡點了點頭，阿提爾從她手中接過槍說：「甜菜。那是妳的東西，妳居然不知道？」

「我已經和媽媽說好一起持有了……」

阿提爾「哼」了一聲，低頭看向槍。

「我先告訴妳。妳扣下這個撞針上膛，積累的魔力會在槍管內啟動魔法陣，壓縮魔力。妳要透過這個準星決定射擊的方向，然後扣下扳機，就會發射。」

阿提爾舉起槍。與此同時，布蘭在樹上掛了一個平底鍋。

「拉撞針上膛。」

喀嚓聲響起。

「瞄準。」

阿提爾瞄準平底鍋後說：「扣扳機。」

扣下扳機後，槍口瞬間閃現一道光，在前方形成魔法陣。

「啊！」

同時，魔彈被射出。

匡啷！

平底鍋發出敲擊聲。莉莉卡看著布蘭帶來的平底鍋，眼睛瞪得圓圓的。

「穿透了。」

「在這距離下會穿透過去，因為很近。」

莉莉卡不敢相信，將手指放進洞裡，「天啊。」

莉莉卡感到震驚。當然，她也對魔擊槍的威力十分驚訝。

『布琳之前是拿這個，抵著拉烏布的頭嗎？』

看到莉莉卡的反應，阿提爾嘻嘻笑了。

「權族們應該都有好幾支吧？會用的人不多就是了。魔法陣在槍膛裡損壞的情況很常見，槍管彎曲了也無法使用。」

「槍管彎曲嗎？」

「性情急躁的人有時會用槍托打人，而且每天可以射擊的次數有限，所以魔彈用完後，就會用物理力量，還有，如果蓄魔座損壞了也不能用。」

「蓄魔座？」

「是儲存魔力的東西。安裝在槍管內，但不是很堅固。」

「原來如此，但威力卻那麼驚人，明明這麼小一個。」

能夠將人一擊斃命的武器，也比弓箭容易操作。

阿提爾做了一個拉動把手的動作，說：「還有一種大型魔擊槍是這樣操作的，名叫霰彈槍，威力和體積一樣大。嬸嬸應該有兩把吧？」

「媽媽嗎？」

媽媽有這麼大的魔擊槍？

莉莉卡根本無法想像，歪著頭。阿提爾摸了摸她的頭。

「不過，妳還是算了吧，最好不要碰這種東西。」阿提爾笑著將槍交給布蘭，「因為會用到這個，毫無疑問是發生了意外，要用來射擊別人。要是射到自己的腳上還好一些。」

光想就覺得痛。莉莉卡問：「阿提爾也射到腳過嗎？」

「這怎麼可能。」

他要用握拳的手輕輕敲上她的頭時，莉莉卡用雙手抱住頭。

她偷偷抬眼看向阿提爾，那雙藍色的眼睛就狡黠地笑了起來，他一下子將莉莉卡抱起。

「我該拿這個小不點怎麼辦呢？」

「我一點也不小！」

「聽說小不點們都會這樣說耶。」

「我真的不小啊……」

阿提爾總是想逗弄低聲嘀咕的妹妹。那雙猶如異國海洋的眼睛會隨著表情不斷變換，讓他感到愉悅。

「布琳說我有好好長大。」

「橡實長大後，不也是橡實嗎？」

「橡實長大後會變成大樹啦。」

「妳承認自己是橡實啊。」

「……！」

她生氣地皺起眉頭，阿提爾就笑著把她放下來，放到遮陽傘陰影下的桌子旁。

莉莉卡氣憤地大口喝下冰涼的檸檬水，發出「哈——」的聲音後——阿提爾忍著笑意——她問道：

「所以，剛才您為什麼會說到甜菜呢？」

「啊，那個啊？」

阿提爾用水晶攪拌棒攪了攪玻璃長杯裡的冷茶，說：「糖是南部貴族的主要收入來源之一，是由甘蔗製成的。他們聽說北部也開始種植後，十分躁動，因為說不定糖的價格會下降。」

這是意料之外的事，莉莉卡因此眨了眨眼。阿提爾揚起單邊嘴角，笑著續道：

「不過，南部貴族的首領是誰？當然是桑達爾。」

「這問題有這麼嚴重嗎？」

「南部貴族們聯手壟斷了糖，操縱價格。但突然間，北部也能生產糖了呢？」

莉莉卡的小臉嚴肅起來。

在貧民區，一枚硬幣就會引發激烈的爭鬥。說要收場地費，在街上搶劫的街頭流氓也會起內鬨，爭搶地盤，過去莉莉卡都得躲過這些紛爭過日子。

『不過，糖會造成更多金流往來……』

這可能真的是個嚴重的問題。

陷入思考的莉莉卡「啊」了一聲，「那麼剛才在太陽宮排隊的人……」

「是南部貴族啦。他們應該是想對妳抱怨幾句，但因為我跟妳在一起，所以沒說什麼。」

「對我嗎？」

「因為妳的出身低劣。」

莉莉卡皺了皺眉頭，但阿提爾續道：「天空宮應該更熱鬧。現在消息已經傳開了，在領地那邊，桑達爾的宅邸應該也亂成一團了。」

聽到阿提爾的解釋，莉莉卡想起最近拉特不在辦公室的事情。

「派伊也不見了。」

她喃喃自語後，阿提爾冷冷一笑，「就是這樣。」

莉莉卡不知為何，很想為派伊說話。

「派伊也有他的苦衷，但是他應該正在努力，為了繼續留在您身邊。」

阿提爾用攪拌棒敲了一下玻璃杯的邊緣。

「隨便妳要怎麼想。」

莉莉卡皺著眉頭，但沒再多說什麼，反倒抱起雙臂。阿提爾直盯著她看，心想著「她的手那麼小，怎麼能這樣轉呢？」。

這時，莉莉卡說：「那麼北部的人應該也不會坐視不管，這可是個賺大錢的好機會啊。如果南部是桑達爾，北部……」

「沃爾夫。」

「啊！」

莉莉卡露出複雜的表情。

拉特和坦恩的關係變糟了嗎？這麼說來，上次去拜訪時，他們似乎在談很嚴肅的事情。

阿提爾伸出手指，捏了捏她的鼻子。

「阿提爾！」

她不禁發出沉悶的鼻音。

莉莉卡大喊一聲後，阿提爾笑著說：「這不是妳該擔心的事。」

「但是——」

「相信叔叔和嬸嬸吧。」

莉莉卡想起了媽媽和皇帝。雖然有點不安，但和阿爾泰爾斯在一起，媽媽應該很安全。

阿提爾說：「要真的開始生產糖還需要時間。除非是笨蛋，腦袋應該會冷靜下來，而且桑達爾不是笨蛋。」

他的話讓莉莉卡垂下雙肩。阿提爾說得對，農作物可不是一天就能種出來的。

「迪亞蕾·沃爾夫是妳的談心朋友吧？」

「對。」

「叫她過來吧。」

莉莉卡面露疑惑，但還是點了點頭。

穿著整潔的見習騎士服，迪亞蕾今天依舊很可愛。

灰粉色頭髮豐盈，眼睛圓潤，帶著討人喜歡的微笑。這個表情不像刻意裝出來的，而是天生如此，讓莉莉卡覺得她和拉烏布截然不同。

「今天要不要去花園的小溪戲水？」

迪亞蕾的提議也讓莉莉卡非常喜歡，點了點頭。布琳準備好野餐籃後，一行人離開了太陽宮。

經過走廊時，遇到了一群人。接受問候並經過他們時，身後傳來了一聲大喊：

「有髒東西把太陽遮住了！」

莉莉卡不禁顫了一下。由於她走得不算快，後面的話聲清楚地傳來。

「竟然有膚淺的傢伙在這裡亂晃，哎呀，是不是有股下水道的臭味？」

「就是啊，啊，這味道就跟我經過貧民區時聞到的味道一樣呢。」

聽到嘈雜的笑聲，莉莉卡很是苦惱。如果她轉身回應，就像是在他們攀談，而且他們很可能會堅稱只是在自言自語，然後繼續說下去。

然而，如果不理會，就等於輕視塔卡爾——

「皇女殿下，您不覺得有股臭味嗎？」

莉莉卡嚇了一跳，看向迪亞蕾。她的聲音高亢清晰，傳得很遠。

她笑著說：「不知道是從哪裡來的，好像是沙漠老鼠散發出來的奇怪味道，我們最好快點離開這裡。」

迪亞蕾笑容滿面地拉起莉莉卡的手。她的聲音依然清晰可聞。

「聽說鄉下人的汗騷味很重，果然如此。啊，據說嘴裡也有臭味，現在就聞到了那種味道。哎呦，真討厭，我快喘不過氣，快死了。唔！要死了！這難道是臭味攻擊？快跑啊，皇女殿下，求您救救迪亞蕾，快走吧。」

南部是炎熱的地區，因此人們經常滿身大汗，對氣味很敏感。香薰商品最暢銷的地區就是南部，他們自己也會取笑不噴香水的人為「臭鬼」。

由於他們對這個話題過於敏感，所以沒有人敢在他們面前公然說出這種話。

「那、那個……！」

「什麼……！」

身後有一些人臉色通紅地咆哮，但迪亞蕾澈底忽視，捂著鼻子，還遞給莉莉卡手帕。

「我們快走吧。」

然後一行人快步穿過走廊。一走出太陽宮，莉莉卡就笑了出來。

迪亞蕾深吸一口氣。

「現在好了一些，對吧？哈～空氣真好。」

莉莉卡止住笑意，看著迪亞蕾。

迪亞蕾像往常一樣露出甜蜜的微笑，「吸到清新的空氣，感覺好多了吧？」

「嗯，非常好。」

莉莉卡點了點頭。她們像調皮的女孩一樣望著對方，又笑了起來，牽手走著。

『我大概明白為什麼阿提爾要讓迪亞蕾來陪我了。』

儘管如此，為了以防萬一，莉莉卡問：「迪亞蕾，妳回去後不會有事吧？」

迪亞蕾回去後會不會遇到什麼事？

聽到這個問題，迪亞蕾歪著頭問：「但我只是照實說我聞到了奇怪的味道，有什麼錯嗎？」

「說得也是。」

莉莉卡笑了。

雖然不知道那些人是南部貴族還是什麼，但她們以同樣的方式報仇了。如果是莉莉卡說出這樣的話，可能會有人罵道「果然是貧民區出身的人，說話真沒禮貌」。

但如果是迪亞蕾呢？

迪亞蕾笑了。

「我可是『不屈的迪亞蕾』啊。」

看著笑著的迪亞蕾，莉莉卡也笑了。兩人開心地甩著握著的手，一起走著。

雖然廣闊的花園裡有許多流淌的小溪，但最好的位置保留給了皇族。在相當寬敞的溪谷上，橫架著一座低矮的木橋，可以讓人碰到溪水。

一行人將果汁和牛奶瓶直接放在溪水中，莉莉卡則脫掉了鞋子和絲襪。

「好涼快！」

她一坐下來就把腳伸進水裡，冰涼的溪水拍打著她的小腿。莉莉卡不停擺動雙腳，嘆了一口氣。

坐在旁邊的迪亞蕾問：「您為什麼嘆氣？」

「沒有，因為既涼快又舒服啊，要是整個人泡進去會更舒服吧？」

「或許是吧。啊，這麼說來，今年不去夏宮了呢。」

「夏宮？」

「是啊，這裡是位於首都的本宮，夏天會去夏宮，冬天會去冬宮玩耍，或者去別墅。聽說皇室的夏日別墅在島上。」

「在島上？」

「是的，請問您見過海嗎？據說可以盡情地下海玩耍。」

「沒有。」

莉莉卡搖了搖頭。她不曾見過海，只聽說過有個廣闊又無邊無盡的水域。

「我在插畫上看過。」

在百科全書上。她補充道後，迪亞蕾笑了。
「其實我也沒見過大海，希望以後能一起去。」
「嗯，如果我要去，迪亞蕾當然也得一起去。」
聽到莉莉卡這麼說，迪亞蕾笑著說「是嗎？」，然後從橋上跳了下去。
噗通！
涼爽的水聲響起。水相當深，深及迪亞蕾的腰部。她完全不在意制服溼透了。
「泡進來的確非常涼快。皇女殿下也下來吧，來。」
莉莉卡低頭看著衣服，猶豫了一下後，「嘿！」地一聲跳了下去。
「好涼快！」
莉莉卡笑了起來，迪亞蕾朝她潑水。
「迪亞蕾！」
「很涼快吧？」
「真是的！」
莉莉卡也大喊著潑水。她已經不在意衣服了，身體輕飄飄地浮在水上也很愉快。
迪亞蕾說在水中，身體會變輕盈，也可以輕易地做到屈膝禮。兩人對視了幾次，試著做出屈膝禮。
這些看似無用的事情讓她們非常開心。
最後，全身都溼透的兩人上岸，都坐在被晒得熱呼呼的石頭上。
「身體變重了。」莉莉卡說。
布琳拿來一條大毛巾蓋在她身上，微微一笑，「因為溼衣服很重啊。」
迪亞蕾裹著毛巾，擰了擰頭髮。她的目光不停瞥向籃子。

布琳從籃子裡拿出食物，還有放在溪水裡的飲料。兩個餓極的女孩迅速吃完了食物。
布琳擔心地說：「兩位最好趕緊回去換衣服，不然會感冒的。」
「是嗎？我感覺還好啊。」
迪亞蕾瞪大了眼睛，「不對，您正在發抖啊，皇女殿下。」
迪亞蕾的話讓布琳迅速走近。她摸了摸莉莉卡的臉頰，吃驚地說：「皇女殿下，您的身體好冷，趕快回去吧。」
布琳用毛巾將她裹了一層又一層，然後輕輕抱起她。
在莉莉卡還來不及反應時，她已經泡在熱呼呼的浴缸中了。
『真舒服……』
明明是夏天，泡在熱水裡卻很舒服，看來剛才是體溫下降了。
或許是玩水消耗了很多體力，洗完澡後，莉莉卡全身疲憊。布琳一邊幫臉蛋像蘋果一樣紅的皇女殿下穿衣服，一邊說：「您的朋友來了。」
「朋友？」
莉莉卡稍微打了個哈欠，然後「啊」了一聲笑了。
「菲約爾德來了？」
「對。」布琳微笑著補道，「迪亞蕾小姐也在等您。」
「那我得趕快出去。」
他們兩人是第一次見面，會不會很尷尬？莉莉卡這麼想著，加快了速度。
頂著一頭還沒完全乾的頭髮走進起居室時，迪亞蕾和菲約爾德正坐在沙發的兩端。
不知道是從哪裡借來的衣服，迪亞蕾穿著寬鬆的襯衫，褲頭緊緊地束起，頭髮還在滴水。相比之下，菲約爾德則一如既往的整潔俐落，從頭到腳都打扮得很華麗，頭髮毫不凌亂。

莉莉卡走出來時，兩人自然而然地站了起來。迪亞蕾帶著討喜的笑容先開口：

「皇女殿下，除了皮膚很光滑以外，毫無用處的巴拉特真的是皇女殿下的朋友嗎？」

這一刻，莉莉卡十分慌張。菲約爾德則露出開朗的笑。

「除了咬人和吠叫之外，沒什麼用處的沃爾夫真可憐呢，因為他們總得吠幾聲才行。」

「啊，大人教過我，對狗得用狗吠聲說話，現在仔細想想，你比狗還不如，就算學狗叫也聽不懂吧。來吧，皇女殿下。」

迪亞蕾趕在菲約爾德回擊前跑上前，抓住莉莉卡的手。

「來，請坐這裡。」

迪亞蕾邀請莉莉卡坐到自己的旁邊，但莉莉卡的另一隻手被菲約爾德一把抓住。

菲約爾德帶著優雅的微笑說：「我怕皇女殿下的衣服上沾到狗毛。」

迪亞蕾正要說話時，莉莉卡低聲說道：「夠了。」

迪亞蕾馬上垂下尾巴，表情很是難過。

「但是，皇女殿下——」

「沒有『但是』。」莉莉卡表情嚴肅地說：「菲約爾德是我的朋友。」

迪亞蕾鼓起臉頰，「只有皮膚光滑的他真的——」

「嗯，他是我的朋友。」

莉莉卡在迪亞蕾繼續說下去前再次強調。

菲約爾德的心情有些複雜，不知道該高興還是難過。

迪亞蕾馬上抬起頭，厲聲說道：「如果你傷害皇女殿下，我絕對不會放過你。」

「我也這麼想。」

菲約爾德這麼說完，莉莉卡深嘆了口氣。她的嘆息聲讓兩人迅速閉上嘴。

然而，他們望著彼此，似乎都不打算放開莉莉卡的手。

最後，莉莉卡低喝一聲，迅速舉起雙手。兩人「啊」了一聲，放開手後，莉莉卡又伸出手說：

「手！」

兩人乖乖地握住莉莉卡的手後，莉莉卡小跑著走向沙發，抬了抬下巴。

三人手牽手坐上沙發後，房裡流淌著沉默。

「……」

「……」

「……」

莉莉卡緊抿著嘴，不發一語。而迪亞蕾想開口，卻忍住了。

莉莉卡對兩人來說向來是個說話溫柔的人，因此很擔心她會生氣，一直看著她的臉色。

就在這時，布琳像是沒看到這種狀況，將三個茶杯放到桌上，接連倒入熱茶。

「您必須暖暖身體，所以我準備了熱茶，是肉桂薑茶。」

獨特的香氣在空氣中飄散開來，接著也端上簡單的茶點。

「這是最近新做的餅乾，因為形狀像金塊，所以叫做金塊餅。」

杏仁粉、奶油和糖的味道甜蜜可口。

儘管茶點擺在眼前，莉莉卡也一動也不動，緊抿著的嘴唇像鴨喙一樣噘著。

『真可愛。』

迪亞蕾這樣想著，瞥了一眼菲約爾德。他的目光固定在被莉莉卡握著的手上。

那雙金紅色的眼瞳中帶著熱度，他盯著皇女殿下的目光中甚至帶著悲戚。
『這傢伙……？』
迪亞蕾瞇起眼。
『皇女殿下的手明明只有我能牽！』
迪亞蕾直覺地感覺到，這傢伙是對手，他們將爭奪皇女殿下的摯友之位。
如果她看到皇女殿下摸他的頭，應該會無法忍受。
『但現在攻擊他會產生反效果。』
莉莉卡仍然不發一語。她似乎打算一直這樣下去，直到熱茶冷掉。
不，也許會持續到晚上。
雖然能看到莉莉卡新的一面，迪亞蕾很高興，但他們必須解決這個局面。
她的確知道皇女殿下想要什麼，而且她犯了錯也是事實。菲約爾德·巴拉特不是為了傷害皇女殿下才接近她的。
『他的想法應該也和我一樣。』
迪亞蕾深吸一口氣後說：「抱歉，巴拉特小公爵，是我錯了。」
菲約爾德驚訝地看著迪亞蕾，而迪亞蕾直視著他。
「我不應該在皇女殿下面前謾罵殿下的朋友，是我失態了。」
只要承認錯誤，要道歉也是小事一樁。
菲約爾德看著迪亞蕾。
那雙有如苔蘚的深綠色眼睛冷冰冰的，對這樣的眼神，菲約爾德早已習以為常。這是在打量自己是什麼人的目光。

菲約爾德沒有躲避這樣的目光。他對迪亞蕾・沃爾夫的反應也稍微能理解。

「我理解。」

聽到菲約爾德這麼說，迪亞蕾皺起眉後，馬上露出微笑，「那我們算和好了。」

迪亞蕾舉起莉莉卡牽著的手，輕輕前後搖晃著。

「皇女殿下，我們和好了。我道歉了，對吧？」

「是的。」

菲約爾德也出聲附和，莉莉卡這才來回看著兩人。

菲約爾德說：「茶都要涼了。」

「是啊，而且洗完澡後，肚子好像更餓了。」

「好吧。」

莉莉卡放開了兩人的手，迅速拿起茶杯。

布琳問：「要重新沖一杯嗎？」

「不，涼一點比較好。」

迪亞蕾的手迅速伸向點心。從剛才起，香甜的氣味就讓人難以忍受。

柔軟輕盈的點心入口即化，侍女迅速換上新的盤子。

莉莉卡也嘗了一口柔軟的金塊點心，點點頭。就如迪亞蕾所言，或許是肚子餓了，甜味在舌尖上蔓延。

「和皇女殿下一起玩可以盡情享用點心，真棒。」

莉莉卡對迪亞蕾的話感到困惑，問：「沃爾夫家的人不常吃點心嗎？」

「嗯，我們人口眾多，所以就算買了點心，每人也只能分到一塊。」

「原來如此。」莉莉卡輕笑了笑，「我也有過類似的經歷。有一次碰巧得到了剩下的點心，我覺得太好吃了，所以打算把它分成好幾塊，每天吃一點，可是……」
莉莉卡嘆了口氣，「後來都被螞蟻搶走了，我非常後悔，當初應該直接吃光的。」
菲約爾德和迪亞蕾的目光一顫，馬上回過神的迪亞蕾將自己的點心盤推到皇女殿下面前。
「請您多吃一點！」
「啊，我現在吃過很多了，不要緊。迪亞蕾才是，妳多吃一點。」
她又將點心盤推到迪亞蕾面前。
菲約爾德看著這一幕，說：「現在沃爾夫家的人也可以盡情享用點心了。」
迪亞蕾和莉莉卡同時看向他。
菲約爾德用茶水潤唇，說：「等北方開始生產糖，北方貴族們也會擺脫拮据的困境吧。」
「拮据？」
布琳解釋道：「那是指生活不富裕，買不起必需品的狀況。」
迪亞蕾十分惱怒，「我們還不至於這麼窮。」
菲約爾德道了個歉，放下茶杯。
「長年以來，皇帝派的沃爾夫家領地並不富饒，這是眾所周知的事實。」
他們不會穿戴奢侈品，是基於家族特有的騎士精神，但也是因為沒有錢買奢侈品。
他們的領地幾乎都是廣袤的森林和荒涼的土地，所以以沃爾夫家為首的北方貴族——以及許多皇領——大多都依賴國家賜予的俸祿。因此，他們可能只能買一盒點心回去。
莉莉卡大感震驚。
『那些糖果，原來坦恩花了不少錢！』
她還以為坦恩因為是貴族，能隨意送她糖果罐——但聽到這番話，她發現坦恩非常照顧她。

「但南方的貴族們很不滿吧。」

菲約爾德接著說，莉莉卡點了點頭。畢竟今天白天才發生過那件事。

迪亞蕾生氣地說：「你為什麼要對皇女殿下講這種話？」

「這不是……談心朋友該做的工作嗎？」菲約爾德歪著頭說：「雖然我不是她的談心朋友，但我是皇女殿下的朋友。她需要知道的事情都得事先了解啊。」

要是在不知情的情況下被人捅一刀，會很困擾吧？

迪亞蕾無言以對。她瞪著大眼，看著莉莉卡，「我對這些事情不太了解。」

莉莉卡笑著，又拿了一塊點心給迪亞蕾。

「不要緊，迪亞蕾今天陪我玩得很開心啊。」

迪亞蕾吃著點心，決定要多打聽一點消息。

莉莉卡認同菲約爾德的話。如果阿提爾今天早上沒有告訴她，她突然聽到有人在背後罵自己時，可能會更慌張。

『但是當時是和迪亞蕾在一起，所以不要緊。』

莉莉卡又悄悄塞了一塊點心給迪亞蕾，摸摸她的頭後，迪亞蕾有些害羞地笑了。

『好可愛。』

莉莉卡不曉得是否可以對比自己年長的人這樣做，但迪亞蕾果然很可愛。

『這麼一想，拉烏布有時也挺可愛的吧？沃爾夫家的人或許都很可愛。』

她決定大大方方地疼愛他們，並看向菲約爾德。

因為擔心，她有很多話想說，但因為和迪亞蕾在一起，她無法說出口。當她伸出手時，菲約爾德小心翼翼地握住了她的手。莉莉卡笑了。

「今天和迪亞蕾一起玩水，真的好涼快也很開心。之後有機會，和菲約爾德一起去也不錯。」

她提出以後兩人一起空出時間去玩的提議，菲約爾德附和道：「好像非常有趣。」

「對吧？」莉莉卡點點頭，然後說，「不過剛才那個糖，他們那麼反對，沒關係嗎？」

「沒理由不同意吧，因為南部產的糖價目前被壟斷了。」

菲約爾德流利地回答。

「壟斷？」

「對，南部聯盟壟斷了糖價。但如果北部能生產糖，原本被利益綁在一起的南部糖業聯盟就會瓦解。這樣一來，等同於南部貴族首領的桑達爾家，聲望也會稍微下降吧？」

菲約爾德微微一笑，「但這樣一來，糖價肯定會下跌。而且……」

菲約爾德看著莉莉卡，露出優雅卻十分冷酷的微笑。

「面對突如其來的利益，北部貴族們會作何反應呢？還有，這件事是由皇后殿下主導的，我非常好奇她會如何處理。」

提到媽媽，莉莉卡的眉頭緊緊皺起。

「有沒有我能幫助媽媽的方法呢？」

「聽說您正在找新的老師。」

「啊，對，媽媽會介紹新老師給我。」

「您詢問那位新老師可能會更清楚。」

「嗯，謝謝你，菲約爾德。」

莉莉卡靜靜地回答，注視著菲約爾德。

他的母親——巴拉特公爵如果知道兩人在討論這種事，肯定會很不高興。他單獨來和我見面，回去後會不會被罵呢？會不會又像那次一樣受傷？
他是不是正獨自忍受著痛苦？
今天一切都好嗎？
看著莉莉卡複雜的表情，菲約爾德問：「您不喜歡和我在一起嗎？」
「才沒那回事！」莉莉卡大聲回道。
迪亞蕾在她身後點點頭，面露遺憾。
「那就好。」
菲約爾德輕鬆地說著，笑了笑，迪亞蕾則皺了皺眉頭。
在那之後，三人繼續聊著天，但是因為迪亞蕾和菲約爾德都在場，所以變成了隨意——表面上的交談。
一言以蔽之，就是很無趣。
洗好澡，喝下熱茶，也填飽了肚子，莉莉卡努力忍著睡意。
菲約爾德察覺到了，先表示要離開，布琳用眼神示意後，迪亞蕾也跟他一起離開了。
莉莉卡比平常還早入睡。

——下集待續

高寶書版集團
gobooks.com.tw

CP012
契約皇后的女兒 1
엄마가 계약결혼 했다

作　　者　시야 (Siya)
譯　　者　朱紹慈
責任編輯　陳凱筠、廖家平
設　　計　單宇
排　　版　彭立瑋
企　　劃　黃子晏

發 行 人　朱凱蕾
出　　版　三日月書版股份有限公司
　　　　　Mikazuki Publishing Co., Ltd.
地　　址　臺北市內湖區洲子街 88 號 3 樓
網　　址　www.gobooks.com.tw
電　　話　(02) 27992788
電　　郵　readers@gobooks.com.tw（讀者服務部）
傳　　真　出版部　(02) 27990909　行銷部 (02) 27993088
郵政劃撥　19394552
戶　　名　英屬維京群島商高寶國際有限公司臺灣分公司
發　　行　英屬維京群島商高寶國際有限公司台灣分公司 / Printed in Taiwan
　　　　　Global Group Holdings, Ltd.
法律顧問　永然聯合法律事務所
初版日期　2024 年 7 月

國家圖書館出版品預行編目 (CIP) 資料

契約皇后的女兒 / 시야著 ; 朱紹慈譯 . -- 初版 . -- 臺北市 : 三日月書版股份有限公司出版 : 英屬維京群島商高寶國際有限公司台灣分公司發行 , 2024.07
面 ;　公分 . --

譯自 : 엄마가 계약결혼 했다

ISBN 978-626-7391-16-7 (第 1 冊 : 平裝)

862.59　　113006227